D0811231

Chinese literatuur van nu
Aards maar bevlogen

Mark Leenhouts

Chinese literatuur van nu

Aards maar bevlogen

DE GEUS

Dit boek kwam tot stand met steun van het
Nederlands Literair Productie- en Vertalingenfonds

© Mark Leenhouts, 2008
Omslagontwerp Studio Ron van Roon
Omslagillustratie © Hong Hao, *10 Years Chinese Contemporary* 2006
Druk Koninklijke Wöhrmann BV, Zutphen
ISBN 978 90 445 1094 2
NUR 321/323

Wie niet handig is, kan geen Chinees zijn, van zijn leven niet.

HENRI MICHAUX, *Un barbare en Asie*, 1933

Inhoud

Inleiding: Aards maar bevlogen

Wie tegenwoordig in China een boekwinkel binnenstapt, een van die boekenwarenhuizen als V&D's zo groot, struikelt letterlijk over de lezers die je, gezeten en gehurkt, de toegang tot de schappen versperren. Sommigen kijken haast geërgerd op als je over hun schouder naar een boek reikt, anderen schuifelen routineus opzij zonder hun blik van de bladzij af te halen. Die moderne boekenplaza's staan er weliswaar nog niet zo lang, en ook de enorme aantallen boeken die ze herbergen zijn het product van China's recente economische groei – maar dat leesgedrag, die leesdrang beter gezegd, is bepaald niet van gisteren.

Nergens werd het geschreven woord zo hoog gehouden, en was literatuur zo onlosmakelijk met het leven verbonden, als in het klassieke China. Tot aan de twintigste eeuw was het schrijven van poëzie en verhandelingen vast onderdeel van de staatsexamens die toegang boden tot een ambtelijke loopbaan, de hoogste roeping in het Chinese keizerrijk. Mede door de vroege uitvinding van het papier (eerste eeuw) en de boekdrukkunst (tiende eeuw) kent China een ononderbroken schriftelijke traditie van drieduizend jaar, waarmee het misschien wel de enige grote, andere traditie is naast de westerse, als je die laat beginnen bij de *Ilias* en de *Odyssee*.

Toch is de Chinese literatuur in het Westen grotendeels onbekend. Van de dichtkunst, traditioneel het summum van de Chinese letterkunde, hebben Nederlandse lezers zich een beeld kunnen vormen via W.L. Idema's kloeke *Spiegel van de klassieke Chinese poëzie*, die sinds zijn verschijning in 1991 een onverwachte bestseller bleek. De liefhebber kent daarom de namen van oude dichters als Li Bai of Bai Juyi nog wel, al was het maar door de vroege bewerkingen van Slauerhoff. Maar een modern schrijver kan bijna niemand noemen. Ook al nam de roman, onder invloed van het Westen, de centrale rol van de poëzie over, China kent geen grote negentiende-eeuwers als de Russische literatuur en geen bekende twintigste-eeuwse namen als de Japanse; geen Dostojevski of Tolstoj, geen Tanizaki of Kawabata.

Een voor de hand liggende verklaring is dat de Chinese traditie, ouder dan de Russische of Japanse, zich veel langer onafhankelijk van het Westen heeft ontwikkeld, aangezien Oost en West tot de negentiende eeuw nauwelijks met elkaar in contact zijn geweest. De uitdaging die het Westen vanaf die tijd aan de Chinese cultuur en literatuur heeft gesteld, zou weleens even diepgaand kunnen blijken als de bijna volledig geassimileerde invloed van het Indiase boeddhisme, dat zich vanaf de zevende eeuw in China verbreidde. Alleen is dat nog niet met zekerheid te zeggen, omdat die confrontatie tot op de dag van vandaag voortduurt – iets waarvan dit boek, dat over die moderne Chinese roman gaat, in zekere zin getuigt.

Dat de Chinese literatuur van nu geen vanzelfsprekende plek in de wereldliteratuur inneemt, heeft uiteraard deels te maken met de onbekendheid van de Chinese taal, die vertaling en ontsluiting bemoeilijkt. Maar het ligt evenzeer aan het feit dat velen bij de meer exotische schrijvers van die wereldliteratuur eerder denken aan namen als de Latijns-Amerikaanse Gabriel García Márquez of Salman Rushdie uit India – auteurs die, mede door de koloniale tijd, diepe westerse wortels hebben. Milan Kundera plaatst Rushdie zonder aarzelen in de Europese traditie van Cervantes en Rabelais, en als je kijkt naar het lijstje van Márquez' inspiratoren, dan blijkt naast Kafka, Faulkner, Hemingway en Sofokles de enige inlandse invloed zijn eigen grootmoeder te zijn. Márquez en Rushdie confronteerden het Westen niet met iets volslagen nieuws, maar bliezen de westerse literatuur nieuw leven in. Op magistrale wijze, dat wel.

De Chinese literatuur dompelt de westerse lezer dieper onder in het vreemde. En de verschillen tussen de tradities liggen misschien wel juist in het enorme belang dat literatuur van oudsher in de Chinese maatschappij werd toegekend. De reden waarom de klassieke Chinese ambtenaar, zoals hierboven gezegd, werd geselecteerd op kennis en vaardigheid in de letteren, was niet omdat hij simpelweg geacht werd enige cultuur te bezitten. De studie en beoefening van literatuur werd gezien als een onmisbare bijdrage aan het landsbestuur. De oudst overgeleverde Chinese teksten zijn dan ook geen epen of tragedies, maar, wat de poëzie betreft, liederen die politieke klachten bevatten of op zijn minst als satires en allegorieën konden worden gelezen, en wat het proza betreft geschiedkundige teksten die juist vanwege hun feitelijkheid tot de norm werden verheven.

Die literatuuropvatting is terug te voeren op het oorspronkelijke Chinese wereldbeeld, dat sterk van het westerse verschilt. In het Chinese denken is de wereld niet geschapen: al het bestaande heeft altijd bestaan. De oorzaak van het leven, de hoogste waarheid, zocht de traditionele Chinees daarom niet buiten de wereld, bij een hemelse schepper; als hij de wereld wilde begrijpen, keek hij om zich heen – naar de natuur, naar de samenleving. Hij nam patronen waar, in de veranderingen van de seizoenen, in de herhalingen van de geschiedenis, en meende daarin een blijvend principe te zien dat orde in de dingen schiep. Dat principe noemde hij de Weg – en daarnaar probeerde hij te leven. Dit is ook de kern van het confucianisme, de centrale, tot staatsleer uitgegroeide levensbeschouwing van China, genoemd naar de wijsgeer Confucius (551-479 v.Chr.). Op basis van de waargenomen patronen stelde deze meester praktische regels en riten vast voor het juiste sociale gedrag, waarmee de Weg, de orde, kon worden behouden. Het Westen kent natuurlijk de tien geboden, maar een belangrijk verschil is wel dat Confucius niet Gods woord verkondigde, maar verslag deed van zijn eigen ervaringen – als een gewone, zij het wijze man.

Door die aardse blik mist de Chinees in westerse ogen weleens iets tragisch. Hij is niet als zondig mens uit het paradijs verjaagd, hij heeft zijn ziel niet aan de duivel hoeven verkopen om de ultieme kennis van de wereld te bemachtigen. Aan de andere kant kan hij wel zeer ontroerd zijn door wat hij in die wereld ziet. Het is daarom niet alleen vanuit dat aardse wereldbeeld, maar zeker ook vanuit dat vermogen tot ontroering dat het overgrote deel van de klassieke literatuur zich zo hartstochtelijk bekommert om maatschappelijke zaken. De ambtenaar beschouwde het idealiter als zijn plicht om door te schrijven zijn ziel te polijsten als een spiegel, waardoor hij als het ware spontaan de werkelijkheid kon weergeven – en zijn vorst zo kon laten weten of er inderdaad orde (vrede, voorspoed) heerste in zijn rijk of niet. Als hij misstanden zag, moest hij die dus rapporteren. Deed of wilde hij dat niet, dan kon hij alleen met zichzelf in het reine blijven door zich terug te trekken uit zijn ambt, en soms zelfs de ballingschap te verkiezen. Dit zo oprecht beleden verantwoordelijkheidsgevoel is naadloos overgegaan in het politieke engagement van de vroege twintigste eeuw, en zelfs in het extreme politieke gebruik van literatuur onder het latere communisme – dat ook moderne schrijvers op hun beurt tot zelfverkozen ballingschap heeft genoopt, bijvoorbeeld de Nobelprijswinnaar Gao Xingjian.

Vanzelfsprekend bestaat de Chinese klassieke literatuur niet alleen maar uit politieke traktaten. De beroemdste auteurs, ook buiten China, zijn juist de meer persoonlijke – en die vind je met name onder de dichters, hoewel ook zij zo rechtstreeks getuigden van de wereld om hen heen. Neem bijvoorbeeld dit veel vertaalde, achtste-eeuwse gedicht van Li Bai, die geen ambtelijke carrière doorliep en als dichtende drinkebroer wel in de laatste plaats bekendstond om zijn politieke engagement.

Maneschijn valt voor het bed,
Of is het rijp op de grond?
Ik kijk op, tuur naar de maan,
Kijk weer neer en denk aan thuis.

Wat opvalt is de directheid van het gedicht – niet alleen vanwege de concrete aanleiding, het invallende maanlicht, ook de vergelijking met de rijp, hoe mooi de koude daarvan ook aansluit bij het verwoorde gevoel, lijkt vanzelf-sprekend, alsof het de dichter op het moment zelf inviel. Aan dat laatste twijfelde de traditionele Chinese lezer overigens geen moment: het gevoel in het gedicht was authentiek, de neerslag van een persoonlijke ervaring. Toch legt Li Bai zijn ziel niet bloot, zijn blik blijft naar buiten gericht, waardoor er eerder een algemeen herkenbaar gevoel van weemoed ontstaat dan dat er een hoogst individuele emotie wordt opgeroepen. De Chinese lezer beoordeelde de dichter dan ook vooral op zijn krasse, sprekende beelden. En al wil de legende dat Li Bai zou zijn verdronken omdat hij met zijn zatte kop vanuit een bootje de maan in het water wilde omhelzen, zelfs zíjn beelden blijven dus tamelijk aards.

Dit alles zie je terug in het klassieke proza. Ook daar waren waargebeurd en oprecht verwoord de vereisten, waardoor geschiedschrijving, onder de con-fucianistische elite althans, gold als het hoogste literaire goed. De enige 'toegestane' vorm van fictie – in het Westen sinds Aristoteles bijna synoniem met literatuur – was de allegorie, om veilig en indirect kritiek of klacht te kunnen uiten. Verzinsels waren voor 'kleine luyden'. Een literatuur van anekdoten, mythen en legenden was er wel, maar die werd beschouwd als triviaal: het was vermaak dat geen nut diende, maar ook niet echt kwaad kon. De ontwikkeling van de Chinese prozaliteratuur is eigenlijk een lange eman-cipatiegeschiedenis van het triviale naar het hogere – net als in veel andere literaturen overigens, maar in China werd de acceptatie als serieuze literatuur, onder invloed van westerse opvattingen, pas aan het begin van de twintigste eeuw een feit. Mede daarom wordt fictie in het Chinees tot op heden aangeduid met de oorspronkelijke term 'onbeduidende vertelsels' (*xiaoshuo*).

Wat zich in die lage literatuur afspeelde, waren precies de dingen 'waarover de wijze (Confucius) niet sprak', zoals een beroemde verzameling 'onbedui-dende vertelsels' treffend heet. Het waren 'wonderverhalen', een genre dat tijdens de Tangdynastie van Li Bai opkwam en meer letterlijk 'overleveringen van het vreemde' werd genoemd. Hierin draaide het om het fantastische, het abnormale, het waren korte verhalen over spoken en schimmen, over gedaan-teverwisselingen tussen de dieren- en de mensenwereld, maar ook over de liefde of andere simpelweg opmerkelijke zaken. Het is niet toevallig dat deze literatuur voornamelijk putte uit de klassieke tegenhanger van de confucianistische levensbeschouwing: het taoïsme. Deze meer spirituele traditie, overgeleverd door de klassieke boeken van Laozi (Lao Tse; zesde eeuw v.Chr.) en Zhuang Zi (ca. 369-286 v.Chr.), kijkt niet zozeer naar het sociale leven maar naar de natuur, waarin alles spontaan volgens de Weg verloopt. Om de spontaniteit die hem ooit met de natuur verenigde te herwinnen, moet de mens juist alle zeden die het confucianisme predikt laten varen en proberen niet meer in de natuur in te grijpen. Vooral Zhuang Zi, wiens boek zelf al vaak als literatuur wordt gelezen, steekt met zijn relativistische humor geregeld de draak met Confucius, en het is goed te begrijpen dat teleurgestelde of verbannen ambtenaren, of zij die nooit voor de staatsexamens slaagden, zich vaak naar het taoïsme keerden – Li Bai was een van hen.

Toch spraken de taoïsten over dezelfde Weg als de confucianisten, en ademde de lagere literatuur hetzelfde traditionele wereldbeeld. Over het fantastische werd in die verhalen dan ook net zo nuchter geschreven als in de hogere literatuur; spoken en schimmen behoorden niet tot het bovennatuurlijke, maar leefden in hetzelfde ondermaanse als de mens. De meest voldragen vorm van wonderverhalen vind je bij Pu Songling uit de achttiende eeuw, maar de puntige schetsen van zijn tijdgenoot Yuan Mei, de auteur van *Waarover de wijze niet sprak*, tonen in meer samengebalde vorm het karakter van het genre. Hij tekent bijvoorbeeld op dat een grootmoeder op zekere dag in een witte wolf verandert, waarna de familie met de grootste vanzelfsprekendheid voor haar blijft zorgen en tegen haar blijft praten. Willen de buren haar doodschieten, dan drukt het gezin haar op het hart dat ze beter kan vluchten, wat leidt tot een roerend afscheid. Ook typisch is de manier waarop Yuan Mei als een historicus de bronnen van zijn wonderbaarlijke geschiedenissen blijft noemen, zoals in dit misschien wel allerkortste voorbeeld van het Chinese wonderverhaal, in de vertaling van Jan De Meyer:

In het district Jianzhou in Sichuan hebben alle katten vier oren. Iemand is uit Jianzhou gekomen om mij dit persoonlijk te vertellen.

Het twintigste-eeuwse magisch realisme, waarin wonderen immers ook zo monter worden beschreven, vertoont hier dus interessante parallellen mee – iets waar hedendaagse Chinese schrijvers van wonderverhalen, Mo Yan en Han Shaogong bijvoorbeeld, maar al te graag op wijzen. Bovendien is het bekend dat Kafka zich door enkele Chinese wonderverhalen heeft laten inspireren – '*prachtvoll*' noemde hij ze ooit in een brief aan zijn Felice –

en dat magisch realist Márquez van hém de kunst heeft afgekeken. In het traditionele China werden dit soort teksten nog simpelweg afgedaan als slechte geschiedschrijving, een oordeel dat ook gold voor de eerste romans, die vanaf de vijftiende eeuw verschenen. Het waren historische romans waarin werd voortgeborduurd op bekende verhalen over oorlogen, veldslagen of andere politieke conflicten, die nu als basis dienden voor aanvankelijk moralistische, maar later ook meer subtiele beschouwingen over het goed en het kwaad. Met de rehabilitatie van het triviale is het dus niet verbazend dat ook de historische roman, naast het wonderverhaal, in de twintigste eeuw nog altijd zeer geliefd is; zelfs voor auteurs als Mo Yan of Su Tong, die toch niet simpelweg historische romans schrijven, blijft de geschiedenis cruciaal. Maar belangrijker is de grondtoon die beide genres verbindt: in het algemeen zit de moderne Chinese schrijver de werkelijkheid nog altijd dicht op de huid, ook als hij er niet direct sociale kritiek op heeft. Zelfs het lyrische karakter van de klassieke poëzie vind je, in een meer sentimentele vorm, terug bij een auteur als Ba Jin uit de jaren dertig of Yu Hua uit de jaren negentig. En waarschijnlijk verklaart het evengoed de niet-aflatende stroom getuigenisliteratuur door uitgeweken Chinezen sinds de Culturele Revolutie (1966-1976), de spreektaalpoëzie die zich na Mao Zedong tegen de holle partijtaal verzette, of anders wel het obsessieve vastleggen van het dagelijks leven in de massale, levendige internetliteratuur sinds het begin van de eenentwintigste eeuw. Aan de Nederlandse roep om iets meer straatrumoer in de letteren is in China bepaald geen behoefte.

Nu zou juist dat laatste een westerse lezer weleens in de weg kunnen zitten, aangezien de Chinese schrijver daarbij, meer dan in de klassieke poëzie, in detail verwijst naar een Chinese werkelijkheid die in het Westen niet zo bekend is. Toch bewijst de internationale populariteit van Chinese films, die toch ook handelen over onbekende grootheden als de Chinees-Japanse Oorlog, de Culturele Revolutie of het hedendaagse China, dat het dáár niet echt aan ligt. Het gaat er uiteindelijk om hoe die werkelijkheid wordt weergegeven, wordt beschreven. Misschien liggen er in de literaire *vormen* daarom wel lastiger te nemen hindernissen. Een veelgehoord westers 'bezwaar' tegen Chinese literatuur is een gebrek aan psychologische uitdieping van de personages, het idee dat Chinese schrijvers vooral vertellen *wat* er gebeurt, maar veel minder *waarom*. Al zijn er uitzonderingen genoeg, feit is wel dat de traditionele romanschrijver, net als de dichter, vooral naar de buitenwereld keek en het eenmalige, unieke nu eenmaal minder belang toekende dan het typische. In de roman lag de nadruk daardoor van oudsher op actie en minder op het innerlijk, als de auteur al niet duidelijk voor typen koos in plaats van

'mensen van vlees en bloed'. Bovendien trad er vaak een hele schare personages op: Shi Naians *Het verhaal van de wateroever* bijvoorbeeld, de klassiek
geworden roverroman uit de zestiende eeuw, telt er maar liefst honderdacht:
een bonte stoet nobele bandieten, waarvan de roverhoofdman, als hoofdpersoon, dan toch wel weer sterk invoelbaar het centrale thema belichaamt –
het conflict tussen recht en gevoel.

In de westerse roman, zoals die vanaf de achttiende eeuw opkomt, worden
personages niet alleen uitgebreider getekend, vaak is het ook hun karakter-
ontwikkeling die de roman voortstuwt. Een dwingende plot is in de gemiddelde Chinese roman veelal ver te zoeken – een ander westers punt van kritiek. De klassieke romans waren bijna zonder uitzondering episodisch van
opbouw. Deels had dat te maken met het feit dat ze gebaseerd waren op
bestaande verhalencycli, maar voornamelijk met het feit dat de roman, zeker
sinds de zeventiende eeuw, op andere manieren tot een geheel werd gesmeed.
Vertaler Jacques Westerhoven heeft de typische Japanse roman ooit vergeleken met een kralenketting: een reeks chronologische gebeurtenissen zonder
noodzakelijke ontknoping – geen einddoel, wel een eenheid. In de Chinese
roman zijn die kralen op zichzelf staande situaties, scènes of hoofdstukken,
die door middel van spiegeling, vergelijking en overlapping op thematisch
niveau een eenheid vormen. Natuurlijk zijn er ook westerse plotloze romans,
maar toch werken die vaak anders. De Chinese lezer ontleent bijvoorbeeld
een sterk gevoel van eenheid aan het denken in contrasterende paren: paren
van tegengestelden die gelijkwaardig zijn en elkaar aanvullen. Het bekendste
voorbeeld hiervan is de beroemdste Chinese romanklassieker, Cao Xueqins
De droom van de rode kamer uit 1792: een allegorisch, feuilletonachtig relaas
over het wel en wee van een grote, rijke familie, waarin het hoofdthema, de
verhouding tussen schijn en wezen, gestalte krijgt in een eindeloos spiegelspel
van tegenstellingen tussen droom en werkelijkheid, leugen en waarheid,
uiterlijk vertoon en innerlijke leegte. Maar ook hier vind je dat thema in
de kern terug bij de hoofdpersoon, die na een leven van weelde tot inzicht en
onthechting komt. De hele Chinese literatuur is doordrenkt van dit duale
principe, dat in theorie is terug te voeren op de kosmische beginselen van yin
en yang, het vrouwelijke en het mannelijke, het passieve en het actieve. Zo
zou diezelfde Chinese lezer in het bovenstaande gedicht van Li Bai onmiddel-
lijk gecharmeerd zijn van het contrast tussen het op- en weer neerkijken in de
laatste twee versregels. En ook bij moderne auteurs zie je deze patronen terug:
de Taiwanees Pai Hsien-yung geeft zijn vader-en-zoonroman ermee vorm,
terwijl emigrant Dai Sijie, die in het Frans schrijft, op dezelfde episodische
manier het thema 'Oost en West' aanpakt.

Dat zoveel traditionele aspecten in de moderne Chinese literatuur doorwer-
ken is niet alleen omdat de Chinese traditie zo laat in contact kwam met de
westerse; de twintigste eeuw, waarin de kruisbestuiving plaatsvond, was
politiek gezien ook nog eens een heel woelige. Lang hadden de Chinese
keizers nieuwsgierige buitenlanders, zowel de koloniale mogendheden als
de christelijke missie, op een respectvolle afstand gehouden, dan wel zeer
beperkt toegang binnen de grenzen verleend. 'Wij hebben geen behoefte aan
uw producten', schreef een laatachttiende-eeuwse keizer nog stellig aan de
Britten, totdat de laatsten tijdens de Opiumoorlogen in het midden van de
negentiende eeuw met bruut geweld concessies afdwongen om in China
handel te drijven. De meest tastbare concessie was het afstaan van vrijhaven
Hongkong, een negenennegentigjarige 'bruikleen' die in 1997 afliep. De
Britse kanonnen deden het oude keizerrijk op zijn grondvesten wankelen,
in 1911 kwam het ten val en maakte het plaats voor de Republiek China. Zo
bruusk als de politieke omwentelingen waren, zo plotseling ontstond de
moderne Chinese literatuur, die in die luttele decennia werd blootgesteld
aan alles van Shakespeare tot aan de Romantiek. Aangezien de politieke
omwentelingen gedurende de hele twintigste eeuw zouden blijven voortdu-
ren, ontwikkelde de literatuur zich bovendien erg schoksgewijs. Eigenlijk
kenmerkt die ontwikkeling zich door een serie valse starts: na elke ingrijpende
historische gebeurtenis leek de Chinese literatuur haast weer opnieuw te
moeten beginnen – waarbij de grootste cesuur werd gelegd door de streng
communistische periode onder het bewind van Mao Zedong.

Dat moeilijke groeiproces weerspiegelt zich in de opzet van dit boek. Het
bestaat uit drie delen, waarvan de eerste twee, aan de hand van met name
schrijversportretten maar ook een aantal thematische hoofdstukken, sprongs-
gewijs de chronologie volgen. In deel één, JEUGD, beginnen we bij het begin:
Lu Xun, de vader van de moderne Chinese literatuur, de Multatuli van
China. Hoofdstuk 2 bekijkt de belangrijkste auteurs van de jaren 1930 en
1940, de eerste bloeiperiode van de moderne literatuur. Aan deze periode
kwam na drie decennia een einde door de communistische machtsovername
van Mao Zedong in 1949, die literatuur de daaropvolgende drie decennia
streng ondergeschikt zou maken aan de politiek. Bij de desastreuze gevolgen
daarvan staan we stil in hoofdstuk 3, 'Droeve boer, eenzame arbeider', waarna
we in hoofdstuk 4 een nieuwe loot aan de Chinese traditie zien ontstaan op
het eiland Taiwan, waar miljoenen vasteland-Chinezen na 1949 naartoe
vluchtten.

De dood van Mao in 1976 luidde in de Volksrepubliek een nieuwe tijd van
culturele bloei in, mogelijk gemaakt door een geleidelijk toenemende poli-

tieke vrijheid. In feite werd de draad van vóór Mao weer opgepakt, waardoor je zou kunnen spreken van een TWEEDE JEUGD, zoals ik deel twee dan ook heb genoemd. Ook wat betreft deze periode, die op het moment van dit schrijven wederom dertig jaar voortduurt, beginnen we bij het begin: de ontluiking van een 'Chinese lente'. Daarna volgen we de herontdekking van de traditie bij Han Shaogong, die van de geschiedenis bij Mo Yan, en de aanvankelijke warsheid van dat alles bij de jongere Su Tong en Yu Hua. Na beschouwingen over de rol van commercie en censuur en over de symbolische wederopstanding van Shanghai, besluit ik met stukken over 'marginale' Gao Xingjian, die in 2000 de Nobelprijs won, en de 'stille', nog onbekende Shi Tiesheng.

Deel drie, BUITENGAATS, valt uiteen in twee hoofdstukken. Het eerste gaat over Chinese *auteurs* overzee: Chinezen die naar het buitenland emigreerden en in de taal van hun gastland gingen schrijven. In mijn boekje heet dat strikt gesproken geen Chinese literatuur, want als Chinezen het zelf niet kunnen lezen ... Toch biedt deze internationaal bekende stroming interessante contrasten en parallellen met de Chineestalige literatuur. Het tweede hoofdstuk kijkt naar Chinese *oeuvres* overzee: ik beschouw er de vertaalpraktijk van Chinese literatuur in het buitenland, met name Nederland, waarbij ik onder meer terugkom op een aantal kwesties uit deze inleiding. In de bijlagen is een lijst van vertalingen opgenomen.

Uiteraard heb ik bij deze opzet een aantal keuzes gemaakt. Ten eerste gaat dit boek over het moderne Chinese proza en besteedt het geen aandacht aan de poëzie. Niet alleen beschouw ik het proza als mijn terrein, ook kent de poëzie, op de grote historische lijnen na, een eigen verhaal, dat mijns inziens beter apart, en door een ander, verteld kan worden. Verder heb ik rekening willen houden met het aanbod aan bestaande Nederlandse vertalingen. Gelukkig bleek dat geen al te grote beperking: voldoende belangrijke schrijvers zijn vertaald, met name van de hedendaagse; alleen voor een aantal dat echt niet kon ontbreken verwijs ik naar een Engelse (of Franse) vertaling. Tot slot ben ik in dit overzicht uitgegaan van mijn persoonlijke leeservaringen. Ik ga beslist niet voorbij aan de bekende namen, maar vraag me wel af waaraan ze hun reputatie te danken hebben; dat niet doen zou neerkomen op het klakkeloos overnemen van andermans opinies, die ook niet objectief zijn en die, omgekeerd, weer andere auteurs aan het oog kunnen onttrekken – zeker in het geval van de moderne Chinese literatuur, waar politieke motivaties en culturele verschillen een grote rol spelen. Hopelijk ben ik erin geslaagd mijn oordelen zo te funderen en te formuleren dat de lezer ook altijd met me van mening zal kunnen verschillen. Eigenlijk ben ik wat dat betreft als de oude confucianist: ik polijst mijn geest tot een spiegel om zo getrouw mogelijk verslag te doen, en als ik 'misstanden' zie, is het dus mijn plicht de 'vorst' daarvan ongehuicheld op de hoogte te stellen.

Januari 2008

JEUGD

I

Het afscheid van Lu Xun

'Oudjaar volgens de oude kalender is toch pas echt oudjaar', mijmerde Lu Xun, vader van de moderne Chinese literatuur, in een van de vele verhalen waarin zijn alter ego terugkeert naar zijn ouderlijk huis in Shaoxing, Zuid-oost-China. 'Onophoudelijk schieten lichtflitsen door de zware, grauwe avondwolken, gevolgd door doffe slagen: dat is het vuurwerk waarmee de haardgod uitgeleide wordt gedaan.' Begin jaren negentig, zeventig jaar na dat verhaal uit 1924, was ik zelf rond Chinees Nieuwjaar in zijn geboortestad. Lentefeest* heet die dag ook wel, maar het was nog winter. Dikke, blauwe Chinese jas aan, gevoerd met crêpepapier. Witte huizen met gekrulde grijze daken. Houten balustrades hellend over smalle kanalen, waarin het water door het donkere weer inktzwart leek. Af en toe een steil bruggetje met een ronde opening voor de bootjes. Een beetje zoals Suzhou, dat sinds Marco Polo's vermeende bezoek wel het Venetië van het Oosten heet – maar dan kleiner en armoediger. Het regende en het was net zo mistroostig als Lu Xun 'zijn' terugkeer meestal beschreef. Lu Xun: de man bij wie de moderne Chinese literatuur begon. Shaoxing: de plek waar de man zelf begon.

Het mag sentimenteel klinken, zo'n pelgrimstocht, maar ik heb altijd het gevoel gehad dat Lu Xun (1881-1936) als geen ander het begin van de moderne Chinese literatuur *personifieerde*. En dan doel ik niet op die glorieuze titel van vader, want ik weet niet of hij daar zelf zo blij mee zou zijn geweest – net zoals hij de postume titel die Mao Zedong* hem gaf vast niet had weten te waarderen: Mao eerde hem tegen heug en meug als 'martelaar van de revolutie', louter en alleen omdat hij niet om zijn invloed heen kon. Want echt kritische geesten als Lu Xun duldde de Grote Roerganger over het algemeen niet op zijn schip. Nee, Lu Xun zal altijd de schrijver blijven die twijfelde, die met één been in de oude en met één been in de nieuwe maatschappij stond, die niet kon kiezen tussen zichzelf en het land, verdeeld als hij was tussen nostalgie naar zijn jeugd en bezorgdheid om het jonge China na de val van het keizer-rijk in 1911.

Vader van de moderne Chinese literatuur werd Lu Xun volgens de overlevering als volgt. In 1918 riep de jonge intellectueel Hu Shi (1891-1962) in het net opgerichte tijdschrift *Nieuwe jeugd* op tot het scheppen van een 'nieuwe literatuur', die volgens hem geschreven moest worden in de moderne spreektaal en niet langer in het klassiek Chinees, de aloude 'taal der teksten' die qua status te vergelijken was met het Latijn. Die omschakeling is in wel meer culturen een stap in de richting van een moderne literatuur geweest. In feite werden er in China al honderden jaren romans en lange verhalen in de omgangstaal geschreven, maar dat genre werd, zoals ook in meer culturen, lange tijd niet als hoge literatuur beschouwd. Dat Hu Shi zijn pleidooi niets minder dan een 'literaire revolutie' noemde kwam dan ook meer door het revolutionaire karakter van de vele veranderingen die China op dat moment doormaakte; het was een tijd waarin alles nieuw moest. In het midden van de negentiende eeuw hadden de Britten zich na lang en beleefd aandringen uiteindelijk met bruut geweld toegang verschaft tot het lang gesloten China – om handel te drijven, in de eerste plaats in opium uit hun kolonie India. Deze Opiumoorlogen*, met name de eerste, die duurde van 1839 tot 1842, betekenden een symbolisch keerpunt in de Chinese geschiedenis. Een grootse, eeuwenoude beschaving was vernederd: China lag niet alleen letterlijk onder vuur van de Britse scheepskanonnen, maar weldra ook van het moderne gedachtegoed uit die 'barbaarse contreien', dat het failliet van de behoudende, confucianistische staatsleer leek aan te kondigen. In 1911 werd die vrees bewaarheid: het oude keizerrijk stortte in en maakte plaats voor een moderne republiek – die voor de taak stond een door opstanden en oorlogen verzwakt land weer op de been te helpen. Hu Shi's verzet tegen de lege vormen van de versteende klassieke letteren en zijn roep om een meer individualistische, humane literatuur werden zodoende opgenomen in een beweging voor een 'nieuwe cultuur', ook wel de Viermeibeweging* genoemd, die zich radicaal tegen de oude maatschappij keerde en wilde afrekenen met de verstarde traditionele moraal. China was niet langer het centrum van de wereld, maar moest een moderne, sterke natie onder de naties worden.

Ook Lu Xun was het lot van zijn land aangedaan. Tijdens zijn verblijf in Japan, van 1902 tot 1909, had hij nota bene zijn studie medicijnen eraan gegeven omdat hij niet de lichamen maar de geesten van zijn landgenoten wilde genezen. Nieuwsbeelden van Chinese krijgsgevangenen die hij op een keer na de les te zien kreeg, hadden hem daar op slag van overtuigd: hulpeloos stonden ze tussen de Japanse soldaten, met gespierde lichamen maar afgestompte blikken. Bovendien had Lu Xun, zelf nog opgegroeid in het oude, keizerlijke China, in Japan kunnen proeven van de moderniseringen die daar al enkele decennia aan de gang waren. Japan was rond 1850 eveneens

Lu Xun
(© Getty Images/Roger Viollet)

belaagd door buitenlandse marineschepen, Amerikaanse in dit geval, maar was in reactie daarop sneller omgeschakeld naar politieke en economische hervormingen, tijdens de zogenoemde Meiji-restauratie* van 1868. Om zijn landgenoten wakker te schudden zocht Lu Xun voortaan zijn heil in de literatuur, wat voor een Chinees beslist geen gekke gedachte was, aangezien de band tussen literatuur en maatschappij al eeuwenlang de kern van de beschaving vormde. Maar toen Hu Shi hem in 1918 om een stukje voor *Nieuwe jeugd* vroeg, leek hij daar aanvankelijk niet zo voor te porren. Zelf had hij er al enkele vergeefse pogingen op zitten om een eigen tijdschrift, *Nieuw leven*, van te grond te krijgen, en hij antwoordde zijn vriend met de beroemd geworden vergelijking van het ijzeren vertrek. 'Stel, er is een ijzeren vertrek,' zei hij, 'zonder enig raam, met geen mogelijkheid open te breken. Erbinnen ligt een heel stel mensen diep in slaap. Over korte tijd zullen zij allen de verstikkingsdood sterven, maar omdat zij vanuit bewusteloze slaap de dood in gaan zullen zij daar niets van merken. Nu begin jij luid te schreeuwen en wekt er een paar die wat minder vast sliepen, zodat die ongelukkigen gedwongen zijn een onontkoombare dood onder ogen te zien. Dacht je werkelijk dat je hun daarmee een dienst bewees?'

Waarop Hu Shi antwoordde: 'Maar als er een paar zich verheffen kun je nooit zeggen dat er geen enkele hoop is dat zij het vertrek toch niet zullen openbreken.' Hoop zou Lu Xun later ooit vergelijken met een weg: 'Oorspronkelijk zijn er op aarde geen wegen, maar als er veel mensen over haar lopen verandert zij tot een weg.' Hoop trok hem over de streep en hij schreef 'Dagboek van een gek', dat de geschiedenis in ging als het eerste Chinese verhaal in de moderne spreektaal. Feitelijk was het dat niet, en het dankt zijn canonieke status dan ook waarschijnlijk vooral aan de inhoud. Zijn op Gogols gelijknamige verhaal geïnspireerde tekst opent met een inleiding in het klassiek Chinees waarin de schrijver een gevonden dagboek presenteert van een gek. Het relaas dat volgt, geschreven in alledaags Chinees, is dat van een paranoïde man die zich in een kannibalistische samenleving waant; hij ziet er zelfs allerlei aanwijzingen voor in klassieke teksten – wat dus precies in het straatje van Hu Shi en de zijnen paste. De grap is dat hij het woordje *chiren*, 'gek', dat iedereen tegen hem roept, verstaat als 'mensen eten', homoniem in het Chinees. De gek besluit zijn dagboek met de oproep: 'Red de kinderen!', waarin velen Lu Xuns schreeuw om maatschappelijke hervorming zagen. Toch is het duidelijk dat de schrijver zich in zijn ironische inleiding van de woorden van de gek distantieert; sterker nog, hij zegt daarin al meteen dat de gek inmiddels genezen is ... Bepaald geen verheffende boodschap dus, eerder een open einde dat tot nadenken stemt.

Iets soortgelijks geldt voor 'De ware geschiedenis van A Q', het verhaal dat zo beroemd werd dat Theun de Vries er in de jaren vijftig, een tijd waarin er nog amper Chinese literatuur werd vertaald, een op het Engels gebaseerde Nederlandse versie van uitbracht, bij hem getiteld: 'De waarachtige historie van Ah Q'. A Q is een Chinese Elckerlyc, een zo goed als naamloze man zonder wil of talent, die met alle winden meewaait en overal in de problemen komt. Als hij uiteindelijk met de revolutie wil meedoen, niet uit idealen maar gewoon om mee te tellen, eindigt hij zonder dat hij er zelf iets van begrijpt voor het vuurpeloton. Zeer vermakelijk is A Q's vermogen om van elke nederlaag die hij lijdt in gedachten een overwinning te maken. Zo slaat hij zichzelf na de zoveelste domme streek in zijn gezicht en denkt: 'Hij had zichzelf geslagen, maar het leek alsof degene die geslagen had een andere zelf was dan degene die geslagen was, en korte tijd later voelde hij zich zelfs alsof hij een ander geslagen had – al tintelde zijn gezicht nog van de pijn. Zo ging hij liggen in het voldane gevoel dat hij een overwinning had behaald.'

Meer nog dan met 'Dagboek van een gek' hebben fanatieke hervormers Lu
Xun met A Q voor hun politieke karretje willen spannen, een tendens die
doorzette onder het latere maoïsme. Een mooie samenvatting van die ge-
kleurde lezing kun je daarom vinden in het voorwoord van de communistische uitgeverij Pegasus bij Theun de Vries' vertaling uit 1959: 'Loe Hsun
laat zien, dat Ah Q's morele vergissingen en lafheden niets anders zijn dan de
vrucht van vierduizend jaar volksslavernij en buitenlandse agressie'; hij 'legt
op meesterlijke wijze de tekortkomingen bloot van de Chinese massa, die zich
bij de revolutie van 1911 nog niet bewust was van haar machtige positie en
door haar "Ah Q-isme" de baan vrijliet voor de pseudo-revolutionaire bour-
geoisie', die van de revolutie 'een farce' maakte. Als deze fouten in de toekomst maar vermeden worden, luidt volgens Pegasus 'de moraal van het
verhaal', dan zal A Q 'een figuur zijn die met het droeve verleden begraven
wordt!'

De waarachtige historie van Ah Q door Lu
Xun, in de vertaling van Theun de Vries
(Pegasus 1959)

Maar A Q is in het huidige China nog altijd springlevend en zijn 'geestelijke
overwinning' is spreekwoordelijk geworden – juist omdat dat psychologisch
mechanisme per slot van rekening op iedereen van toepassing kan zijn,
misschien wel in de eerste plaats op de hemelbestormende revolutionairen
zelf, die wel gniffelden om Lu Xuns satire maar kennelijk blind waren voor

zijn dubbelzinnigheid. Zeker, het is heel verleidelijk om Lu Xun als satiricus te zien, zo liet hij zich immers graag kennen in de talloze essays over actuele onderwerpen die hij schreef, stuk voor stuk gevreesd om zijn bijtende spot en persoonlijke aanvallen. 'Ik ben iemand die de pen maar niet met rust kan laten,' merkte hij daar zelf gespeeld onschuldig over op, 'en wat ik schrijf heeft kennelijk, als het eenmaal gedrukt is, bij bepaalde mensen eerder het effect van een pijnlijke stoot dan een aangename kitteling.' Bovendien is zijn dagwerk in omvang veel groter dan zijn literaire proza; de handvol verhalen en jeugdherinneringen die bijeengebracht is in het *Verzameld werk* dat we sinds 2000 in het Nederlands hebben, beslaat hooguit vijf procent van zijn in China uitgegeven volledige geschriften. Maar er is ook een andere, minder vileine kant van Lu Xun, een kant die je terugvindt in een aantal andere, meer persoonlijke verhalen, die juist geheel doortrokken zijn van ambiguïteit en twijfel.

Neem 'Het nieuwjaarsoffer', waarvan ik aan het begin van dit hoofdstuk de eerste zin citeerde. Daarin keert een zeer op Lu Xun gelijkende ik-verteller met Oudjaar terug naar zijn geboortestadje, waar hij wordt aangesproken door een oude, verwarde vrouw met een grauw gezicht. Omdat hij is school-gegaan en wat van de wereld heeft gezien, legt ze hem een vraag voor die haar kennelijk al lang parten speelt: 'Als iemand gestorven is, is er dan nog een ziel?' De ik-figuur staat met zijn mond vol tanden en komt niet verder dan 'ik weet het niet zeker', een antwoord waaraan hij achteraf een onbehaaglijk gevoel overhoudt – nog versterkt door de sombere sneeuwlucht tijdens de korte winterdagen rond Nieuwjaar. De volgende dag hoort hij dat de vrouw is gestorven, waarna hij haar geschiedenis oprakelt: een weduwe van elders die door haar excentriciteit hoe langer hoe meer als een paria werd behandeld; zelfs met het verhaal van haar ooit door wolven meegesleurde zoontje kon ze niet meer op compassie rekenen, de mensen hoorden het haar te vaak ver-tellen; van lieverlee raakte ze aan de bedelstaf. Lu Xuns verhaal draait eigen-lijk om niets anders dan de confrontatie tussen deze twee buitenstaanders in het provinciestadje. Op een plek waar iedereen in geesten gelooft, zoals de voorbereidingen voor het traditionele nieuwjaarsoffer laten zien, zijn zij de enigen die twijfelen – de vrouw omdat ze haar verstand verloor, de intellec-tueel omdat hij er met zijn verstand niet bij kan: 'Is er een ziel?' Haar verwarring wordt de zijne, en zijn onbehaaglijke gevoel kan uiteindelijk alleen maar worden weggedrukt door het knallende vuurwerk waarmee het verhaal besluit.

Lu Xun (Uit: 'Het nieuwjaarsoffer', Meulenhoff)

Zelf had ik nog nooit stilgestaan bij het al dan niet bestaan van een ziel, dus wat zou ik haar in hemelsnaam het best kunnen antwoorden? Heel even dacht ik na en overwoog: in het algemeen geloofden de mensen hier aan geesten, maar zij twijfelde – of misschien was het beter te spreken van hoop: ze hoopte dat er een ziel bestond, maar tegelijk hoopte ze dat hij niet bestond. Waarom zou je het leed van iemand wiens bestaan uitzichtloos is nog verder vergroten? Van haar uit gezien was het allicht beter te zeggen dat hij bestond.

(Vertaler: Klaas Ruitenbeek)

De toon van dit verhaal is onmiskenbaar modern, hier had Lu Xun best zijn vadertitel voor mogen krijgen – ware het niet dat hij lang niet de enige was die zulk persoonlijk, melancholiek werk schreef. Neem zijn tijdgenoot Yu Dafu, waarvan in het Nederlands de kleine bundel *Verhalen* verscheen. Yu Dafu (1896-1945), die ook lange tijd in Japan studeerde, was enorm geliefd bij Chinese studenten om zijn openhartige, onverhuld autobiografische verhalen, waarin hij niet zonder zelfspot koketteerde met de ledigheid van zijn bestaan. Het contrast met Lu Xun kun je mooi zien aan zijn 'Nachten dronken van voorjaarswind', dat eveneens een confrontatie tussen de auteur en een vrouw van eenvoudige komaf bevat. Een jonge, worstelende schrijver verhuist vanwege geldnood van een schimmige buurt, die hij vrij naar George Gissing 'Yellow Grub Street' noemt, naar een klein kamertje in een sloppenwijk. Hij is zo arm dat hij van zijn boeken en een oude schilderijlijst een werktafel moet maken en in de lente alleen een oude winterjas heeft om aan te trekken. Achter een schot op zijn verdieping woont een jonge fabrieksarbeidster, die door zijn kamer naar binnen en buiten moet. Er volgt een schuchtere toenadering; eerst vindt zij haar artistieke buurman maar een zonderling, maar uiteindelijk is ze alleen maar bezorgd om zijn gezondheid. Haar eenvoud doet bij hem het verlangen opkomen haar te omarmen, maar hij beheerst zich; hij wil 'het pure meisje niet vergiftigen'. Yu Dafu is op een haast vanzelfsprekende manier modern, hij is veel meer een man van zijn tijd en worstelt niet met dezelfde vraagstukken als de nog half traditionele Lu Xun. Maar zijn verhaal is ook eerder romantisch en lang niet zo beklemmend, zo 'onbehaaglijk', als Lu Xuns 'Nieuwjaarsoffer'.

Ook als Lu Xun openhartiger wordt, in zíjn autobiografische werk bijvoorbeeld, blijft dat 'onbehaaglijke gevoel' hem parten spelen. Zijn autobiografische verhalen en essays voeren hem bijna altijd terug naar zijn jeugd – het zijn herinneringen aan zijn kinderboeken, waarover hij zeer liefdevol heeft geschreven, maar uiteraard ook aan de plaatsen en mensen, zoals in 'Mijn geboortestreek', dat een echo is van de ontmoeting uit 'Het nieuwjaarsoffer'. Tijdens opnieuw een winterse terugkeer ziet hij na dertig jaar zijn oude speelkameraadje Runtu terug. Van een levendig knaapje dat hem van alles kon leren, is hij veranderd in een arme, afgeleefde boer, die hem opeens met 'mijnheer' aanspreekt. In zijn grote ontreddering klampt Lu Xun zich opnieuw vast aan hoop: hij ziet hoe het zoontje van deze Runtu op zijn beurt speelt met een telg van zijn eigen, rijke familie, en wenst dat die twee later niet uit elkaar zullen groeien. Als hij aan het slot van het verhaal merkt dat Runtu nog altijd devoot voorouderbeelden vereert, lacht hij hem eerst inwendig uit, maar bedenkt dan dat zijn eigen hoop op een nieuw leven voor de volgende generatie misschien ook niet meer dan een afgodsbeeld is. Opnieuw die twijfel aan zijn eigen engagement – zelfs in een verhaal dat begon als een wat sentimentele jeugdherinnering.

Nog dichter bij Lu Xuns jeugd, en misschien dus wel bij die twijfel zelf, kunnen we komen via een verrassende omweg, namelijk die van zijn levenslange liefdesgeschiedenis met een boek van een Nederlandse auteur: *De kleine Johannes* van Frederik van Eeden, dat dankzij hem de eerste Nederlandse roman in Chinese vertaling werd. Hij kreeg het boek voor het eerst onder ogen in een Japanse boekhandel in 1906, als twintiger; in 1928 verscheen zijn vertaling ervan, die hij vlak voor zijn dood, in een brief uit 1936, tot zijn beste vertalingen rekende, naast Gogols *Dode zielen*. Hij waardeerde het boek in de eerste plaats als een groot literair werk – in een brief schreef hij ooit, en we nemen de koketterie voor lief, dat Van Eeden eerder een Nobelprijs verdiende dan hijzelf. Maar hij had er vooral een persoonlijke band mee. In zijn voorwoord bij de vertaling spreekt hij zijn liefde uit voor het betoverende Hollandse duinlandschap, zoals dat door Van Eeden wordt beschreven. Volgens de Nederlandse Lu Xunvertaler Klaas Ruitenbeek voerde de dieren- en plantenwereld van de duinen, het symbool van Johannes' kindertijd, Lu Xun terug naar de Tuin met de Honderd Planten achter zijn ouderlijk huis in Shaoxing, die vervolgens ook het symbool van zijn eigen jeugd werd. In een autobiografisch essay herinnert hij zich hoe hij 'zijn paradijs' moest verlaten omdat hij voortaan naar school moest, en nog wel 'de strengste van de hele stad'. Na een uitgebreide beschrijving van de planten in de verwilderde tuin en de spelletjes die hij er deed (ook Runtu duikt weer even op!), neemt de kleine Lu Xun afscheid van zijn tuin in het Duits – de taal waaruit hij *De kleine Johannes* vertaalde: *Ade, ade!*

Op weg naar Shaoxing reed ik met de bus door vlakke groene weilanden, een streek die wel 'Chinees Holland' wordt genoemd – dat kon natuurlijk geen toeval zijn, dacht ik bij mezelf, al waren het dan geen blanke duinen. Lu Xuns oude huis was nu een museum, klein en vol prettig ouderwets handwerk: toelichtingen op net niet recht afgeknipte strookjes papier waarvan de hoeken omkrulden door de losgelaten lijm – heel wat anders dan het pompeuze, in 1999 verbouwde Lu Xunmuseum in Shanghai, waar in een van de zalen op tamelijk smakeloze wijze het ijzeren vertrek is nagebouwd; hinderlijk luid klossen de bezoekers over het plaatstaal. Voor de vitrine die gewijd was aan zijn essays viel mijn oog op een grote vette kop van een opengeslagen tijdschrift: 'IK BEDRIEG, IK MOET WEL'. Ik grinnikte omdat ik de venijnige essayist meende te herkennen, maar het bleek een stukje waarin hij met een mengeling van berouw en zelfspot bekent dat hij om rustig te kunnen schrijven de mensen om zich heen moet bedriegen – net zoals hij een gerust geweten afkoopt met een dollar aan een bedelmeisje of zijn tachtigjarige moeder gemakshalve maar in de waan laat dat de hemel bestaat. 'Als ik de kunst van het bedriegen niet vervolmaak, komt er nooit een degelijk essay uit mijn pen', concludeert hij ironisch, om daarna meteen op te merken dat hij het onderhavige stukje ook alleen maar heeft geschreven om de tijdschriftredacteur niet teleur te stellen, om van zijn gezeur af te zijn – alweer bedrog dus. Had ik hem daar dan eindelijk te pakken, de mens achter de revolutionair? Misschien had hij vanuit datzelfde schuldgevoel wel zijn schoorvoetende bijdragen geleverd aan China's politieke zaak.

Achter het museum lag tot mijn verrassing nog altijd de Tuin met de Honderd Planten; het amateuristische bordje dat het aangaf ontroerde me diep. Veel planten stonden er niet, maar het was winter en volgens Lu Xun was er dan ook nooit veel in de tuin te beleven geweest. Verwilderd was hij in ieder geval nog steeds, en ik liet me door het museum dan ook gemakkelijk wijsmaken dat hij er nog net zo uitzag als honderd jaar daarvoor, in het oude China van geesten en van Runtu, toen Lu Xun hem had moeten verlaten voor school – de eerste stap in zijn carrière die daarnet aan mijn ogen voorbij was getrokken. Toen ik de muur rond de tuin zag, schoot me de anekdote te binnen die Lu Xun in zijn essay vertelde. Zijn kindermeid had hem namelijk altijd bang gemaakt door te zeggen dat er van over die muur soms een onbekende stem riep. Dat was de 'mooiemeisjesslang', een verleidelijk maar hoogstgevaarlijk wezen: als dat gedrocht je naam riep moest je dus vooral niet opkijken, want dan kwam ze 's nachts 'van je vlees vreten'. Ik heb wél een tijdje naar die muur staan staren, en als ik een stem gehoord heb, dan was het Lu Xun, die me quasigemeen en ongetwijfeld grijnzend influisterde: 'Ik bedrieg, ik moet wel.'

2

De grote drie

'De schrijflust van jong-China is onbedwingbaar', berichtte de vermaarde Nederlandse sinoloog J.J.L. Duyvendak in 1936 in een reisverslag vanuit Peking. Naast een overstelpende vloed van oorspronkelijk werk signaleerde de hoogleraar en oprichter van het Sinologisch Instituut te Leiden een ongekende vertaalwoede: klassiekers van Goethe en Rousseau tot en met Oscar Wilde en Anton Tsjechov werden driftig ontsloten; zelfs *Mein Kampf,* noteerde hij met een knipoog, 'kan men desgewenscht ook in het Chineesch lezen'. In zijn boek *China tegen de westerkim* had Duyvendak al in 1927 uit de eerste hand verslag gedaan van de 'letterkundige renaissance' die hij zich in China zag voltrekken. In Peking kuierde hij door 'de boekenstraat', zette Hu Shi op de foto en vertaalde diens principes voor een nieuwe literatuur in de moderne spreektaal met fraaie zinnen als: 'schrijf wat gij te zeggen hebt en zooals het gezegd wordt'. In een tijd waarin zowel sinologen als sinoleken op cultureel gebied weinig hoogstaands verwachtten van het eigentijdse China, dat volgens velen al minstens een eeuwlang 'stilstond', was dit opmerkelijk nieuws – en was het al even opmerkelijk dat een buitenlandse bezoeker daar zo bovenop zat.

En terecht: eigenlijk was China al veel langer in beweging dan men daarbuiten dacht. Hervormers als Hu Shi waren grotendeels gevormd door modernisering en verwestersing die in de late negentiende eeuw op gang waren gekomen. De beroemde vertaler Lin Shu, bijvoorbeeld, had toen hij in 1924 stierf niet minder dan honderdzeventig romans uit voornamelijk het Frans en Engels op zijn naam staan, van *La dame aux camélias* tot *David Copperfield.* Hij deed dat overigens nog in het klassiek Chinees, dat zich volgens hem prima leende voor de moderne westerse roman; hij vertelde ze dan ook eigenlijk meer na, al wordt zijn stilistisch vernuft nog altijd geprezen. Verder was literatuur in de laatste decennia van de Qingdynastie* al geen exclusieve zaak meer van intellectuelen die dienstbaar waren aan het landsbestuur, zeker sinds het keizerlijke examensysteem in 1905 was afgeschaft en literatoren vrije carrières konden opbouwen in een moderne pers- en uitgeverswereld. Met name in Shanghai, destijds het literaire centrum, gingen Oost en West al vrolijk samen in romantische liefdesverhalen, detectives en sciencefiction, en nog meer in film, jazz, mode en reclame – de inmiddels bekende posters van rokende dames in *shanghai dress*. Veel van wat Shanghais kosmopolitische karakter heeft bepaald en tegenwoordig nostalgisch in herinnering wordt geroepen nu die stad met veel neonglitter de eenentwintigste eeuw in gaat, speelde zich af in een levendige low- en middlebrow literatuur die door Hu Shi's literaire revolutie grotendeels aan het oog werd onttrokken.

De nieuwe elite, hoe revolutionair ook, bleef namelijk in één ding zonder meer traditioneel: literatuur behoorde niet domweg verstrooiing te zijn maar moest helpen maatschappelijke problemen op te lossen. Sinds de confrontatie met het sterke, moderne Westen gold China als 'de zieke man van Azië'. De oorzaak werd voor een groot deel gezocht in de 'achtergebleven' Chinese cultuur, die met behulp van moderne, westerse opvattingen nieuw leven moest worden ingeblazen. In de jaren dertig, een tijd van burgeroorlogen tussen de Nationalistische Partij* van Chiang Kai-shek* en de Communisten* onder leiding van Mao Zedong, werd engagement in de letteren hoe langer hoe meer bon ton, zeker toen in 1937 ook nog eens de oorlog tegen Japan uitbrak. Het was juist in deze tijd dat de roman, onder westerse invloed, werd verheven van volksliteratuur tot serieus genre, en dat is een van de redenen waarom 'de jaren dertig' een begrip in de Chinese literatuurgeschiedenis is geworden. Maar de roman had van meet af aan een dubbelzinnige status: net als de poëzie moest hij een vehikel zijn voor zowel individuele expressie als uiting van zorgen om het land. De romanciers die bekendstaan als 'de grote drie' van de jaren dertig, Mao Dun, Ba Jin en Lao She, hebben dan ook allemaal geworsteld met de moeilijkheid om hun artistieke onafhankelijkheid met hun maatschappelijke betrokkenheid te verenigen. Ze verwierven zich er een plaatsje in de canon mee, zeker toen politiek onder Mao de norm werd, maar aangezien elke canon mensenwerk is, stonden hun literaire merites buiten China, en ook in het China van ná Mao, beslist ter discussie. Het gevolg is in ieder geval wel dat we van elk van deze heren een roman in Nederlandse vertaling hebben – al zult u er wel voor naar bibliotheek of antiquariaat moeten.

LICHTEN, TRANEN, CENTEN

Mao Dun (1896-1981) was duidelijk de meest geëngageerde van de drie – zijn latere loopbaan als cultuurpoliticus in communistisch China zou dat bevestigen. Aanvankelijk tijdschriftredacteur en criticus met een grote belangstelling voor Europese literaturen, voelde hij zich in zijn sociale bekommernis gesteund door de naturalistische literatuurtheorieën van Zola. Het beste voorbeeld daarvan is zijn roman *Middernacht* uit 1933, die in het Nederlands *Schemering over Sjanghai* is gedoopt. Na een aantal romans over de politieke bewustwording van jonge studenten, met name *Regenboog* (1929), waarin een vrijgevochten jonge vrouw zich aarzelend tot het communisme bekeert, heeft hij met deze grote, caleidoscopische roman een volledig beeld willen geven van zijn tijd en zijn stad Shanghai. Alle facetten van het grootsteedse leven moesten erin aan bod komen, en het is bekend dat Mao Dun er grondig onderzoek voor verrichtte; zo ging hij zelf de beursvloer op, en in politieke kringen was hij als Chinees intellectueel in zijn tijd ook vast geen vreemde. Als je dan ook nog weet dat hij er talloze bedekte verwijzingen naar bestaande personen en gebeurtenissen in verwerkte, ben je als niet-ingewijde, buitenlandse lezer algauw geneigd de roman te lezen als een historisch document. En misschien heeft Mao Dun het ook niet anders gewild, gezien zijn openlijk beleden streven naar een objectieve realistische weergave: 'het niet mooier maken dan het is'.

De stedelijke milieus die Mao Dun tegen elkaar afzet zijn dat van de grote industriëlen en beursspeculanten aan de ene kant en aan de andere kant dat van de fabrieksarbeiders, die onder leiding van communistische organisaties in opstand komen. Bekneld tussen die twee partijen staat de industrieel Wu Sunfu, de centrale figuur, die ten val komt door zijn onervarenheid met het beurswezen en zijn onmacht tegenover het proletarische verzet. Mao Duns panoramische opzet heeft wel wat weg van een traditionele Chinese roman, waarin verschillende milieus met elkaar in contrast worden gebracht aan de hand van een bonte stoet personages, die je gezien het gebrek aan psychologie eerder typen zou willen noemen. Helaas komt Mao Dun zelf nauwelijks verder dan karikaturen. Sommige daarvan zijn beslist geslaagd en amusant, zoals de corrupte landheer van de oude stempel, die er niet voor terugdeinst om zijn eigen dochter het bed in te sturen met een van de grote jongens van de beurs om voor haar vader de gouden tip te bemachtigen. Maar over het algemeen blijft de typering van de decadente boven- en de armoedige onderklasse vlak. En dat kun je eigenlijk ook zeggen van Wu Sunfu. Zijn val is niet eens dramatisch te noemen: hij verliest een hoop geld en daarmee zijn machtige positie in de vercommercialiseerde stad, en dat is dan dat. Het is allemaal te schetsmatig, te bedacht, en uiteindelijk biedt de roman inderdaad weinig meer dan de flaptekst van de Nederlandse editie uit 1939 al aankondigde: 'een boeienden roman, die ons het werkelijke, tegenwoordige Sjanghai met de oogen van een Chinees laat zien'. Iets wat Mao Dun overigens nog het beste lukt in de impressionistische openingspassage, waarin het de oude vader van Wu Sunfu tijdens een woeste taxirit duizelt van de felle neonlichten aan de Bund.

Dat jaartal 1939 is het vermelden waard: *Schemering over Sjanghai* is de eerste moderne Chinese roman die in het Nederlands werd vertaald. Uit het Duits welteverstaan, want we hebben deze primeur vooral te danken aan het werk van een markante oosterbuur, de sinoloog Franz Kuhn. Kuhn (1884-1961), die lange tijd in China woonde en leefde van het vertalen van Chinese literatuur, heeft een aanzienlijke lijst van klassieke werken op zijn naam staan en waagde zich in 1938 met *Schanghai im Zwielicht* voor het eerst op eigentijds gebied. Behalve om zijn enorme productiviteit stond Kuhn bekend om zijn zeer vrije manier van vertalen. Hij zag zijn rol voornamelijk in het introduceren van een vreemde cultuur bij een groot publiek en schrok er niet voor terug om de teksten drastisch naar zijn hand te zetten. Dat geldt ook voor zijn bewerking van Mao Duns roman. Hij vatte samen, kortte in, gooide om, en voorzag bijvoorbeeld hoofdstukken van titels, waar Mao Dun ze gewoon doornummert – fraai is dat soms wel, in de versie van de Nederlandse bewerker J.L.J.F. Ezerman heet de opening van de roman die ik zonet noemde: 'Voorspel. Een man uit den goeden ouden tijd komt te Sjanghai en begrijpt de wereld niet meer.' Hoewel Ezerman, ook sinoloog, hier en daar een voetnoot toevoegt, volgt hij Kuhn trouw en lijkt hij het Chinees er nergens op nageslagen te hebben. Hij valt zelfs een keer door de mand door een 'advocaat Herbst' op te voeren, zodat het lijkt alsof er opeens een Duitser in het Shanghai van de jaren dertig is opgedoken – wat overigens goed had gekund. Opvallender is het slot van het boek, dat net als in het Duits anders is dan in het origineel. Daar waar Mao Dun de hoofdpersoon Wu Sunfu aan het einde duidelijk verslagen achterlaat, kijkt dezelfde Wu in het Duits en Nederlands hoopvol uit naar een 'nieuw leven'. Het blijkt hier te gaan om een concessie van Kuhn om zijn boek tijdens het naziregime uitgegeven te krijgen.

Ba Jin (1904-2005) is misschien alleen al door zijn hoge leeftijd de grootste literaire reus van de Chinese twintigste eeuw. De enige roman die we van hem in het Nederlands kunnen lezen (naast een aantal korte verhalen in *Het trage vuur, tijdschrift voor Chinese literatuur*) is meteen ook zijn beroemdste: *Fa-*

Ba Jin (© China Newsphoto/Reuters/Corbis)

milie, uit 1931, in 1986 vertaald vanuit het Frans. Na zijn studie in Shanghai verbleef Ba Jin twee jaar in Parijs, waar hij naar eigen zeggen geen woord Frans leerde en geen enkel diploma behaalde, maar wel in contact kwam met de radicaal-anarchistische literatuur van Kropotkin (die hij vertaalde) en uit verveling aan zijn eerste roman begon. Bij thuiskomst in 1929 publiceerde hij die roman, *Vernietiging*, onder het pseudoniem Ba Jin, dat hij baseerde op de eerste lettergreep van Bakoenin en de laatste (in Chinese transcriptie) van Kropotkin.

Iets van anarchisme is terug te vinden in *Familie*, dat de opstand van de jeugd tegen de oudere generatie als thema heeft, voornamelijk uitgespeeld binnen de muren van het grote familiehuis van het rijke geslacht Gao. Ba Jin somt in veertig hoofdstukken allerlei voorbeelden van de verwoestende invloed van de traditie op, waarbij vooral het conflict tussen opgelegde huwelijken en de wens tot vrije liefde voor veel drama zorgt. De tranen rollen over de bladzijden – ook letterlijk overigens, als we de auteur mogen geloven, toen hij het boek aan het schrijven was. Zoals in al zijn werk schuwt Ba Jin het sentiment niet, evenmin als de clichés. Het boek is zonder meer een aanklacht en presenteert de problemen tamelijk zwart-wit: de oude patriarch is door en

door slecht en de jongeren zijn bijna allemaal slachtoffer; alleen doordat Ba
Jins sympathie duidelijk bij de laatsten ligt, brengt hij bij hen onverhoeds nog
weleens een kleine nuancering aan en laat hij de angry young men ook af en
toe het onheil over zichzelf afroepen. Maar vaker hoor je ze uitbarsten in een
bladzijdenlange monoloog vol defaitistische kreten als: 'ik ben een speelbal
van het lot', 'ik ben een lafaard', 'ik haat mezelf' – waarop dan weer 'vol
vuur' getroost wordt met: 'je moet tegen de omgeving vechten; de omgeving
overwinnen betekent in een harde strijd het geluk veroveren'. Het thema van
de uiteenvallende familie bleek voor Ba Jin onuitputtelijk. Hij breidde *Familie* tot een trilogie waarvan de andere delen, *Lente* en *Herfst*, ook aan het
melodrama grenzen; pas zijn latere familieromans, zoals *Koude nachten*
(1947), tonen een meer volwassen psychologie.

Misschien klink ik wat oneerbiedig. Het onderwerp en het sentimentalisme
waarmee dat gepaard gaat, waren in het China van die tijd beslist authentiek –
en in het hedendaagse China nog steeds invoelbaar, gezien de niet afgenomen
populariteit van het boek onder de huidige jeugd. Dat Ba Jin uit eigen
ervaringen putte, draagt daar zeker aan bij: hij bleef weliswaar altijd koket
ontkennen dat hij zelf de jongste zoon van de romanfamilie was, maar zijn
oudere broer is wel in het boek terug te vinden. Alleen diens zelfmoord, die
nota bene precies gebeurde terwijl Ba Jin aan een hoofdstuk over de roman-
broer bezig was, liet hij er bewust buiten. Maar hoe authentiek het allemaal
ook is, strikt literair gesproken blijft het toch storen dat Ba Jin de lezer de
conflicten niet zelf laat beleven en er meteen een stempel op drukt. Slechts af
en toe laat hij de situatie voor zichzelf spreken, zoals in de scène waarin een
geestenuitdrijver alle kamers van het grote huis langs moet omdat de oude
pater familias ziek is, en de jongste broer uit protest zijn kamerdeur weigert
open te doen. Die beeldende en haast slapstickachtige passage zegt veel meer
over het individualistische verzet tegen de vaak absurde vormen van traditie
dan alle verbeten mono- en dialogen die hij gebruikt om vaak overbodig,
opdringerig commentaar te geven.

De Nederlandse lezer wordt het inleven helaas nog moeilijker gemaakt
door de Nederlandse vertaling. Het Franse vertaalduo ging zorgvuldiger te
werk dan de oude Franz Kuhn en heeft zelfs af en toe de auteur geraadpleegd.
Maar één ongelukkige beslissing hebben ze genomen: om de verwarring weg
te nemen die de in transcriptie op elkaar lijkende Chinese namen kunnen
veroorzaken, hebben ze de roepnamen van de personages vertaald – wat een
onbedoeld komisch en op den duur irriterend effect heeft. Als de jongste
broer, Ontwaken van de Kennis, de tafelschikking bij een diner in zich
opneemt, staat er, slaafs overgenomen in het Nederlands: 'Links zaten zijn

nichtje Citer en zijn schoonzuster Li Dubbele Jade van het Goede Voorteken, aan de deurzijde zijn oudste broer Ontwaken van het Nieuwe en zijn zuster Zuivere Bloem.' Om nog maar te zwijgen van zijn oom Bewaarder van de Welwillendheid en vriend Zwaard in de Wolken ... Hoewel Chinese namen altijd een betekenis hebben, klinkt die lang niet zo zwaar door als op deze manier wordt gesuggereerd – je lijkt wel bij een indianenstam uit een jongens-boek verzeild geraakt, in plaats van bij een deftige clan uit het Shanghai van de roaring twenties.

Waar Mao Dun zich te zeer op de vlakte hield, koos Ba Jin te duidelijk partij – maar Lao She (1899-1966) balanceerde pas echt tussen zijn artistieke inte-griteit en zijn sociale bewustzijn. Tijdens zijn verblijf in Londen, van 1924 tot 1929, waar hij lesgaf en Dickens las, schreef hij zijn eerste romans, waarin al meteen duidelijk werd dat hij het graag voor de zwakkeren in de wereld opnam, meestal op humoristische wijze, maar soms ook met een bittere ondertoon. Zo belicht hij in het tragikomische *Ma & zn* de Britse vooroor-delen waarmee een Chinese antiquaar in Londen te maken krijgt, maar in de vrij doorzichtige sciencefictionsatire *Kattenstad*, over een lui, laf en zelfzuchtig kattenvolk op Mars, zet hij juist vrij hardvochtig zijn eigen volk te kijk. Minder eenduidig is het morele dilemma dat hij opvoert in zijn beroemdste roman, *Xiangzi de Kameel*, in 1936-1937 als feuilleton verschenen en in het Nederlands vertaald als *De riksjarenner* (1979). Het verhaal is simpel: riksjaloper Xiangzi, met de bijnaam Kameel, streeft ernaar door zuinigheid en hard werken zijn eigen riksja te kunnen kopen en daarmee eigen baas te zijn. Alleen wordt hij door samenloop van omstandigheden en achteraf gezien verkeerde beslissingen telkens weer in zijn ambitie gefrustreerd. Xiangzi's fatsoen gaat er hoe langer hoe meer onder lijden en de eens zo trotse jonge knul raakt uiteindelijk aan lager wal. Maarten 't Hart stelde in een tamelijk negatieve bespreking uit 1979 teleurgesteld vast dat er 'geen sprake [was] van een onontkoombaar en tragisch lot van een arme riksjarenner doch van een aaneenschakeling van toevallige gebeurtenissen die allemaal verkeerd uitpakken voor de ambachtsman'. De vraag is echter of Lao She wel zo'n westerse noodlotstragedie voor ogen had; misschien bepaalde juist de willekeur van het lot wel zijn wereldbeeld. Er is veel getwist over de bedoeling van de roman. De simpele riksjaloper is het slacht-offer van de harde, nieuwe Chinese maatschappij, zeggen sommigen, mede gezien Lao She's bekende allergie voor onrecht. Xiangzi is het slachtoffer van zijn eigen, zelfdestructieve individualisme, zeggen anderen: Lao She zou hier volgens hen een oproep mee doen tot collectieve actie, als antwoord op de misère van het Chinese volk, en daarmee zou deze roman een voorbode zijn van zijn latere communistische propagandastukken.

De riksjarenner van Lao She
(People's Literature 1981)

Het opvallende is dat die boodschap, als het er al een is, pas aan het slot uit Lao She's pen komt. Terwijl Xiangzi de hele roman zijn sympathie heeft, keert hij zich in de allerlaatste zin opeens tegen hem: '... dit ineengestorte egoïstische, ongelukkige voortbrengsel uit de schoot van een zieke beschaving, dit spook van het individualisme dat zijn laatste weg ging!' Eerder in het verhaal geeft Lao She slechts op enkele momenten blijk van sociale betrokkenheid, en al die keren ervoer ik dat als een kleine stijlbreuk. De eenvoudige mijmeringen van Xiangzi worden soms ruw onderbroken door, zeg, een beschrijving van de volkswijk waar hij woont, ongetwijfeld bedoeld om zijn toestand in het grotere kader van de algehele armoede van die tijd te plaatsen. Maar door de hoogdravende toon – er galmen dan ineens gemeenplaatsen als 'de wereld is niet rechtvaardig' – slaat de auteur de plank mis en wordt de ellende van de personages er niet aangrijpender door.

Nee, Lao She is op zijn best als hij zich door zijn personages laat meeslepen. Xiangzi mag gerust om de tien bladzijden zijn centen tellen (waren het bij Ba Jin de tranen die over de bladzijden rolden, hier zijn het de geldstukken) en Lao She mag ons gerust uitleggen hoe het met de verschillende typen riksjalopers in het Peking van die tijd zit, en bij welk type Xiangzi dan hoort – als hij maar bij zijn personages blijft, en er geen superieure houding tegenover aanneemt. In vergelijking met Mao Dun en Ba Jin treden er in *De riksjarenner* mensen van vlees en bloed op, en als volleerd verteller had Lao She mij af en toe op het puntje van mijn stoel. Wanneer de riksjakoelie wederom een goede dienstbetrekking afwijst en koppig voor zijn zelfstandigheid kiest, roept Lao She ware poppenkastemoties op: 'Xiangzi, doe dat nou niet! Ga nou terug naar die aardige werkgever!' Ook in zijn sfeerbeschrijvingen, die maar blijven uitdijen, bereikt hij dat effect: als op een pagina de nacht invalt, ziet de lezer aan het einde van die bladzijde geen hand voor ogen meer.

Was *Schemering over Sjanghai* van Mao Dun de eerste moderne Chinese roman die in het Nederlands te lezen viel, *De riksjarenner* was de eerste die rechtstreeks uit het Chinees werd vertaald (op enkele verhalen en essays van Lu Xun na). Daan Bronkhorsts Nederlands is een verademing, al stelde Lao She's karakteristieke spreektaaltoontje, het vette Pekingdialect, hem wel op de proef. Maar ook om een andere reden was Lao She gebaat bij een directe overzetting, want net als bij Franz Kuhns versie van Mao Dun was er iets vreemds aan de hand met het einde van *De riksjarenner*. Maarten 't Hart wist in zijn recensie in *Vrij Nederland* te vertellen dat *De riksjarenner* oorspronke- lijk een happy end had gehad, dat Lao She later zou hebben herschreven. 't Hart had de Engelse vertaling van Evan King uit 1946 gelezen, die in 1952 als tussentaal voor de eerste Nederlandse vertaling *Riksha-boy* had gediend, en daarin vindt Xiangzi aan het einde inderdaad samen met zijn geliefde het geluk. Maar dankzij de vertaling *Rickshaw* uit 1979 weten de Engelstaligen nu ook dat King net zo vrij met de tekst omsprong als Kuhn – nog vrijer zelfs, want King verzon er maar liefst twee nieuwe personages bij ... Amerikaanse waar is niet altijd beter.

DE ANDERE DRIE

De grote drie zijn onmiskenbaar een product van hun tijd: Mao Dun, Ba Jin en Lao She zijn zo groot geworden omdat politiek engagement in de jaren dertig nu eenmaal de boventoon voerde. Om diezelfde reden zijn ze ook de grote drie *gebleven*, want politiek werd later onder Mao Zedong alleen maar belangrijker in de kunst. Het sterkst zie je dat aan Mao Dun. Die werd in 1949 de eerste cultuurminister van de communistische Volksrepubliek China* en heeft, op enkele toneelteksten na, nauwelijks meer werk van betekenis geschreven. Toch werd er na zijn dood in 1981 een literaire prijs naar hem vernoemd, de Mao Dunprijs*, die zou uitgroeien tot de meest prestigieuze literaire staatsonderscheiding van China. Ba Jin en Lao She gingen niet echt de politiek in maar 'bogen' wel voor het systeem door zonder al te veel morren te accepteren dat hun romans vanaf de jaren vijftig in aangepaste versies verschenen, al waren Ba Jins tirades tegen het oude familiesysteem in principe al *gefundenes Fressen* voor de nieuwe machthebbers. Terwijl Lao She zich vroeg in de Culturele Revolutie* met een boek van Mao aan de borst in een Pekingse vijver verdronk na door Rode Gardisten* ernstig te zijn mishandeld, zou Ba Jin als voorzitter van de Schrijversbond* – door ziekte lange tijd alleen in naam – langzaam maar zeker al zijn generatiegenoten overleven. Bij zijn dood in 2005, op honderdjarige leeftijd, bleek uit het enorme condoleanceregister op internet hoe populair 'vadertje Ba Jin' nog altijd was, overigens mede door zijn humanistisch getinte essays uit het vijfdelige *Wat mij invalt* (1978-1986), zijn enige publicaties sinds de jaren veertig.

Natuurlijk mengde niet elke schrijver zich in de politiek. Zhou Zuoren, bijvoorbeeld, deelde niet de gewetensbezwaren van zijn broer Lu Xun (pseudoniem van Zhou Shuren) en maakte naam als een luchtig maar erudiet essayist, die zijn buitenlandse kennis op een gemoedelijke manier met de Chinese traditie vervlocht. Zo sprong hij in het stukje 'Lezen op het toilet' (vertaald in *Het trage vuur*) moeiteloos heen en weer tussen zijn Japanse tijdgenoot Tanizaki, die in zijn 'Lof der schaduw' over de esthetiek van het toilet uitwijdde, en de boeddhistische klassieken. Maar doordat deze 'onafhankelijken' vaak buiten de communistische canon werden gehouden of na Mao's greep naar de macht simpelweg ophielden met schrijven, bleven ze lange tijd uit het zicht – en onvertaald. Sommigen werden pas bekend door toedoen van de Chinees-Amerikaanse C.T. Hsia, die in 1961 in een van de eerste vanuit westers oogpunt geschreven geschiedenissen van de moderne Chinese literatuur het boude maar invloedrijke oordeel velde dat schrijvers in de eerste helft van de twintigste eeuw, vanwege hun fixatie op de toestand van het land, hun 'obsessie met China', over het algemeen meer provincialistisch werk dan wereldliteratuur hadden afgeleverd. Menig patriottisch Chinees nam hem dat niet in dank af, maar toch zou een aantal auteurs dat Hsia boven de gevestigde namen stelde, zelfs boven Lu Xun, na Mao's dood worden herontdekt en in de canon bijgeschreven. Daaronder zit een trio dat ik voor de gelegenheid maar 'de andere drie' zal noemen – vooral omdat je ze stuk voor stuk als tegenpolen van de grote drie kunt zien.

Tegenover het drukbevolkte stadspanorama van Mao Dun heb je de ingetogen vertelde pastorale *Grensplaats* van Shen Congwen (1902-1988), een korte roman uit 1934 over de ontluikende seksualiteit van een vijftienjarig plattelandsmeisje. Die oppervlakkige tegenstelling vormt echter niet het wezenlijke verschil. Achter Mao Duns uiterlijke vertoon ging uiteindelijk een simpele idee schuil, terwijl Shen Congwen met weinig middelen een complexere wereld ontsluit. Zijn pastorale is beslist geen idylle: het meisje wordt

Reisverhalen van Shen Congwen in Engelse vertaling
(Panda Books 1982)

opgevoed door haar grootvader, veerman van beroep, omdat haar beide ouders, zo wordt ons aan het begin kort medegedeeld, vanwege hun onmogelijke liefde zelfmoord hebben gepleegd. 'Als het in het leven niet kon', dan wilden ze 'tenminste in de dood samen kunnen zijn'. De oude man houdt haar hierover angstvallig in onwetendheid en probeert als de tijd daar is een goede echtgenoot voor haar te vinden, met een onbeholpenheid die Shen Congwen vol sympathie presenteert. Alles in het verhaal gaat buiten het meisje om: twee broers dingen door middel van een traditioneel zangritueel naar de hand van het meisje, maar voordat ze goed en wel begrijpt wat er gaande is, frustreert haar grootvader uit overbezorgdheid alle kansen, met nieuwe sterfgevallen tot gevolg. Shen vertelt dit alles volstrekt onnadrukkelijk, zijn toon zal sommige lezers wat al te naïef zijn, maar de symboliek liegt er intussen niet om: het meisje wordt omringd door de dood, maar blijft zelf de onschuld in persoon. Ze blijft alleen met haar dromen, en zal, zo lijkt het, nooit een grens oversteken – alleen de rivier, telkens weer, op het veerpontje dat ze van opa overneemt.

Shen Congwen heeft zich nooit kunnen verenigen met Mao's opvattingen over literatuur: na een zelfmoordpoging bij de stichting van de communistische Volksrepubliek in 1949 vond hij werk als onderzoeker bij het paleismuseum en publiceerde hij dertig jaar lang alleen nog maar op het gebied van

Zhang Ailing (© Eileen Chang)

traditionele kostuums, zijde, lak- en glaswerk. Maar in het postmaoïstische tijdperk bleek juist hij een van de invloedrijkste stilisten van zijn generatie geworden. Niet alleen omdat zijn werk niets met politiek van doen had, ook omdat het iets tijdloos uitademde, doordat het eerder teruggreep op traditionele vertelwijzen. Dat geldt ook voor zijn nostalgische reisimpressies van zijn geboortestreek in de provincie Hunan, die een soort literaire locus classicus werden voor jongere schrijvers van streekliteratuur, een genre dat in China eerder de status heeft van het werk van William Faulkner dan dat van Stijn Streuvels. Net als in *Grensplaats* weet Shen in die autobiografische stukken indirect, maar daardoor des krachtiger, gevoelens op te roepen, door gebruik te maken van folkloristische patronen en door literaire verwijzingen naar de klassieke dichters die zijn streek hebben vereeuwigd.

Zhang Ailing (1920-1995), sinds haar emigratie naar de Verenigde Staten beter bekend als Eileen Chang, werd in de jaren veertig op slag beroemd met autobiografisch getinte verhalen en novellen over de gegoede burgerij van Shanghai, vaak tegen de dreigende achtergrond van de Chinees-Japanse Oorlog (1937-1945)*. Niet alleen dat milieu deelt ze met Ba Jin, ook de thematiek: de vrije liefde tegenover de verstikkende invloed van de traditie – al richtte Chang zich op de psyche van vaak getormenteerde vrouwen, waardoor ze weleens wordt vergeleken met Katherine Mansfield. Neem haar debuut 'Het gouden schandbord' uit 1944, over een vrouw die in een rijke familie is getrouwd en wanneer ze weduwe wordt ontdekt dat ze nagenoeg niets erft; omdat ze zodoende jarenlang voor niets 'het gouden schandbord' heeft gedragen, raakt ze verbitterd en uiteindelijk zelfs waanzinnig. De veelgehoorde vergelijking met Jane Austen gaat eigenlijk mank, aangezien Changs brave ironie meestal overstemd wordt door een flinke dosis sentimentalisme. Zelf vond Chang zich dan ook meer in de traditie staan van de romantische verstrooiingsliteratuur die de geëngageerde elite liever negeerde. Het belangrijke verschil met Ba Jin is dat Chang niet aanklaagt maar simpelweg de innerlijke gevoelswereld van haar vrouwen beschrijft, hetgeen de vaak trage, omcirkelende opbouw van haar verhalen verklaart. En zo is er bij haar ook ruimte voor tegenstrijdige gevoelens, zoals in 'Sporen van liefde', waarin een jonge vrouw zich aan het eind van een regenachtige middag onverwachts verzoent met het feit dat haar veel oudere man ook nog een eerdere vrouw uit een gearrangeerd huwelijk onderhoudt. Zelf dacht ze eerst nog dat ze alleen voor het geld bij hem bleef, maar uiteindelijk ziet ze in dat de man ondanks zijn verplichtingen aan het oude familiesysteem oprecht om haar geeft.

In de jaren vijftig schreef Chang, tevens vertaalster Engels, onder druk twee Engelstalige romans van duidelijk revolutionair-communistische signatuur, maar toen ze de kans kreeg om in 1955 naar de Verenigde Staten te vertrekken, greep ze die met beide handen aan en kwam nooit meer terug. Niet alleen in China verloor men haar daarop uit het oog: nadat ze in de Verenigde Staten vergeefs had getracht een Engelstalige schrijverscarrière op te bouwen – onder meer door 'Het gouden schandbord' om te werken tot een roman: *The Rouge of the North* uit 1967 – leefde ze vanaf de jaren zeventig hoe langer hoe meer als een kluizenaarster; de Greta Garbo van de Chinese letteren werd ze genoemd. En zo stierf ze ook: pas drie dagen na haar dood werd ze in haar appartement in Los Angeles gevonden. Sindsdien, 1995 was het, zijn haar boeken zowel in China als in vertaling weer volop verkrijgbaar – niet in de laatste plaats vanwege haar vooroorlogse tijdsbeeld van het opnieuw zeer in de belangstelling staande Shanghai, zie onder meer de verfilming van een van haar verhalen door Ang Lee: *Lust, Caution* (2007).

Legde Lao She in *De riksjarenner* de ondergang van een oprechte, hardwerkende sloeber vast, dan deed Qian Zhongshu (1910-1998), zijn humoristische evenknie, hetzelfde met de val van een sjoemelende intellectueel zonder ruggengraat. Qians *Belegerde vesting*, verschenen in 1947, heeft de twijfelachtige eer de laatste triomf van de moderne Chinese romankunst te zijn voordat Mao de literatuur twee jaar later definitief in zijn greep kreeg. Qians eerste hoofdstukken zijn een heerlijke satire op het moderne Chinese intellectuele milieu. De gesjeesde student Fang komt met een gekochte doctorsbul uit het buitenland thuis maar wordt daar eervol ontvangen als een grote belofte. Als het maar westers en modern is, lijkt de gedachte; zelfs studenten Chinese literatuur willen overzee, stelt Qian fijntjes, wiskunde, recht, economie zijn allemaal al verwesterd, alleen de Chinese literatuur heeft nog een buitenlands keurmerk nodig ... De scènes van schaamte en bedrog weet Qian al even hilarisch te brengen, niet in de laatste plaats door zijn crossculturele grapjes en woordspelingen – Qian, die zowel aan Oxford als de Sorbonne studeerde, was vloeiend, en zeer belezen, in meerdere talen. Een schaars geklede dame wordt door de teruggekeerde studenten in het Frans een *charcuterie* genoemd (uitgestald vlees) of anders de Waarheid, omdat die, volgens de westerse zegswijze althans, ook naakt is. Alleen had de bewuste dame nog wel *iets* aan, dus werd haar naam vanzelfsprekend de Halve Waarheid.

Belegerde vesting van Qian Zhongshu
(Sinolingua 1994, educatieve uitgave)

Maar na die vrolijke opening zet een neerwaartse spiraal in, en halverwege het boek slaat de toon definitief om. Binnen een jaar mislukt de nietsnut Fang niet alleen in zijn universitaire carrière, maar ook zijn huwelijk wordt een ramp; vandaar de titel van het boek, afkomstig van het Franse gezegde: 'het huwelijk is als een belegerde vesting, de mensen buiten willen naar binnen, zij die erin zitten willen eruit'. Qian volgt in de vier delen van het boek consequent de seizoenen, en als hij van de lichte lente bij de kille winter aankomt, is zijn spot grimmiger geworden en krijgen zijn erudiete grapjes soms iets wrangs en pedants. Anders dan bij Lao She ligt de 'schuldvraag' hier niet open: pseudo-intellectueel Fang heeft alles aan zijn zwakke, passieve karakter te danken – zelfs als zijn schuchtere verloofde daags na de bruiloft in een ware feeks verandert, had hij blijkbaar maar beter moeten weten. Toch laat Qian Zhongshu zijn hoofdpersoon op het eind niet vallen, zoals Lao She wel leek te doen. Ten eerste is hij voor de personages om Fang heen veel harder (sommigen zagen er afrekeningen met bestaande personen in), en ten tweede was een moralistisch einde waarschijnlijk de echte doodsteek voor de roman geweest; nu blijft *Belegerde vesting* als zedenschets overeind. De maoïstische autoriteiten zagen er in ieder geval geen ondubbelzinnige afrekening met de intellectuele klasse uit de presocialistische maatschappij in, anders hadden ze het na 1949 wel herdrukt om het voor propagandistische doeleinden te gebruiken. Qian zelf schreef na die tijd ook geen fictie meer. Na een blauwe maandag het Engelse vertaalteam van de werken van Mao te hebben geleid, legde hij zich uiteindelijk toe, omgevallen boekenkast die hij was, op klassieke essays over allerhande literair-historische onderwerpen, verzameld in zijn omvangrijke levenswerk dat hij zelf de bescheiden Engelse titel *Limited views* meegaf.

Gingen 'de grote drie' steeds verder gebukt onder hun eigen engagement, 'de andere drie' zagen hun carrières geknakt door de eisen die het communistische bewind met krachtige hand aan de kunst zou stellen. Voor beide trio's geldt immers dat de onbedwingbare schrijflust die Duyvendak in jong-China zag hen verging en dat de westers geïnspireerde literatuur na amper dertig jaar ontwikkeling, waarvan de laatste tien in oorlogstijd, tot stilstand kwam. De 'nieuwe jeugd' kreeg niet echt de kans om op te groeien, hun nieuwe taal (geen Latijn meer) en hun nieuwe genre (de roman) hadden wellicht een langere aanlooptijd nodig gehad. Pas na wederom drie decennia, na Mao's Culturele Revolutie, toen het land eind jaren zeventig zijn blik weer op de westerkim richtte, ontstond er een vergelijkbare periode van artistieke bloei. Eigenlijk, zou je kunnen zeggen, beleefden de moderne Chinese letteren op dat moment hun tweede jeugd.

3
Droeve boer, eenzame arbeider

In de film *Farewell My Concubine* van Chen Kaige, uit 1993, treedt een Chinese-operazanger, gespeeld door Leslie Cheung, tijdens de Chinees-Japanse Oorlog op voor de Japanse legerleiding. Hij zingt zijn aria net als anders, net als altijd in vol ornaat en traditionele pracht en praal, maar alleen voor het verkeerde publiek, de bezetter – althans, zonder dat hij het zelf lijkt te beseffen, zozeer gaat hij op in zijn kunst. Het is zijn collega en vriend die hem voor verrader uitmaakt, waarop hij reageert met een treurige, niet-begrijpende blik.

Kan een schrijver ook zo argeloos zijn? Zomaar zijn kunstje opvoeren voor welke machthebber dan ook? Zijn literaire vormen lenen voor een politieke boodschap? In het China van Mao is het systematisch van schrijvers gevraagd, en de gevolgen waren desastreus. Er is een gat in de moderne Chinese literatuur geslagen, zo luidt de algemene opvatting, een gat van drie decennia, zolang als de streng communistische periode van China duurde, van eind jaren veertig tot eind jaren zeventig. Kopstukken uit de jaren daarvoor bedankten voor de eer, sympathisanten leverden veelal formulewerk dat, ook destijds in China, nauwelijks lezers trok, en schrijvers werden vervolgd totdat er tijdens de Culturele Revolutie (1966-1976) bijna letterlijk nog maar één schrijver over was. Niet de moeite waard dus, die communistische literatuur, dacht ik aanvankelijk, net als velen. Totdat ik toch eens het werk inkeek van de enige auteurs die ondanks alle politieke campagnes nog iets van een oeuvre hadden opgebouwd. Verrast zag ik hoe ze met zichtbaar plezier hadden willen laten zien wat ze konden – maar vooral ook hoe ze in hun leven geworsteld hadden met wat de politiek hun vroeg. Het deed me denken aan de blik van Leslie Cheung.

Voordat Mao in 1949 aan de macht kwam, leken zijn opvattingen over literatuur nog een vrij logische voortzetting van heersende ideeën. Literatuur had ook volgens hem een maatschappelijke functie en er bestond al sinds 1930 een Liga van Linkse Schrijvers die dat klassieke adagium aanmerkelijk nauwer opvatte dan anderen: de schrijver had een belangrijke politieke taak, niet alleen een kritische maar een actieve. Het belang dat Mao aan literatuur hechtte verklaart wel waarom hij in 1942, midden in de oorlog, in het kleine communistische bolwerk Yan'an* waar hij zich na de Lange Mars* had verschanst, zijn befaamde toespraken over kunst en literatuur hield die de blauwdruk werden voor zijn latere cultuurpolitiek. Analoog aan zijn typisch Chinese bijdrage aan het marxisme, stelde Mao het belang van de massa's voorop. Literatuur moest voortaan het volk dienen, schrijvers werden geacht het optimisme en patriottisme van de revolutie uit te dragen en te verpakken in een voor boeren, arbeiders en soldaten toegankelijke vorm, die daarom meestal ontleend werd aan traditionele folklore – gezien het hoge analfabetisme het liefst toneel- en voordrachtsteksten met zang en muziek.

Dat leidde tot verhalen als 'Herinnering aan Heuvelland' uit 1949, waarin schrijver Sun Li (1913-2002) op typische wijze romantiek aan revolutie koppelt. Een boerenmeisje breit een paar sokken voor een soldaat, ogenschijnlijk om haar steentje bij te dragen aan de strijd tegen de Japanners, terwijl elke lezer er natuurlijk een amoureuze avance in zag. Als wederdienst helpt de soldaat het arme gezin geld verdienen, zodat uiteindelijk een weefgetouw kan worden gekocht; het meisje is er blij mee 'alsof het haar bruidsschat was'... De soldaat draagt de sokken de hele oorlog door, en op de dag van de oprichting van het Nieuwe China koopt hij als dank een lap rode stof voor het meisje. Even mogen we denken dat het voor een mooi kledingstuk is, maar nee: voor een nieuwe Chinese vlag natuurlijk! Haar vader doet er nog een gele lap bij om de vijf sterren erop te kunnen naaien.

Je kunt er bijna alleen maar lacherig over doen. Geen wonder, denk je, dat veel gevestigde auteurs het voor gezien hielden toen de communistische regering in 1949 de hele literaire productieketen nationaliseerde – sommige accepteerden hooguit dat hun oude werk in aangepaste vorm verscheen, al dan niet voorzien van een nieuwe, politiek correcte interpretatie in voor- of nawoord. 'De tijden zijn veranderd,' zei Shen Congwen eufemistisch in een zeldzaam interview tijdens de Culturele Revolutie, 'er wordt een ander soort literatuur gevraagd, ik heb daar de vereiste levenservaring niet meer voor.' Het socialisme wilde een nieuwe maatschappij scheppen, een nieuwe mens, en kennelijk was daar ook een nieuw soort schrijver voor nodig. Toch zijn de pogingen van sommigen, niet toevallig de meer getalenteerden, om aan die oproep gehoor te geven, wel serieus te nemen. De vorming van de nieuwe schrijver is te volgen aan de hand van twee misschien argeloze, maar uiteindelijk ontroerende figuren, die respectievelijk aan het begin en aan het einde van de maoïstische periode staan: Zhao Shuli de boerenschrijver, het droeve model van de vroege Volksrepubliek, en Haoran, eenzaam literair arbeider tijdens de Culturele Revolutie.

De vorming van de nieuwe schrijver was algauw geen vrijwillige zaak meer. Mao organiseerde de 'culturele arbeiders' in de Schrijversbond, waar ze maandelijkse quota aan gedichten, toneelteksten, filmscripts en verhalen kregen opgelegd. Omdat velen uiteraard van 'kleinburgerlijke afkomst' waren, liet Mao ze bovendien bij de boerenbevolking in de leer gaan om zich de door hem beoogde volkskunst eigen te maken. Mao was traditioneel genoeg om literatuur te zien als een 'oprechte verwoording' van de persoonlijke gevoelens van de auteur, en vandaar moesten zijn intellectuelen zich volledig onderdompelen in de massa's, één worden met hun gedachten, gevoelens en taal. Maar het beste om te hebben was natuurlijk een échte boerenschrijver. Zhao Shuli kwam als een geschenk uit de hemel: hij was van boerenafkomst, schreef over boeren, en deed dat ook nog eens met gebruik van folkloristische elementen; bovendien merkten de autoriteiten tevreden op dat hij er zelfs uitzag als een boer. Het was te mooi om waar te zijn. En dat was het dan ook: Zhao Shuli's vader werkte wel op het land, maar hij stamde uit een rijk geslacht en als gewezen onderwijzer had hij zijn zoon doordrenkt met literaire kennis. Maar toen dat uitkwam, was Zhao al met bijpassende hagiografie tot modelauteur gemaakt – letterlijk 'gemaakt'.

Die eer had hij te danken aan het verhaal 'Zwartje gaat trouwen' uit 1943, waarin twee jongelingen zich met succes verzetten tegen het gearrangeerde huwelijk om uit vrije wil met elkaar te trouwen. Zhao heeft veel weg van een oude verteller op de marktplaats, hij spreekt de lezer toe en leidt hem met vooruitwijzingen, cliffhangers en levendige dialogen volleerd door zijn verhaal. Maar het einde komt wel heel erg uit de lucht vallen: na allerlei verwikkelingen wordt het gelukkige huwelijk door een haast goddelijke ingreep van de revolutionair gezinde dorpsleiding tot stand gebracht. Zonde van het leuke verhaal tot dan toe, zou je zeggen, en de Chinese cultuurpolitici vonden het naderhand ook eigenlijk wat ál te leuk: Zhao werd weleens bekritiseerd omdat hij zijn boerenpersonages uit de oude, feodale maatschappij zo kleurrijk portretteerde, terwijl de jonge helden van de nieuwe maatschappij, zoals Zwartje, vlak en steriel bleven. Waarop de brave Zhao ooit oprecht verontschuldigend gezegd schijnt te hebben dat hij nu eenmaal schreef over wat hij kende en dat hij zo'n socialistische held 'nog nooit was tegengekomen' …

Dat werd het droeve lot van Zhao Shuli: gedurende de vele onvoorspelbare golven van officiële kritiek in de jaren vijftig en zestig, vaak eerder vanwege een conflict in de partijtop dan om de eigenlijke inhoud van een boek, werd hij nu eens geroemd om zijn waarheidsgetrouwe beeld van de boer, en dan weer verweten dat zijn portretten niet genoeg beantwoordden aan het ideaal-

Communistische propagandaposter uit 1966, met als opschrift: 'Doorprik de antipartijkliek van Ulanfu'.
Doorprikken wil zeggen 'ontmaskeren', hier plastisch verbeeld met een kroontjespen.

beeld van de plattelander; het socialistisch realisme wilde uiteindelijk geen boeren zien zoals ze waren, maar zoals ze *moesten zijn*. Tenminste eenmaal gaf Zhao indirect blijk van zijn onmogelijke spagaat: in zijn door Theun de Vries als *De dorpszanger* vertaalde roman voert hij een traditionele 'klepperverteller' op, die door de autoriteiten wordt gevraagd de moraal van het verhaal op zijn manier voor de massa's te verwoorden. Hoewel het de feestelijke afsluiting van het boek is, blijkt hier duidelijk dat de artiest zijn kunst leent voor andermans boodschap.

Een ironisch zelfportret? Het is moeilijk te zeggen, Zhao nam zijn rol als spreekbuis van de boeren erg serieus, ook buiten zijn boeken om. Toen halverwege de jaren vijftig bleek dat er nauwelijks meer geschreven, gelezen of toneel bekeken werd, was dat een van Mao's redenen om in 1956 zijn bekende Honderdbloemencampagne te lanceren: met het oude gezegde 'laat honderd bloemen bloeien en duizend scholen wedijveren' nodigde hij intellectuelen uit hun gal te spuwen, waarna hij degenen die hun nek uitstaken het jaar erop weer streng aanpakte tijdens de Antirechtsencampagne*. Ook Zhao Shuli moest eraan geloven, omdat hij van de gelegenheid gebruik had gemaakt om voor 'zijn' boeren op te komen, zoals hij daarna nog vaker zou doen. Maakte hij dapper gebruik van zijn modelstatus? Of liet hij zich naïef gebruiken? Zijn op bevel geschreven zelfkritieken zijn moeilijk op authenticiteit na te gaan. In 1970, tijdens de Culturele Revolutie, toen bijna elke auteur in de problemen kwam, wat hij ook schreef of zei, bezweek Zhao Shuli aan de zoveelste gewelddadige bekritiseersessie en stierf uiteindelijk aan zijn verwondingen.

Er was eigenlijk maar één schrijver die niet bekritiseerd werd tijdens de Culturele Revolutie: Haoran (1932-2008), wiens romans, zoals het tweedelige *De gouden weg* (1972-1974), in miljoenenoplagen verschenen. In de jaren vijftig, toen er onder de bevolking nog veel idealisme en sympathie voor de revolutie bestond, kon een enkele roman als *Lied van de jeugd* (1959) door Yang Mo, die de romantiek van jonge revolutionairen in de jaren dertig bezong, nog wel op grote populariteit rekenen – ook jaren later nog, zij het voornamelijk uit nostalgie. Maar over het algemeen nam het aantal lezers af, net als het aantal schrijvers. Die laatsten vooral doordat ze door de grillige literatuurpolitiek nauwelijks meer wisten waar ze aan toe waren en het aanvankelijke beroep op hun enthousiasme steeds meer plaatsmaakte voor dwang en vervolging. 'Acht modelopera's* en één schrijver', was de uitdrukking waarmee het culturele leven van de Culturele Revolutie achteraf werd omschreven: de enige invloedrijke werken van die tijd waren mevrouw Mao's acht revolutionaire opera's en balletten, en het werk van Haoran.

De gouden weg, zijn bekendste roman, speelt tijdens de landhervormingen van de jaren vijftig, waarin de eenvoudige boer Gao uitgroeit tot held omdat hij het in naam der revolutie opneemt tegen gewezen grootgrondbezitters en kleinburgerlijken, met name een rijke boer die in het geniep probeert zichzelf nog meer te verrijken. Net als bij Zhao Shuli ben je aanvankelijk verrast: vergeleken bij het voorspelbare thema zijn de dialogen levendig en wordt het verhaal volleerd verteld, op de traditionele, episodische manier van klassieke Chinese romans. Maar allengs bekruipt je het vreemde gevoel, als in een sciencefictionhorrorfilm, dat de personages geen echte mensen zijn, dat er robots achter schuilgaan. De moed en strijdlust van de held nog daargelaten, is het vooral de grenzeloze onbaatzuchtigheid waarmee Gao voor het collectief opkomt uiteindelijk volkomen ongeloofwaardig. Ook de slechteriken hebben bij Haoran hun menselijke trekjes verloren, ze zijn niet meer uit het leven gegrepen zoals bij Zhao Shuli, ze zijn domweg slecht vanwege hun klassenachtergrond; dat hoeft niet eens meer aannemelijk gemaakt te worden.

In een interview met de naar de Verenigde Staten uitgeweken Chinees Kaiyu Hsu, gehouden in 1973, kwam Haoran naar voren als de vervolmaking van de socialistische modelschrijver. Hij worstelde niet meer met zijn rol zoals Zhao Shuli, maar had zich de ideeën van de klassenstrijd volledig eigengemaakt en kon ze dus, volgens het eeuwenoude Chinese ideaal, 'spontaan weergeven'. Met stralende ogen vertelde hij hoe hij als jong schrijver eerst de hem beschikbaar gestelde partijdocumenten bestudeerde voordat hij zich aan een verhaal zette. En net als boer Gao in zijn boek cijferde hij zichzelf als schrijver volkomen weg: vurig vertelde hij hoe er van zijn manuscript eerst tweehonderd proefexemplaren werden gedrukt, die door de uitgever naar communes en fabrieken gestuurd werden om commentaar te krijgen van boeren en arbeiders. Ontroerd herinnerde hij zich de boer die honderd mijl per fiets aflegde om zijn suggesties te komen doen, alleen maar om het boek samen nog beter te maken – wat wilde zeggen: de boeren nog heldhaftiger te maken op de gouden weg naar een betere toekomst. Haoran kreeg zelfs een brok in zijn keel en tranen in zijn ogen bij het navertellen van een aantal van zijn eigen scènes, vooral die waarin een boer die door toedoen van een landeigenaar zijn zoon heeft verloren, zijn persoonlijke wraakgevoelens op-zijzet en zich onvoorwaardelijk inspant voor de revolutie.

Haoran leek geen berekenende apparatsjik, hij geloofde in wat hij schreef. Zozeer zelfs dat hij na de Culturele Revolutie de indruk maakte van een verloren man. Hij voelde zich eenzaam, zei hij in een interview in 1998, twintig jaar later. Hij begreep zijn tijd niet meer, en ook de boeken van zijn tijd niet. Natuurlijk was hij na Mao's dood bekritiseerd als deel van het oude systeem, maar hij was er nog goed vanaf gekomen vergeleken bij de verketterde Jiang Qing – *madame* Mao – en de Bende van Vier*. Hij was eerder belachelijk gemaakt en vervolgens snel vergeten. In 1998 liep hij tegen de zeventig en kon hij na tweemaal een hersentrombose moeilijk spreken, maar hij wilde toch graag kwijt dat hij ondanks alles geen enkele spijt had van zijn werken, dat hij juist trots was op de bijdrage die hij aan volk en maatschappij had geleverd. Het interview betekende een korte heropleving van de kritiek op zijn persoon. Hij zou de vertegenwoordiger van de boeren zijn geweest, fulmineerde iemand, maar terwijl de boeren honger leden, zat hij met Jiang Qing aan een banket naar modelopera's te kijken! Was hij een verrader, net als Leslie Cheung, schitterend in zijn operakostuum? Of was hij een slacht-offer? Zelf hield hij vol dat hij was gebruikt en in een verkeerd daglicht gesteld. Hij was geen 'schurk' of 'ongedierte', zei hij in het oude communistische jargon, maar nog altijd een 'literaire strijder', zij het een aangeslagen strijder.

Ik kan hem alleen maar geloven. Al zal ik zijn werk er niet meer om waarderen. Sinds de jaren negentig gaan er stemmen op om de maoïstische literatuur te beschouwen als een product van zijn tijd en de verdiensten ervan te onderkennen, zoals het folkloregebruik en de boerentaal. Wie zijn wij, in deze postmodernistische tijd, om te oordelen over bepaalde in zwang zijnde politieke denkbeelden in andere contreien? Dat gaat mij te ver. Ik zie heel goed wat die denkbeelden met de literatuur hebben gedaan. Ik hoef alleen maar te denken aan de glanzende ogen van Haoran.

4

Vaders en zonen

Buitenstaanders, eenzamen, ontheemden en verstotenen bevolken het werk van Pai Hsien-yung, Taiwans bekendste prozaschrijver. De verleiding is groot dat terug te voeren op zijn eigen leven. Als zoon van een vooraanstaand militair van de Nationalistische Partij (Kuomintang) stond zijn jeugd in het teken van vele verhuizingen, op het ritme van China's woelige oorlogsjaren: de oorlog tegen Japan, uitgebroken in zijn geboortejaar 1937, en de daaropvolgende burgeroorlog tussen de nationalisten en de communisten, eind jaren veertig. Van Pais geboorteplaats Guilin in Zuid-China vluchtte het gezin via Chongqing, Nanjing en Shanghai in 1948 naar Hongkong, en in 1952 uiteindelijk naar Taiwan, het eiland waarheen nationalistenleider Chiang Kai-shek in 1949 door Mao Zedong was verdreven na de communistische machtsovername op het Chinese vasteland. Miljoenen begonnen op het voormalige Formosa, waar met Amerikaanse steun de in 1912 opgerichte Republiek China* werd voortgezet, een nieuw leven. Ook de literaire traditie kreeg er spoedig een nieuwe loot, en Pai zou daarin een centrale rol gaan spelen – al vertoefde hij meestentijds ver van het vuur. Na een studie Angelsaksische letterkunde vertrok hij in 1963 met een PhD-beurs naar de Verenigde Staten, waar hij aan de University of California te Santa Barbara hoogleraar Chinees werd en bleef tot aan zijn pensioen in 1994. In de loop van de jaren zestig en zeventig groeide hij, schrijvend van overzee, uit tot een van de belangrijkste namen binnen de moderne Chinese letteren.

Het waren niet alleen die verplaatsingen die Pai Hsien-yung (ook geschreven als Bai Xianyong) tot een zijlijner maakten. In een interview met de Chinese *Playboy* vertelde hij bovendien over de ernstige ziekte die hem op zeven-, achtjarige leeftijd van een extraverte jongen in een stil buitenbeentje veranderde. Hij leed aan tuberculose en kon wegens het besmettingsgevaar lange tijd niet naar school en moest ook thuis gescheiden van zijn zes broertjes en zusjes leven. Voeg daarbij een strenge, veeleisende vader en een vroeggestorven liefhebbende moeder, en zijn melancholieke karakter was voorgoed gevormd, aldus Pai. In dit licht lijkt een titel als *Eenzaam met zeventien*, van een novelle en een bundel, boekdelen te spreken. En in 'De dood in Chicago' vinden we het beklemmende relaas van een Chinese jonge doctor in de letteren die zich in het vreemde Amerika verliest. Maar toch strookten die verhalen slechts oppervlakkig met de feiten uit zijn biografie. Het beste wat je van zijn vroege werk kunt zeggen is dat Pai het gevoel van die eenzaamheid en de toon van die melancholie overtuigend tot literatuur heeft weten om te smeden.

Pai Hsien-yung (© Hsu Pei-Hung)

Misschien was Pai om die laatste reden wel de aangewezen persoon om de verlorenheid te beschrijven van de Chinezen die eind jaren veertig als ballingen in Taiwan aankwamen. Dat deed hij in elk geval op ongeëvenaarde wijze in de verhalen die in 1971 gebundeld werden als *Mensen uit Taipei*. Dit beroemdste werk van Pai wordt vaak de Chinese *Dubliners* genoemd, al is Pais titel eerder ironisch, omdat de mensen die hij portretteert tenslotte vreemdelingen zijn in Taipei, de hoofdstad van een eiland met gemengde invloeden. De inheemse bevolking van Maleis-Polynesische afkomst werd na een korte kolonisatie door de Nederlanders en de Portugezen eeuwenlang min of meer vanzelfsprekend tot het Chinese keizerrijk gerekend. Van 1895 tot 1945 werd Taiwan vijftig jaar bezet door de Japanners, waarna generalissimo Chiang zowel inheemsen als nieuwkomers met harde hand regeerde; de in 1949 uitgeroepen staat van beleg werd pas in 1987 opgeheven. Van die zaken is in *Mensen uit Taipei* niet veel te merken, wat overheerst is een zekere nostalgie, maar dan eerder van het bittere dan het zoete soort. Neem het verhaal 'Winteravond', waarin een oude stramme professor in Taipei bezoek krijgt van een voormalig klasgenoot die in de Verenigde Staten een glansrijke academische carrière heeft opgebouwd. Zelf is de professor die kans door een ongeluk misgelopen. Ze halen herinneringen op en de succesvolle emigrant blijkt niet zoveel gelukkiger dan de afgestompte achterblijver. Hun beider huidige leven steekt mager af bij hun heldhaftige deelname aan de opstand tegen Japan op de universiteit van Peking in 1919. Je kunt er vaak moeilijk de vinger op leggen hoe Pai erin slaagt al die droefheid niet te laten omslaan in goedkoop sentiment. Het zit hem niet in een rake zin hier of daar, maar eerder in zijn telkens terugkerende beschrijvingen van de omgeving en het weer, die op klassieke wijze de stemming van de hoofdpersonen weergeeft: een gammel huisje in een mistig, grijs steegje, waar koude regendruppels door een kapotte paraplu heen op een kaal hoofd lekken.

Bijna al Pai Hsien-yungs mensen uit Taipei leven in hun herinneringen, in hun hoofd, niet in de alledaagse realiteit. En dat is eigenlijk bijzonder, aangezien de Taiwanese literaire mainstream in de jaren vijftig en zestig juist zeer sociaal en zelfs uitgesproken politiek bewogen was. Vanwege de recente afscheiding van het grote China overheerste in het publieke discours, en ook in menig populair roman, een fel anticommunistische retoriek. Maar schrijvers als Pai, die in 1960 medeoprichter was van het westers georiënteerde tijdschrift *Moderne literatuur*, lieten zich, mede dankzij de intensieve Amerikaans-Taiwanese contacten, veeleer inspireren door westerse vormen – vanwaar onder andere hun nadruk op psychologie, op het individu. In de jaren zeventig voerden zij bijvoorbeeld heftige debatten met schrijvers van een rauw-realistische literatuur van het landleven, die zich met hun aandacht voor het zware bestaan van de gewone man afzetten tegen de 'verinnerlijking' en de 'ontoegankelijkheid' van de zogenaamde modernisten. De term 'verinnerlijking' kwam van Pai, die hem niet toevallig gebruikte in een artikel over ballingen zoals hij, die geen directe band met 'het land' hadden, en bovendien op literair vlak ook de aansluiting met voorgangers als Lu Xun misten, omdat die als 'linkse schrijvers' in Taiwan waren verboden. Ze moesten het dus op alle fronten in zichzelf zoeken.

De spanning tussen het persoonlijke en het maatschappelijke is vooral merkbaar in Pais eerste en enige roman, *Jongens van glas*, waarin nog een ander aspect van zijn buitenstaanderschap een rol speelt, namelijk zijn homoseksualiteit, een onderwerp dat in zijn verhalen tot dan toe slechts zijdelings voorkwam. *Jongens van glas* verscheen tussen 1977 en 1981 als feuilleton in literaire tijdschriften en in 1983 als boek, waarna het algauw een cultstatus verwierf. Mede door de verfilming uit 1986 (*Outcasts* door Yu Kan-Ping), de diverse vertalingen sinds de jaren negentig en de succesvolle Taiwanese tv-serie uit 2003, groeide het langzaam maar zeker uit tot een moderne klassieker. Een deel van de bekendheid dankte het weliswaar aan zijn status van '*first modern Asian gay novel*', zoals de Amerikaanse uitgever het promootte, maar Pai zelf zou keer op keer verklaren dat hij wel een boek over homoseksuelen had geschreven, maar niet over homoseksualiteit.

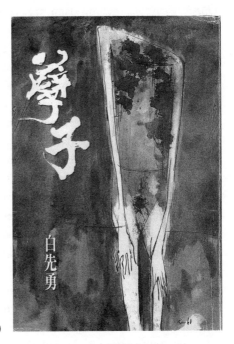

Jongens van glas, Pai Hsien-yung (Yunchen 2003)

De roman opent met een scène waarin de achttienjarige Blue Boy door zijn woedende vader letterlijk uit huis wordt getrapt, gevolgd door een al even korte kennisgeving van zijn school, die hem 'verwijdert' wegens 'onzedelijke handelingen' met de beheerder van het scheikundelaboratorium. Deze twee alinea's vormen het eerste deel VERSTOTEN, zo kort en krachtig als de klap van de deur die achter de verstotene dicht wordt geslagen. In het tweehonderd pagina's tellende tweede deel, IN ONS KONINKRIJK, is Blue Boy drie maanden later opgenomen in een kring van homoprostitués in het stadspark van

Taipei. Door middel van een associatieve reeks portretten, afgewisseld met terugblikken en herinneringen, volgt Pai de wederwaardigheden van Blue Boy en zijn drie beste vrienden in het park, zakkenroller Rat, stille Wu Min en de mooie prater Jade. En passant presenteert hij een levendig palet van de beschermheren, weldoeners, pooiers en hoerenlopers die hen omringen. Het is geen harde wereld van uitbuiting waarin Blue Boy belandt, eerder een vervangende familie, bestierd door de strenge maar rechtvaardige meester Yang. Aan hun homoseksualiteit maken de hoofdpersonen maar weinig woorden vuil, net zoals de ware toedracht van de verstoting uit het eerste deel altijd vaag omcirkeld blijft. Het is de verstotenheid zelf waar Pai op inzoomt – en de eenzaamheid die ermee gepaard gaat. *Le Monde* vergeleek het boek niet voor niets met Hector Malots *Alleen op de wereld* en Dickens' *Oliver Twist,* zij het ontdaan van de romantiek en sentimentaliteit. Alle parkjongens zijn weliswaar thuisloos of verweesd, maar ondanks 'adoptieaanbiedingen' van patronen en suikerooms blijven de meesten uiteindelijk toch liever op zichzelf, eenzaam maar onafhankelijk. Henry Miller, die Pai Hsienyung 'een meester van de portretkunst' noemde, moet een dergelijke levenshouding beslist hebben aangesproken, als je *De Kreeftskeerkring* erop naleest.

De verschopping komt met name tot uiting in het grotere thema dat de roman beheerst, namelijk dat van de verhouding tussen vader en zoon. Pai werd dan ook geïnspireerd, niet door westerse homoromans, zoals soms gedacht, maar door een Amerikaanse studie naar jongensprostitutie die hij in 1976 las, *For Money or Love*, waarin onderzoeker Robin Lloyd betoogde dat van huis weggelopen jongens zich niet zozeer prostitueren voor geld maar voor liefde, in het bijzonder die van een vader. Pai had in Taiwan zelf zo'n jongen gekend – een vaag romanidee kreeg nu contouren en Blue Boy werd geboren, een naam die Pai ontleende aan het schilderij *The Blue Boy* van Thomas Gainsborough uit 1770, dat hij in de Huntington Gallery in Californië had gezien. In de blik en de bijnaam van de jongen op het doek herkende hij zijn eigen melancholie. Het vader-en-zoonthema blijkt ook uit de eigenlijke titel van de roman: *Niezi* – letterlijk 'zondige zonen', oorspronkelijk een boeddhistische term voor zonen die vaders krijgen als straf voor hun eigen zonden, in de praktijk vaak een aanduiding voor kinderen gekregen bij een concubine of, meer algemeen, voor ongehoorzame of onwaardige zonen, zoals gezien binnen het strikte systeem van de confucianistische kinderlijke piëteit of ouderliefde. Die lastig te vertalen connotaties zijn deels de reden waarom de alternatieve titel *Jongens van glas*, afgeleid van het Taiwanees Bargoens dat de homogemeenschap aanduidt als 'glazen gemeenschap', door de jaren heen, met Pais zegen, een eigen leven is gaan leiden – bijvoorbeeld ook als internationale ondertitel voor de tv-serie: *Crystal Boys.*

Die serie illustreert overigens de verlegenheid waarmee de vanzelfsprekende homoseksualiteit in het boek veel lezers kennelijk opzadelt: de regisseur voegde een extra verhaallijn toe waarin Blue Boys ontdekking en ontwikkeling van zijn homoseksuele gevoelens meer worden 'toegelicht'. En dat terwijl in Pais roman de nadruk juist geheel op het generatieconflict ligt. Nagenoeg alle hoofdpersonen in het boek zijn 'strijdende' paren van vaders en zonen: Jade en zijn spoorloos verdwenen 'ellendeling van een Nakajima', die hij in Japan wil gaan opzoeken; de Drakenprins die door zijn autoritaire ambtenaar-vader naar de Verenigde Staten is verbannen, wat een aangrijpende parallelvertelling in het New Yorkse Central Park oplevert; en de oude filantroop Fu en zijn zoon Wei, de eens zo veelbelovende jonge luitenant die zijn eigen leven nam. Hun conflicten krijgen een extra lading tegen de achtergrond van een traditioneel streng patriarchale maatschappij als de Chinese, waarin het gezag van de vader heilig is. Dat gezag zet Pai extra aan door de meeste vaders in het boek een militaire achtergrond te geven, inclusief die van Blue Boy – en zelfs meester Yang ziet toe op zijn pupillen als de legerinstructeur die hij ooit was.

Het feit dat de zonen worden verstoten en moeten onderduiken in hun (overigens werkelijk bestaande) 'illegale staatje' in het Nieuwe Park van Taipei, versterkt die maatschappelijke dimensie van de roman. Maar Pai stelt geen morele kwesties aan de kaak – bewust niet, de taak van de schrijver is volgens hem 'de verwoording van het onuitgesproken menselijk leed', en dat 'niet door boven de personages te gaan staan en een oordeel over ze te vellen', maar 'op dezelfde hoogte te blijven en met ze mee te leven'. Dat literaire credo neemt overigens niet weg dat hij gerust een subtiele politieke verwijzing in zijn werk kwijt kan. Zo is het beroemd geworden eerste hoofdstuk van het tweede deel, met de beschrijving van het 'duistere koninkrijk', vaak gelezen als een kleine allegorie op de situatie van Taiwan, dat ten opzichte van het Chinese vasteland in veler ogen net zo'n pariastaat was als de glazen gemeenschap in het park.

Pai Hsien-yung (Uit: *Jongens van glas*, De Geus)

In ons koninkrijk zijn geen dagen, alleen nachten. Zodra het licht wordt verdwijnt ons rijk, want wij zijn een uiterst illegale staat: wij hebben geen regering, geen grondwet, wij worden niet erkend of gerespecteerd, wij zijn niet meer dan een bonte troep burgers. Soms kiezen we een leider – iemand met een lange staat van dienst, een goed voorkomen,

allure, een zekere populariteit – die we vervolgens weer even gemakkelijk, even willekeurig ten val brengen, want we zijn nu eenmaal een
grillig, onhandelbaar volk. [...] Ons anarchistische koninkrijk kan ons
geen enkele bescherming bieden, we zijn aangewezen op onze dierlijke
instincten, dwalend in het duister, op zoek naar overleving.

(Vertaler: Mark Leenhouts)

Wie wil zou zelfs het hele boek allegorisch kunnen opvatten, want de vader-
en-zoonbeeldspraak wordt in Taiwanese romans geregeld aangewend om in
bedekte termen iets over de verhouding tussen het grote vaderland en zijn
verloren zoon te zeggen. Dat zo'n allegorische lezing de roman niet in de weg
staat, dat je het boek er in mijn ogen niet toe kunt reduceren, komt doordat
Pai inderdaad dicht bij zijn personages blijft, er nergens sjablonen van maakt.

In die benadering van zijn hoofdpersonen is Pai dan ook zeker een modern
auteur, maar wat compositie betreft volgt hij toch eerder traditionele patronen. Net als een klassieke Chinese roman moet *Jongens van glas* het niet
hebben van een dwingende plot, maar is het eerder een 'aangroeiende' reeks
van al dan niet cyclisch terugkerende motieven. Scènes met verschillende
paren van personages worden naast elkaar gezet en vullen elkaar dankzij
overlapping en spiegeling aan, waardoor de thema's langzaam gestalte krijgen. Zo wordt de verstoting door het boek heen in verschillende gradaties
getoond: Blue Boy wordt uit huis en van school getrapt, de Drakenprins
verbannen naar het buitenland, en Wei wordt door vader Fu de dood in
gedreven. Het mag voor de westerse lezer een zekere langdradigheid met zich
mee brengen, zeker in het derde deel van de roman, waarin de jongens het
door de politie ontruimde park verruilen voor een nachtclub, De Lusthof.
Maar hoezeer het de auteur om die parendans van personages gaat, kun je
zien aan de manieren waarop hij dat kracht bijzet. De Drakenprins heeft
bijvoorbeeld een noodlottige relatie met de wilde jongen Feniks, wat een
omkering is van het symbool voor huwelijksgeluk dat draak en feniks volgens
de Chinese mythologie vormen. Bovendien is de Drakenprins volgens een
andere legende de aardse vertegenwoordiging van de hemelse Drakenkoning,
de bijnaam van een ander personage in het boek – opnieuw een vader en een
zoon dus. De rollen van vader en zoon kunnen ook worden omgedraaid, zoals
in Blue Boys relaties met zijn opeenvolgende jongere 'broertjes' in het boek.
Zijn herhaalde pogingen om verlaten, hulpeloze jongetjes te 'adopteren' laten
steeds iets meer of iets anders zien van zijn verdriet om zijn echte Broertje, dat
overleed aan tbc. Maar aan het slot verandert Blue Boy, die zelf niet ge-
adopteerd wil worden, bijna van een grote broer in een vader, als hij opnieuw

een koukleumend jochie van straat oppikt en ze samen naar zijn huis hollen om warm te worden – al is het een open einde, de cirkel lijkt rond.

De waarde van Pais mengeling van moderne en traditionele elementen wordt duidelijker als je *Jongens van glas* legt naast een andere bekende vader-en-zoonroman uit Taiwan, *Familiedrama* uit 1973 van Wang Wen-hsing (1939), Pais mederedacteur bij *Moderne literatuur*. Wang koos voor een opvallende vorm, waarin met letters van het westerse alfabet aangeduide hoofdstukken worden afgewisseld met genummerde hoofdstukken. Onder de letters A tot en met O volgt hij de zoektocht van een zoon naar zijn oude vader, die op een dag van huis wegloopt; onder de nummers 1 tot 153 passeert de relatie tussen vader en zoon vanaf de kindertijd de revue. De rebellie van de puberende zoon, die tot een verwijdering op latere leeftijd leidt, wordt zo rechtstreeks gecontrasteerd met zijn pogingen tot toenadering, die onder meer vorm krijgen in verzoenlijk gestelde opsporingsberichten in de krant. Maar helaas biedt de roman niet veel meer dan dat idee, want de scènes uit de jeugd zijn nogal clichématig en voorspelbaar, net als het spel met de opsporingsberichten, die naar het einde toe alleen nog maar worden herhaald, zonder dat er enige ontwikkeling of verdieping plaatsvindt. Wangs roman is op het eerste oog modernistischer dan die van Pai, maar het lijkt erop dat hij domweg genoegen heeft genomen met die uiterlijke vorm.

Iets soortgelijks zou je kunnen zeggen over het homoseksuele aspect, als je bijvoorbeeld kijkt naar de iets recentere roman *Aantekeningen van een verloren man* (1994) door schrijfster Chu T'ien-wen (1956). Zij wordt samen met haar jongere zus Chu T'ien-hsin (1958) beschouwd als een van de toonaangevendste Taiwanese romanciers van de jaren negentig, en in zekere zin laten deze Taiwanese Brontëzusjes zien in welke richting het modernisme zich sinds Wang Wen-hsing heeft ontwikkeld, namelijk een steeds grotere aansluiting bij het Westen. Poëzievertaalster Silvia Marijnissen merkte in *De tweede ronde* al eens op dat de charme van de Taiwanese poëzie 'dan ook vooral schuilt in de confrontatie met een andere werkelijkheid'. De jongste zus zoekt het in literaire verwijzingen: de verhalen in haar bekende bundel *Oude hoofdstad* (1997) geeft ze titels mee als 'De dood in Venetië' en 'Breakfast at Tiffany's', terwijl ze in het titelverhaal een joyceaans spel speelt met de hoofdstad Taipei, waarbij de bewustzijnsstroom gevoed wordt door fragmentarische elementen uit Taiwans Japanse verleden. *Oude hoofdstad* is ook niet voor niets een romantitel van de Japanse Nobelprijswinnaar Kawabata. De oudste zus laat in *Aantekeningen van een verloren man* een homoseksuele verteller treuren om zijn aan aids overleden vriend, wat aanleiding geeft tot een grillig relaas van woede en vertwijfeling, verweven met herinneringen en bespiegelingen. Opvallend zijn de theoretische spinsels, waarbij Chinese legenden en poëzie worden doorspekt met een postmoderne waslijst aan westerse namen: van Barbara Streisand tot Buñuel, van Fellini tot Foucault en van Lévi-Strauss tot en met Mel Gibson in de rol van Hamlet. Af en toe zit er wel een aardig idee tussen, of het begin ervan, bijvoorbeeld over wederom 'de vader': de homoseksueel pleegt door zijn 'afvallige' levensstijl een soort vadermoord, mijmert de ik-figuur, hij respecteert de maatschappelijke orde niet, en dus, volgens de traditionele Chinese gedachte, niet het vaderlijk gezag; hij leeft, kortom, in een 'vaderloze maatschappij', kent zelfs 'geen vaderland'. Maar hoe erudiet ook, het blijven terzijdes, niet-doorgedachte oneliners, die bovendien de onvervalste romantiek van de persoonlijke herinneringen die achter dit alles schuilgaan niet kunnen verbloemen.

Net als het wat oppervlakkige vormexperiment van Wang Wen-hsing, blijft zo ook het opzichtige kosmopolitisme van Chu T'ien-wen voornamelijk buitenkant. Ze kan het thema homoseksualiteit nog zo nadrukkelijk naar voren brengen, als roman blijft het geheel tamelijk bloedeloos. Pai Hsienyung mag dan behoudender zijn, en voor westerlingen onbekende Chinese romanpatronen gebruiken, zijn mix van modern en traditioneel komt me evenwichtiger voor. Hij maakt 'het onuitgesproken menselijk leed' ook echt voelbaar, misschien wel juist omdat hij het via die onderliggende traditionele patronen zo *on*nadrukkelijk doet, alsof die patronen hem simpelweg de nodige afstand verschaffen om dat leed niet zomaar op het papier te gooien. En dat zou weleens essentieel kunnen zijn voor een auteur als hij, wiens hele leven in zijn werk is terug te vinden, van zijn eigen marginale bestaan tot de marginaliteit van zijn land Taiwan, terwijl je zijn werk toch nauwelijks autobiografisch kunt noemen. Ook al is het waar dat hij zich nog altijd voorneemt ooit een persoonlijke biografie van zijn eigen vader te schrijven, en ook al spreekt hij zich als publieke bekendheid regelmatig uit over de problematiek van homo's en aids – in zijn verhalen, om met *Le Monde* te spreken, vermaalt hij zijn leven tot goudpoeder.

TWEEDE JEUGD

I

De vrouw en het kamp

Soms ziet men alleen maar wat men wil zien. Het idee dat er uit China nauwelijks literatuur van betekenis komt, of dat die hooguit een documentaire waarde heeft, ons iets over het land en de mensen kan leren, lijkt soms zo vastgeroest dat men sommige boeken of verhalen niet eens meer als literatuur *wil* lezen.

Dat idee komt natuurlijk wel ergens vandaan. Het stamt uit de jaren tachtig, toen Nederland enthousiast de nieuwe literatuur van na de Culturele Revolutie ontdekte. 'Chinese literatuur ontluikt', 'Chinese lente', kopten de literaire bijlagen toen in 1983 de bundel *Nieuwe Chinese verhalen* verscheen – een titel die nu eens geen loze reclamekreet was, maar echt de lading dekte. Na de dood van Mao Zedong in 1976 begon de Chinese literatuur haast letterlijk *opnieuw*. Door Deng Xiaopings* hervormings- en opendeurpolitiek* brak er een periode aan die veel weg had van de jaren twintig en dertig: er verschenen weer volop vertalingen van westerse literatuur – nu niet meer ondergronds in kleine kringen, maar over de toonbank in miljoenen exemplaren – en het artistieke klimaat ontdooide aanmerkelijk. Schrijvers kregen op het congres voor culturele arbeiders in 1979 nog wel te horen dat ze 'voor het volk en het socialisme' dienden te schrijven, maar Mao's beladen leuze 'literatuur in dienst van de politiek' verdween uit de geschriften en een rooskleurig toekomstbeeld vol heroïsche nieuwe mensen werd niet meer van hen verwacht. Ze konden dus terug naar de oude stiel van de Chinese literator: het beschrijven van de realiteit van alledag, de werkelijkheid om hen heen. Daarmee verscheen er in één klap weer iets wat ook over de grens als literatuur werd ervaren.

Maar omdat schrijvers de eerste tijd nog niet zo vrij waren om de scherpe kantjes van die werkelijkheid nog eens extra bij te vijlen, werden de teksten algauw gelezen als nuttige ooggetuigenverslagen die een beeld gaven van hoe het er in het zo lang zo gesloten China werkelijk aan toe was gegaan. Daaraan bestond ongetwijfeld extra grote behoefte omdat in Nederland nog maar net het 'Chinadebat' had plaatsgevonden. De zogeheten fellowtravelers van het communisme, die het paradijs uit de maoïstische literatuur met eigen ogen in China aanschouwd meenden te hebben, werden fel bestreden aan de hand van de eerste kritische berichten die midden jaren zeventig uit China binnendruppelden. In navolging van de Waalse Simon Leys, die met zijn baanbrekende en vooral mythe-doorbrekende boek *Chinese schimmen* de naïviteit van Sartre en De Beauvoir ontmaskerde, gingen Rudy Kousbroek en Renate Rubinstein in Nederland geëngageerde intellectuelen als Wertheim en De Gaay Fortman te lijf. De samensteller van de bundel *Nieuwe Chinese verhalen*, Douwe Fokkema, had als voormalig diplomaat in Peking tijdens de Culturele Revolutie (1966-1976) al eerder bericht over recente ontwikkelingen, politiek én literair: er waren zijn opstellen in *Het Chinese alternatief in literatuur en ideologie* (1972) en later ook de door hem ingeleide verhalenbundel van de Taiwanese schrijfster Tsjen Jo-sji uit 1978, die vertelde over haar verblijf in Peking tijdens die 'tien jaar chaos'. Maar een directe, Chinese stem uit de Volksrepubliek zelf ontbrak nog.

Niet verwonderlijk dus dat Aad Nuis onder de bovengenoemde kop 'Chinese lente' in *Vrij Nederland* voorstelde de regel 'de tekst moet voor zichzelf spreken' nu eens niet zo streng te hanteren en de (politieke) omstandigheden waaronder de bewuste verhalen tot stand waren gekomen te laten meewegen – het *Dagboek van Anne Frank* zou ook veel van zijn waarde verliezen als je de omstandigheden zou wegdenken. De littekenliteratuur, zoals de eerste golf publicaties na de Culturele Revolutie al snel werd gedoopt, beantwoordde precies aan de wensen van het publiek. Het waren verhalen die simpelweg 'geschreven moesten worden': Mao's politieke campagnes waren op menselijke catastrofes uitgelopen, het leed moest verwoord en de misstanden onthuld. Deng Xiaoping liet het wijselijk toe, zolang de auteurs maar duidelijk maakten dat de schuld van dat alles bij het vorige regime lag: Jiang Qing – *madame* Mao – en de Bende van Vier. 'Het litteken', het verhaal van Lu Xinhua (1954) waaraan de stroming haar naam dankt, is wat dat betreft voorbeeldig: een dochter heeft omwille van de klassenstrijd afstand moeten nemen van haar moeder, die vervolgens sterft voordat beiden na de Culturele Revolutie kunnen worden herenigd. Het melodrama en de clichés nam de westerse lezer voor lief, authenticiteit stond voorop, zelfs al eindigde het verhaal met een gloedvol dankwoord van de dochter aan het nieuwe Centrale Comité, dat had afgerekend met degenen die het litteken in haar hart hadden veroorzaakt.

De littekenliteratuur heeft nooit de status van Anne Franks dagboek bereikt, maar Nuis' welwillende leeshouding bleef nog lang gemeengoed. Veel lezers moeten tot begin jaren negentig gedacht hebben dat er simpelweg geen andere literatuur uit China kwam. Dat had uiteraard mede te maken met de noodgedwongen achterstand die de vertalingen opliepen ten opzichte van wat er in China verscheen, zeker omdat de vertaaltraditie uit het Chinees nog maar net op gang kwam. Terwijl de Chinese literatuur eind jaren tachtig met borgesiaanse vormexperimenten en parodieën op traditionele genres al postmodernistische trekken begon te vertonen, oordeelden recensenten in het Westen nog meewarig dat de voorzichtige meerstemmigheid van Dai Houyings littekenroman *Namen in de muur* uit 1980, zeven jaar later door Koos Kuiper vertaald, voor Chinezen ongetwijfeld nieuw moest zijn, maar voor 'ons' vooral interessant was om iets over persoonlijke relaties in tijden van klassenhaat te weten te komen.

Maar ook de Chinese overheid droeg bij aan dat beperkte beeld: door middel van staatsprijzen en eigen vertalingen in de bekende Pandaboekjes van de Beijing Foreign Language Press, propageerde zij voornamelijk romans uit de realistische mainstream, die stilistisch behoudend en inhoudelijk weinig controversieel de Chinese maatschappij weerspiegelden. Zo gingen midden jaren tachtig twee winnaars van de Mao Dunprijs, in 1982 vernoemd naar de toen net overleden schrijver en gewezen cultuurminister, de wereld rond. Gu Hua (1942) schiep met zijn roman *Het dorp Hibiscus* uit 1981 een trend die nog lang door andere schrijvers nagevolgd zou worden: de roman die de Chinese geschiedenis vanaf de jaren veertig tot heden omspant en zijn personages de diverse grote politieke gebeurtenissen uit de jaren laat meemaken. Wederom gold: de authentieke wens van de auteur om zijn woelige recente geschiedenis te bevatten levert meteen een overzichtelijk, chronologisch relaas op voor de westerse lezer. Ondanks nog twee boekvertalingen door Marc van der Meer is er van Gu Hua sinds zijn emigratie naar Canada midden jaren tachtig niets meer vernomen. Anders liep het voor Zhang Jie, die met *Zware vleugels* pas een Mao Dunprijs won nadat ze haar eerste versie uit 1981 in 1984 had gezuiverd van een aantal 'kardinale politieke fouten' – iets wat China's grootste literaire onderscheiding in de jaren negentig nog weleens van een winnaar zou eisen. Zhang Jie (1937) werd niet alleen de meest vertaalde Chinese schrijfster in Nederland, maar groeide ook in haar thuisland uit tot een grande dame van de Chinese literatuur. De vraag is of ze die beide eervolle posities puur aan haar literaire werk heeft te danken.

Met *Zware vleugels* zette Zhang Jie direct de toon voor de rest van haar oeuvre: aan de hand van veelal vrouwenlevens stelde ze maatschappelijk onrecht aan de kaak, waarbij ze zowel het in Mao's China lang onderdrukte thema van de liefde en het huwelijk op de voorgrond bracht (*De liefde mag niet vergeten worden*, 1979), alsook meer algemene kritiek leverde op zaken als corruptie en machtsmisbruik. Na haar tweede roman *De ark* (1982), over drie gescheiden vrouwen die besluiten samen te gaan leven, kreeg ze voorgoed het etiket 'vrouwenschrijfster' opgespeld. Hoezeer ze zich daar ook tegen bleef verzetten, de vertaling van haar boeken voer er wel bij. Vrouwenliteratuur uit China was in Nederland lange tijd in zwang, getuige ook een bundel met Chinese vrouwenschrijfsters uit 1988. Kennelijk hadden de positieve geschriften over Chinese vrouwen door Simone de Beauvoir nog steeds invloed, en anders wel het laaiend enthousiaste, feministische verslag uit China dat Anja Meulenbelt in 1982 deed, in het door velen als grotelijks naïef bestempelde *Kleine voeten, grote voeten.*

Zhang Jie
(© Liesbeth Kuipers)

Zhang Jie werd door die feministische belangstelling een van meest bereisde Chinese auteurs van haar tijd; ook in Nederland was ze herhaaldelijk op bezoek, en de pers deed er uitgebreid verslag van. Toch bleef ze achtervolgd worden door kritiek. Lloyd Haft concludeerde in een NRC-bespreking uit 1991 van haar door Elly Hagenaar vertaalde novelle *Smaragd* dat Zhang Jie wel veelvuldig gebruikmaakt van 'de bewustzijnsstroom en aanverwante technieken', maar eigenlijk alleen 'standaard gedachten van een standaard Chinese heldin' presenteert, moralistische clichés die 'stilistisch behandeld [worden] alsof ze psychologisch zouden zijn'. Toen ze in 1993 een autobiografisch boek over haar pas gestorven moeder uitbracht, in het Chinees getiteld: *De persoon die het meest van mij hield is heengegaan*, kon het ongegeneerde sentiment de bespreker Michel Hockx werkelijk niet meer bekoren. Het enige waardevolle van de roman achtte hij de maatschappijkritiek die ze zoals gewoonlijk aan het vrouwenleven koppelde: Zhang Jie schilderde een huiveringwekkend beeld van het Chinese ziekenhuissysteem. Al schreef ze nadien lang niets meer, door haar vicevoorzitterschap van de Schrijversbond zakte haar naam niet weg – hoewel er voor menige Chinese neus de minder aangename geur van 'partij-establishment' aan kleefde. In 2001 en 2002 publiceerde ze uit het niets haar magnum opus *Zonder woorden*, dat in weerwil van de titel een driedelig werk van twaalfhonderd bladzijden behelsde. Ze won er prompt haar tweede Mao Dunprijs mee – geen wonder misschien: het was opnieuw een caleidoscopische roman die de hele moderne Chinese maatschappij en geschiedenis wilde omvatten, voorzien van kritische noten en met een centrale rol voor de vrouw.

Maar er werd in het Westen niet alleen door literaire gebreken heen gekeken, soms werd er zelfs domweg over literaire kwaliteiten heen gekeken. Zhang Xianliang (1936), in Nederland bekend als X.L. Zhang, trok midden jaren tachtig de aandacht met de eerste drie delen van een nooit voltooide romancyclus over zijn alter ego Zhang Yonglin, wiens leven net als het zijne werd bepaald door een meer dan twintigjarige ervaring in heropvoedings- kampen. De bekendheid met de Russische goelag en de wetenschap dat Zhangs semi-autobiografische verhaal het wrede lot van veel Chinese intel- lectuelen uit zijn generatie weerspiegelde, waren bijna alleen al voldoende voor zijn weldra internationale bekendheid. De literaire vorm was van minder belang, getuige de beslissing van sommige vertalers om uit het eerste cyclus- deel *Eethuisje Amerika* (1983), dat over de hongersnood begin jaren zestig handelde, de passages te schrappen waarin Zhang stukken uit *Het kapitaal* en andere marxistische theorieën aanhaalt. De Nederlandse vertaler Rint Sybes- ma kreeg van de auteur een brief met het dringende verzoek die passages vooral te behouden: men dacht toen nu eenmaal in die termen, voerde hij aan, en ze zijn dus essentieel in de ontwikkeling van de hoofdpersoon. Het is inderdaad juist bijzonder om te zien hoe iemand als Zhang zich aan het denkraam van de klassenstrijd ontworstelt – met het wapen van de ironie overigens, dat Zhang voortdurend inzet. Als de kampgevangenen horen dat er in de vrije buitenwereld weer een meedogenloze arrestatiegolf aan de gang is, zijn ze blij dat die aan hen voorbijgaat: 'Wat was het lot ons goed gezind!' De cyclus moest bovendien *Openbaringen van een materialist* gaan heten, een duidelijk spottende titel voor een boek over honger en ontbering. Maar voor de Engelse en Franse vertalers was de persoonlijke ervaring van de auteur kennelijk alleen interessant in zoverre die aan *hun* idee van ontbering beantwoordde – en daar pasten geen lange, dorre politieke citaten bij.

En dan te bedenken dat Marx nota bene het ironische hoogtepunt zou vormen in het beroemde tweede deel van de cyclus, *De vrouw in het riet* uit 1985. Dit boek zorgde in China voor opschudding vanwege de manier waarop Zhang politieke onderdrukking aan seksuele impotentie koppelde. Na jaren van kritiekcampagnes en socialistische heropvoeding blijkt zijn maagdelijke alter ego in bed niet te kunnen presteren wanneer hij uiteindelijk trouwt met de eenvoudige plattelandsvrouw die hij op een dag toevallig tussen het riet heeft zien baden. Als hij op een avond een andere man zijn huis ziet binnenglippen, verzinkt hij onder een boom voor zijn huis in fatalistische gedachten en voert hij een aantal hilarische denkbeeldige gesprekken met onder anderen de relativistische wijsgeer Zhuang Zi en niemand minder dan Marx zelf over wat hij in zijn situatie zou moeten doen. Met een dergelijke zelfspot overstijgt Zhang ten enenmale de simpele kroniek van een door politieke campagnes verwoest leven.

Dat laatste geldt mijns inziens bij uitstek voor het daaropvolgende en beste deel van de cyclus, *Doodgaan went* uit 1989. Hierin volgen we Zhang Yonglin afwisselend in China en op reis door de Verenigde Staten en Europa, waar hij inmiddels als gevierd schrijver voor lezingen wordt gevraagd. Aan het eind van *De vrouw in het riet* is hij er uiteindelijk toch in geslaagd zijn mannelijkheid te bewijzen, en in *Doodgaan went* brengt hij die nieuw verworven seksuele kracht overvloedig in praktijk met een reeks minnaressen, van de Chinese Jinghui in een New Yorkse hotelkamer tot de Franse Nathalie in het Parijse Bois de Boulogne. Ditmaal koppelt Zhang Xianliang seks niet aan politiek, maar aan de dood. Zijn alter ego is in zijn kampverleden meermalen zo dicht bij de dood geweest dat de dood hem bijna gewoon is geworden: hij heeft een vuurpeloton overleefd vanwege een wrange 'grap' van de autoriteiten, en als hij op een keer van de honger is flauwgevallen, wordt hij per abuis tussen de doden in een lijkenhuisje gesmeten. Echt bang voor de dood is hij daarom niet meer, hij zoekt hem juist telkens op: steeds als hij een orgasme voelt naderen, ziet hij voor zijn ogen een geweerloop op zijn voorhoofd gericht.

Zhang Xianliang
(Uit: *Doodgaan went,* De Geus)

Je was een hoop vlees met botten, en ver-
droogd en verkoold zou er niets, helemaal niets over zijn van al je littekens –
van de littekens van de kettingen en
handboeien evenmin als van de littekens
van haar gekrab. Je ziel zou zich losmaken
en wegvliegen in onbekende richting.
Een ziel heeft geen vlees en er zitten waarschijnlijk ook geen botten in. Hij zal dus
ook wel geen kleren aan hebben. Naakt
en dus klaar voor seks waar en wanneer
dan ook, zweeft de ziel door het heelal.
Misschien is dit wel een van de redenen
waarom ik zo graag doodga.
(Vertaler: Rint Sybesma)

Omslag van uitgeverij Het Wereldvenster
uit 1992.

Seks en dood zijn in de literatuur wel vaker bijeengebracht, maar Zhang geeft
er een onmiskenbaar oorspronkelijke draai aan – niet alleen door zijn concrete kampverleden, maar ook door de manier waarop *Doodgaan went* is
geschreven en gecomponeerd. De structuur is veel losser dan die van *De
vrouw in het riet,* Zhang schiet vaak in een paar zinnen heen en weer tussen
heden en verleden, waardoor beelden uit het kamp scherp en poëtisch tegenover ervaringen in het westen komen te staan – en dus pijnlijk duidelijk wordt
hoe zoiets als een psychisch trauma werkt. Houvast voor de lezer zijn dezelfde
dingen die de verteller houvast bieden: met kleine, beeldende details pakt
Zhang na een herinnering, een denksprong, een associatie, de draad van zijn
verhaal weer op, zoals de 'vijf halvemaantjes' die steeds terugkeren (de ge-
knipte nagels van zijn minnares), of de ezelwagen (waarop hij voor dood werd
afgevoerd). Even ontregelend is het feit dat de hoofdpersoon soms een 'ik',
dan een 'hij' en soms ook een 'jij' is. Gelukkig laat Zhang in het midden hoe
het precies zit, zodat de lezer vrij staat om zich voor te stellen dat Zhangs half-
uitgetreden ik van zijn bijna-doodervaringen nog af en toe de vertellersstem
overneemt – een soort opsplitsing van ikken als overlevingsmechanisme. En
dat mechanisme speelt hem nog altijd parten, want al is hij dan niet meer
bang voor de dood, nieuwe politieke campagnes in China kunnen hem zelfs

als hij hoog en breed in de Verenigde Staten is nog een verlammende angst inboezemen. De bijbehorende bekritiseersessies doen namelijk iets veel ergers met een mens: ze tasten hem aan in zijn waardigheid. Zhang wordt bekritiseerd om zijn boeken, die boeken gaan over hemzelf, hij wordt dus bekritiseerd om wie hij *is*, of zoals hij het zegt: 'gewoonweg omdat hij bestond'.

Typisch is het dat veel recensenten juist over dat wezenlijke spel met identiteiten vielen. Sprak het *Utrechts Nieuwsblad* bij wijze van uitzondering van 'poëtisch' en 'verontrustend', de iets invloedrijkere *New York Times* vond het allemaal maar 'verwarrend' en schatte Zhang Xianliang op zijn best als hij 'juist niet literair probeerde te doen', zich niet te veel overgaf aan 'gemijmer'. Het mooist vond diezelfde bespreker dan ook de passages waarin Zhang de absurditeiten van het kampleven beschrijft, zoals de scène waarin gevangenen bij het verzamelen van de skeletten van overledenen (voor hun nabestaanden) hier en daar zomaar wat losse botten erbij smokkelen om de geraamtes compleet te krijgen. Zhang is wel meer geroemd om zijn zwartgallige humor – 'het was met de Culturele Revolutie waarschijnlijk net als met wijn: hoe langer je haar liet liggen, hoe meer erover te praten was' – maar het summum van zijn kunst vind ik die niet. De *Times*-bespreker gaat er ook finaal aan voorbij dat botten in de hele roman een rol blijven spelen, als symbool voor de dood natuurlijk, maar ook in een korte, ontroerende passage over de botten van Zhangs vader, of in een klein maar veelbetekenend grapje waarmee Zhang de 'in de war gegooide botten' vergelijkt met zijn 'in de war gegooide generatie'.

Juist om die reden is het eigenlijk jammer dat Zhang Xianliang in 1994 met een 'onverzonnen roman' gebaseerd op zijn echte kampdagboeken kwam: *De boom van wijsheid*. Hoewel hij de dagboekfragmenten uit 1960 becommentarieert, het commentaar maakt zelfs het grootste deel uit van het boek, is het resultaat wat teleurstellend, ontluisterend zelfs. De absurditeiten en paradoxen zijn er weer – gevangenen keren tijdens de hongersnood vrijwillig terug naar het kamp omdat daar tenminste eten is! – en hij weet er ook opnieuw mee door te dringen tot de diepere menselijke kanten van de kampervaring. Het is daarom zeker een belangwekkend boek, maar toch lijkt het alsof hij, nu hij direct over zichzelf schrijft, niet voldoende los kan komen van zijn materiaal – 'het waardevolle romanmateriaal waar ik met mijn leven voor betaald heb', zoals hij het ergens ironisch noemt. Een tikkeltje té ironisch als je het mij vraagt, hier speelt Zhang een beetje de schrijver die van zijn leven weleens even literatuur maakt. En het gevolg ervan is dat hij uitgerekend in dit autobiografische geschrift de lezer meer op afstand houdt, en meer van buitenaf beschrijft wat we in de romans al van heel dichtbij hadden beleefd.

Waargebeurd is geen excuus, zei Gerard Reve al. Maar tegen de tijd dat *De boom van wijsheid* verscheen, leek authenticiteit bij het westerse publiek juist meer in trek dan ooit. In het kielzog van Jung Changs *Wilde zwanen* uit 1991, haar autobiografische relaas van drie generaties Chinese vrouwen, was een enorme vloed van getuigenisliteratuur op gang gekomen: uitgeweken Chinezen, veelal vrouwen, die met hun verslagen van persoonlijk leed vaak direct in het Engels tegemoetkwamen aan de schijnbaar onstilbare westerse honger naar littekenliteratuur; boeken zonder existentialistisch 'gemijmer', maar met licht verteerbare slachtofferromantiek. Maar daarover later meer.

En Zhang Xianliang? Eerst werd hij een paar jaar 'materialist': met de buitenlandse royalty's van zijn vertalingen vestigde hij een filmstudio in het 'Wilde Westen' van China, dat hij kende van de kampen, op een schilderachtige plek in de provincie Ningxia waar eerder al Zhang Yimous beroemde debuutfilm *Het rode korenveld* was opgenomen. Tegelijkertijd rapporteerde Amnesty International dat hij weer tijdelijk zou zijn opgepakt wegens politieke activiteiten rondom een herdenking van het Tiananmen-incident* van 4 juni 1989. Na een nauwelijks opgemerkte autobiografische novelle uit 1999, *Puberteit*, die wederom weinig aan zijn kampcyclus toevoegde, kondigde Zhang een roman aan waarin hij het over een geheel andere boeg zou gooien. Misschien was hij gewoon uitgeschreven over het kamp. *Doodgaan went* heeft ook alles van een laatste woord, maar wel een woord waar we nog lang op kunnen kauwen.

2

Woorden zijn wortels

Woorden zijn levende dingen. Ze planten zich in groten getale voort, veranderen ontelbare keren van gedaante, zijn onvoorspelbaar, komen samen en gaan weer uiteen, zinken weg en komen weer bovendrijven, verhuizen en trouwen, hebben ziektes en erfelijkheden, een geslacht en een gevoelsleven, ze kennen tijden van bloei en van verval en gaan uiteindelijk ook dood.

Han Shaogong

Han Shaogong verzamelt woorden. Al vanaf de jaren zeventig, toen hij net als miljoenen zeventienjarigen door Mao op het platteland te werk werd gesteld om 'van de boeren te leren', probeert hij afwijkende woorden en uitdrukkingen uit de plaatselijke streektaal te vangen in een opschrijfboekje. Een linguïstische, etymologische interesse, zeker, maar ook iets meer dan dat. Zoals voor veel stadse scholieren opgegroeid onder het communisme (Han Shaogong is van 1953) was het platteland voor hem de eerste kennismaking met het 'echte', oude China. In de stad woedde de Culturele Revolutie, daar werd de oude cultuur met de grond gelijkgemaakt, bijna letterlijk: gebouwen, tempels, kunst en boeken werden vernield en bedolven onder een barre laag politieke ideologie. Het platteland bleef relatief ongeschonden, en de jonge tewerkgestelden meenden in de lokale gebruiken en geloven iets terug te zien van het China van voor de revolutie.

Door zijn talige blik keek Han Shaogong nog verder terug: hij ontdekte dialectwoorden die rechtstreeks uit klassieke gedichten leken te stammen en raakte zodoende op het spoor van de traditionele literatuur, die lang naar de achtergrond was gedreven door de politieke formules uit de maoïstische periode en, daarvoor al, het iconoclasme vlak na de val van het keizerrijk. Toen hij die noties in 1985 in een artikel verwerkte, werd hij op slag beroemd – al was het misschien niet om de juiste redenen. Begin jaren tachtig, toen de litteken- en onthullingsliteratuur haar momentum had verloren, constateerde hij dat veel schrijvers zich uit onvrede met het door de partij gepropageerde socialistisch realisme op de moderne westerse literatuur stortten, die net als aan het begin van de twintigste eeuw weer in groten getale werd vertaald. Maar in zijn ogen leidde dat eerder tot oppervlakkige imitaties van haastige, gebrekkige vertalingen dan dat er sprake kon zijn van echte invloed. Hij zag meer 'connaisseurs' dan 'scheppers' en pleitte voor de eigen creativiteit van de Chinese schrijver, die op zoek zou moeten gaan naar zijn eigen 'literaire wortels' – de titel van zijn stuk.

Han Shaogong
(© De Geus)

Hij bleek een gevoelige snaar te hebben geraakt: in die jaren heerste er in China een ware cultuurkoorts, een heropleving van aloude debatten over Chinese eigenheid nu het land na drie decennia van isolationisme weer 'tot de wereld toetrad'. Het waren tijden van enthousiaste herontdekkingen maar ook van onzeker zoeken. Toen Gabriel García Márquez in 1982 met een voor sommige Chinezen gedroomde mengeling van Europese en inheemse tradities de Nobelprijs won, waren de reacties veelzeggend. 'En wij maar denken dat die Colombianen alleen maar konden voetballen', klonk het met enige zelfspot. Een ander vroeg zich af of Chinese schrijvers door Mao's culturele kaalslag en de sterk toenemende verwestersing wel tot Márquez' magisch-realistische mix in staat waren: 'Ik weet per slot van rekening meer van Griekse dan van Chinese mythologie', merkte iemand op. Velen van hen wierpen zich in hun werk dan ook op de oude cultuur en literatuur, al dan niet geïnspireerd door de uit de as herrezen Shen Congwen, in wiens tijdloze evocatie van het Chinese landleven en onwesterse verteltrant zij een directe lijn met de traditie zagen. Aangezien dat bij sommigen nogal eens de vorm van een lofzang op verloren gewaande zeden en gewoonten aannam, deed menig criticus Han Shaogongs pleidooi af als een krampachtige, nationalistische roep om het behoud van de inheemse cultuur. Maar als ik de literaire verhalen lees die Han in dezelfde periode schreef, zie ik daaruit een heel ander beeld van zijn 'zoektocht naar wortels' naar voren komen.

Neem zijn verhaal 'Naar huis terug' bijvoorbeeld. Daarin komt een ex-tewerkgestelde student 'voor het eerst' in een dorp aan dat hem tegelijkertijd 'om een onverklaarbare reden heel vertrouwd' voorkomt, zo ongeveer als in een déjà-vu. Iedereen ziet hem bovendien voor een ander aan, en uit onzekerheid gaat hij mee in die rol, zozeer zelfs dat hij uiteindelijk niet meer weet wie hij werkelijk is. Door de ogen van deze ik-verteller kijken we mee naar alle vreemde gebruiken van het dorp – een raar soort thee, andere eetgewoonten, een onverstaanbaar accent – en worden we deelgenoot van zijn toenemende verwarring. Gaandeweg raakt hij in een soort droomtoestand, waarin zelfs contact met overleden dorpelingen mogelijk is – een oude geliefde? Maar als hij zich op het eind van het verhaal afvraagt of hij nu echt droomt, laat Han Shaogong dat fijntjes in het midden – net als de oude taoïstische denker Zhuang Zi die zich afvroeg of hij gedroomd had dat hij een vlinder was of dat hij een vlinder was die gedroomd had dat hij Zhuang Zi was. Aan al die nuanceringen hadden de meeste critici geen boodschap: Han was duidelijk betoverd en verblind door al die uitbundig beschreven folklore, zeiden ze – terwijl hij in mijn ogen juist een ervaring van totale *vervreemding* beschrijft. Bovendien zou Han later wel meer verhalen over identiteitsverwisselingen publiceren, ook geregeld in een moderne, stedelijke setting, dus het lijkt er meer op dat hij Chinese folklore voornamelijk gebruikt als stof voor dieper liggende thema's.

Dat kun je goed zien aan een tweetal autobiografische novellen. In *Vrouw vrouw vrouw* uit 1986 voert de begrafenis van een oude tante Han terug naar de geboortestreek van zijn familie, waar hij ten prooi valt aan dezelfde vervreemding; iedereen ziet in zijn gezicht zijn overleden vader, maar zelf herkent hij niemand. Zijn tante woonde vroeger in de stad, maar kreeg een beroerte waardoor ze van een oude, zich wegcijferende vrouw, volledig doordrongen van het communistische soberheidsethos, veranderde in haar tegendeel: een veeleisende lastpost. De verteller bracht haar onder bij familie op het platteland, waar ze, zo verneemt hij voor de begrafenis, de laatste laagjes beschaving verloor en bijna terugkeerde tot een soort dierlijke staat. Geïnspireerd door zijn bezoek aan het platteland, waar hij het oude China ontdekt, verbeeldt hij zich die metamorfose met behulp van Chinese mythen: hij ziet zijn tante werkelijk veranderen in een dier, eerst een aap, en ten slotte een vis – op haast magisch-realistische wijze lijkt zij een soort omgekeerde evolutie af te leggen. In *Schoenenobsessie* uit 1992 is het de dood, of eigenlijk verdwijning, van zijn eigen vader, tijdens de Culturele Revolutie, die eenzelfde mechanisme bij Han in beweging zet, zij het op veel ingetogener wijze. Hier zoekt hij houvast in oude legenden uit zijn geboortestreek om het obsessieve schoenen maken van zijn verweduwde moeder te verklaren, zaken waar hij met zijn ratio niet bij kan.

Han schreef dus niet zomaar over oude Chinese cultuur, hij schreef over wat die cultuur met hem deed. Bovendien greep hij daarbij terug op een toepasselijk genre uit de traditionele Chinese literatuur, namelijk dat van het klassieke wonderverhaal. Wonderverhalen, enigszins verwant aan de westerse fantastische literatuur – Kafka kende en bewonderde ze – worden in China beschouwd als de oervorm van het korte verhalende proza. De oorsprong ervan ligt in de zogenoemde optekeningen van vreemde zaken, beschrijvingen van exotische gebieden of ontmoetingen met spoken, die zo oud zijn als het Chinese keizerrijk en zich vanaf de Tangdynastie, van de zevende tot de negende eeuw, ontwikkelden tot een volwassen literair genre. Zo schreef een beroemde, latere beoefenaar van het wonderverhaal, Pu Songling uit de achttiende eeuw, allang geen 'sprookjes' meer waarin het wonder zelf centraal stond, maar, zoals vertaler W.L. Idema het in de bundel *De beschilderde huid* zegt: 'Pu Songling was geïnteresseerd in het in elkaar grijpen van tegengestelden, die normaal gescheiden zijn: man en vrouw, mens en dier, plant of ding, werkelijkheid en schijn, waarheid en droom, deze wereld en de omgekeerde wereld.' Precies de dingen dus die Han Shaogong doet in het droomachtige 'Naar huis terug', of in het soms hallucinerende 'Verleiding', waarin tewerkgestelde scholieren een tocht door de ongerepte natuur ondernemen waarop niets is wat het lijkt: boomstammen blijken zich doodhoudende dieren te kunnen zijn en planten levende menseneters. De confronterende tocht op zoek naar een haast magische waterval blijkt een soort rite de passage op weg naar volwassenheid, eindigend met niets dan dubbelzinnige gevoelens van de verteller: 'Ik had het gevoel dat ik die berg kon begrijpen, op deze even kortstondige als eeuwige zoektocht, maar daardoor begreep ik hem natuurlijk nog minder.' Zouden die 'in elkaar grijpende tegengestelden' niet de wortels van de Chinese literatuur kunnen zijn die Han als moderne, individualistische 'optekenaar van wonderen' opnieuw laat ontkiemen?

Lang wist Han niet wat hij als schrijver nu eigenlijk met de woorden uit zijn gestaag groeiende verzameling aan moest. In zijn verhalen uit de jaren tachtig doken ze af en toe op en hij vulde er een rubriek in een literair tijdschrift mee. Maar halverwege de jaren negentig kwam hij met *Woorden-boek van Maqiao*, een roman in de vorm van een woordenboek over het verzonnen plaatsje Maqiao, dat een miniatuur is van het Zuid-Chinese platteland in de provincie Hunan, waar hij sinds zijn tewerkstellingsperiode zijn hart aan heeft verpand. Op deze manier kon hij vrijuit verhalend en essayerend uiting geven aan de verbijstering en de associaties die de woorden bij hem oproepen. De lexiconvorm verraste het Chinese publiek, maar leek Han, als bewonderaar en incidenteel vertaler van de beschouwende auteurs Milan Kundera en Fernando Pessoa, op het lijf geschreven. Zo verklaart hij persoonlijk de liefde aan dialectwoorden die hem iets van het leven hebben laten zien waar standaardwoorden niet bij kunnen komen: is het Maqiaose 'vervliegen' geen adequate, elegante term voor sterven, en 'gegriefde' voor een teleurgestelde, verbitterde geliefde? Maar ook wijdt hij uit over de macht van woorden, over hoe bijvoorbeeld eufemismen je denkwereld kunnen beperken of hoe een achteloos uitgesproken banvloek je leven kan bepalen – het is, kortom, de relatie tussen taal en werkelijkheid die hij onderzoekt.

Maar welke werkelijkheid? Nog directer dan in zijn voorgaande werk schept Han door middel van Maqiao een 'omgekeerde wereld'. Reguliere

Woordenboek van Maqiao, Han Shaogong
(Zuojia 1996)

woorden blijken in Maqiao geheel andere en soms zelfs tegenovergestelde betekenissen te hebben: 'nuchter' is dom en 'suf' is slim, 'wetenschappelijk' is lui, en 'lui' juist stoer ... Ook wordt de streek bevolkt door 'rijke bedelaars', die alleen nog 'voor de vorm' bedelen, en 'onaardige' of 'meelijwekkende' vrouwen, waarmee juist de meest verleidelijke schoonheden worden bedoeld. Han onderzoekt dat alles persoonlijk, soms door zich in klassieke poëzie en geschiedenis te verdiepen, soms met behulp van taalkunde en andere woordenboeken, maar het liefst nog door verhalen te vertellen waarin hij zelf in dialoog treedt met de personages die de woorden gebruiken en zodoende de lezer meetrekt in de aparte Maqiao-logica.

In sommige verhalen laat Han zijn satirische kant zien: het feit dat 'wetenschappelijk' in Maqiao 'lui' betekent, heeft bijvoorbeeld alles te maken met een eigenzinnige kluizenaar die het befaamde taoïstische 'nietsdoen', het nietingrijpen in de natuur, opvat als het aanhangen van twijfelachtige theorieën die hem het leven makkelijker moeten maken, zoals het zogenaamd wetenschappelijk verantwoord rauwe groente eten om gewoon niet te hoeven koken – tot grote hilariteit van de nuchtere dorpelingen. In plaats van de krampachtige roep om het behoud van de traditie die de critici Han verwijten, toont hij hier juist op een humoristische manier hoe mensen met het verlies van hun traditie omgaan. Andere anekdoten laten zien hoe de logica van de Culturele Revolutie op die van de eigenwijze plattelanders stuit, zoals wanneer de plaatselijke dorpszanger, een 'ouwe sufferd', koppig weigert mee te werken aan een revolutionaire voorstelling over het voorjaarsploegen, waarbij hij moet optreden in zijn boerenkloffie: zingen met een paar emmers stront aan je juk, dat is toch geen kunst! Bepaald geen 'suffe' opmerking, suggereert Han tussen de regels door – en je kunt je inderdaad afvragen in hoeverre de politiek vat had op de Chinese binnenlanden, ook al beweerde Mao juist bij de boeren zijn achterban te hebben.

Han Shaogong (Uit: *Woordenboek van Maqiao*, De Geus)

Wanneer ik vroeger aan bedelaars dacht, zag ik alleen maar vodden van kleren en verweerde gezichten voor me. Het leek me altijd ondenkbaar en absurd om bedelen met een luxe leventje in verband te brengen. Sinds ik in Maqiao ben geweest, weet ik wel beter, er zijn werkelijk allerlei soorten bedelaars op de wereld.

De schoonvader van Benyi was zo'n bedelaar die het er wat eten en drinken betreft altijd goed van nam; hij had het stukken beter dan menig grootgrondbezitter. Maar in die klasse was hij niet in te delen, want hij bezat geen meter land. Hij had ook geen zaak, dus een kapitalist kon je hem ook niet noemen. De landhervormingswerkgroep had hem destijds met pijn en moeite aangemerkt als 'bedelaar-boer van de bezittende klasse', een aangepaste term bij gebrek aan beter.

(Vertaler: Mark Leenhouts)

Maar mooier vind ik het wanneer Han nog dieper duikt in de dubbelzinnige gedachtewereld van Maqiao, die vaak veel weg heeft van het onbezorgde relativisme van Zhuang Zi, die immers al speels aantoonde dat het nutteloze nuttig kan zijn, het kleine groot en het goede slecht – kortom, dat die armoedige categorieën van de menselijke rede soms tekortschieten om het leven te bevatten. Deze verwantschap is niet toevallig: het meer spirituele taoïsme wordt over het algemeen gezien als een typisch Zuid-Chinese traditie, een tegenhanger van de noordelijke, praktische levensbeschouwing van het confucianisme. Zo hebben ze in Maqiao zelfs een eigen uitdrukking om het paradoxale gevoel aan te duiden dat je soms bekruipt als iets zowel het een als het ander kan zijn, als je niet een, twee, drie het antwoord op een dilemma weet: dat is een geval van 'winterjasmijn, zomerjasmijn', zeggen ze dan. Han vertelt in dit lemma hoe hij met die uitdrukking kennismaakte toen hij op een gegeven moment zelf voor een ingewikkeld moreel vraagstuk kwam te staan. Hij probeert zich in de schoenen te plaatsen van iemand wiens zelfmoord het hele dorp voor raadsels stelt: een doorgaans onkreukbaar ambtenaar die uit geldnood één onschuldig diefstalletje pleegt – een stuk vlees bij de slager – en besluit niet meer met de schande te kunnen leven. Han vraagt zich af wat hij in zijn plaats had gedaan en merkt dat ook hém uiteindelijk een onontkoombaar gevoel van 'winterjasmijn, zomerjasmijn' overvalt. Even is hij één met de Maqiao-ers.

Dat Han zichzelf erin betrekt is de kracht van het boek – de kracht die er meer van maakt dan zomaar een woordenboek. Eigenlijk is hij net als in 'Naar huis terug' nog altijd bezig zich meester te maken van een vreemde omgeving, zij het ditmaal via de taal. Hij geeft dan ook geen gortdroge opsomming van woordverklaringen, hij laat de woorden zien zoals ze gebruikt worden, in actie, levend. Al is niet alles even spitsvondig wat hij erover te berde brengt, hij pretendeert in ieder geval niet de wijsheid in pacht te hebben; als het nodig is maakt hij zelfs gebruik van zijn verbeelding om lacunes aan te vullen of te gissen naar onverklaarbare raadsels – en dat zegt hij er gewoon bij: 'ik stel me zo voor dat …' Toch is zijn overtuigingskracht blijkbaar zo groot, zo vertelde hij me in 1999 in een interview voor *Het trage vuur*, dat hij verschillende brieven heeft ontvangen van taalkundigen en antropologen die hem bedankten voor de waardevolle inzichten die hij had aangedragen. Gniffelend zei hij me hoe hij hun moest teleurstellen dat lang niet alles in het boek even betrouwbaar is. Met een twinkeling in zijn ogen voegde hij eraan toe dat hij hun maar niet had verteld dat hij er zelfs een aantal zelfverzonnen woorden tussen had gestopt! Hij heeft zelfs mij, zijn vertaler, niet willen verklappen welke – op één na, dat ik uit piëteit geheimhoud.

Ook de compositie van het *Woordenboek van Maqiao* had de specialisten kunnen waarschuwen dat ze hier niet met een gewoon woordenboek te maken hadden. Zo staan de honderdvijftien lemma's niet in willekeurige volgorde, maar is er een zekere opbouw in waar te nemen, zodat er eerder een lange, episodische roman ontstaat, die door zijn losse verhaallijn, of eerder zijn vele verhaallijnen, en zijn mengeling van beschouwende en verhalende elementen veel weg heeft van de wijd uitwaaierende traditionele Chinese roman. Ook de gebruikelijke cyclische structuur van die romans heeft Han benut, en wel om zijn ambigue rol als buitenstaander in de vreemde omgeving nog eens te benadrukken. Zo is het eerste lemma van het boek in feite al een veelbetekenende opening, waarin hij vertelt hoe hij in Maqiao op een keer verdwaalde door een woord dat hij verkeerd had verstaan! En in het laatste lemma beschrijft hij nota bene zijn allereerste aankomst in het dorp, zodat de roman eindigt met de woorden: '… liep ik stap voor stap het onbekende in.' Het verhaal grijpt in zijn eigen staart, het mysterie blijft tot het einde toe, en over het einde heen, intact.

Als de schrijver na vijfhonderd pagina's woordenboek toegeeft nog altijd voor een onbekende taal te staan, wat kan zijn vertaler dan beginnen? Normaal gesproken geloof ik al niet zo in de noodzaak om voor de vertaling van een roman naar het gebied af te reizen waar hij zich afspeelt, en zeker voor dit verbeeldingrijke woordenboek over een niet-bestaand plaatsje leek het me aanvankelijk vruchteloos. Je krijgt misschien wel beelden bij de *Chinese* woorden, en die kunnen je soms een eindje op weg helpen, maar de *Nederlandse* woorden zul je er nooit vinden. Toch ben ik blij dat ik gegaan ben, naar het noordwesten van de provincie Hunan, waar Han Shaogong me ontving in het huis dat hij in 1999 heeft gebouwd op bijna precies de plek waar hij dertig jaar eerder door Mao was tewerkgesteld. En zo kreeg ik al meteen een van de eerste paradoxen à la Maqiao voorgeschoteld. Mao's campagne om scholieren niet naar de universiteit maar naar het platteland te sturen was kennelijk niet alleen maar absurd of nutteloos geweest. Toen we met de auto de plaatjes en plekken bezochten die samen Maqiao in het boek hadden gevormd, wees Han me de uitgestrekte theevelden en zei met een mengeling van trots en nostalgie: 'Hebben wij scholieren aangelegd, vroeger was hier niets, alleen maar zandgrond, door ons ontgonnen.' Tegenwoordig staat er bovendien een school voor de hele regio en bouwen ook schrijversvrienden van Han er tweede huizen, zodat het er bijna een soort Frans platteland vol literaire eremieten wordt. Zo'n langdurige liefde voor het platteland had Mao vast niet van de door hem zo verfoeide intellectuelen verwacht.

Toch is Han een uitzondering onder deze vrijwillige ballingen, weinig andere zullen immers zoals hij door het dorp kunnen lopen en door alle kinderen worden aangesproken als 'opa Han' – aan een woord als dat te horen heeft hij hier wel degelijk wortels. Dankzij opa Han waren we overigens bij alle huizen in de bergen welkom om onze lange wandelingen in de hete zon te onderbreken voor thee. Toen we in een van die aangenaam koele woningen zaten uit te rusten vroeg ik voor de vorm toch maar eens of er in het moestuintje misschien een bepaald gewas groeide, een soort kruising tussen een komkommer en een kalebas die ik maar niet vertaald kon krijgen, omdat ik er nog nooit een had gezien. Het kleine meisje dat me thee had gebracht, kreeg van haar moeder de opdracht haar oudere broertje te gaan roepen om zo'n ding voor me te halen. Ondertussen nam ik een slok van de plaatselijke gemberthee met sojabonen en sesamzaadjes, die precies beantwoordde aan mijn voorlopige vertaling in de meegebrachte kladversie van *Woordenboek van Maqiao*. 'Lekker zoet!' zei de moeder aanmoedigend. Ik proefde de scherpe smaak van de gember en het zout van de bonen en de zaadjes, was eerst verbaasd maar herinnerde me toen dat Han in zijn boek schrijft dat de mensen van Maqiao alles wat lekker is 'zoet' noemen, of er nu suiker in zit of niet. Ik lachte, en op hetzelfde moment kwam het meisje binnen met een groter meisje, dat iets pompoenachtigs in haar hand had. 'Dit is haar oudere broertje', zei de moeder. Ik staarde het meisje secondenlang bedremmeld aan en toen wist ik het weer: in Maqiao is je 'oudere broertje' je grote zus, je 'oompje' je tante, enzovoort – alle aanspreekvormen voor vrouwen zijn het verkleinwoord van de mannelijke vorm, alweer zo'n typische omdraaiing. Ik keek opzij naar opa Han: weer die twinkelende ogen van hem. Ik begreep wat hij wilde zeggen. Ik had het nu ook aan den lijve ondervonden, een paar luttele woorden hadden me ook even ondergedompeld in de omgekeerde wereld van Maqiao, me teruggebracht bij de wortels van zijn boek. Ik wendde me weer naar de vrouw des huizes en zei knikkend: 'Lekker zoet!'

3
Niet spreken

*Met dit boek wil ik eerbiedig de gekrenkte geesten oproepen van de helden
die door de oneindige, dieprode korenvelden van mijn geboorteplaats dolen.
Ik, uw onwaardige zoon, ben bereid om mijn hart uit mijn lijf te snijden,
het in een marinade van sojasaus te leggen, het fijn te hakken en het over
drie kommen te verdelen en die als offerande in het rode korenveld te
plaatsen. Dat u het in goede gezondheid moge nuttigen!*

Met deze woorden, de opdracht bij *Het rode korenveld*, zijn eerste roman uit
1986, schreef Mo Yan (1956) zich in één klap de Chinese letteren in. Alles was
er: zijn krachtige, plastische taalgebruik, zijn overdrijving en ironie, en zijn
onderwerp – zijn geboorteplaats, zijn voorouders, kortom: de geschiedenis. Je
zou haast kunnen zeggen dat de ruim tien kloeke romans en de bijna honderd
verhalen die hij sindsdien aan de lopende band zou schrijven, als het ware
allemaal om deze daverende opening en om zijn gemythologiseerde geboorteplaats Gaomi in de provincie Shandong heen zouden blijven cirkelen,
almaar uitdijend, in dikkere en dunnere jaarringen.

Dat laatste geldt overigens niet alleen voor zijn oeuvre, ook binnen elk
afzonderlijk boek lijkt dat aanwassende karakter een wezenlijk kenmerk van
zijn stijl. Neem *Het rode korenveld*: dat was oorspronkelijk opgevat als een serie
korte stukken, aaneengesmeed tot een novelle, die Mo Yan vervolgens op
verzoek van de uitgever uitbreidde tot een roman. Dat ging hem schijnbaar
moeiteloos af, het gegeven van het boek leende zich ervoor, er is immers niet
echt sprake van een dwingende plot die zou kunnen verwateren. De verteller,
de 'onwaardige zoon' die zijn heldhaftige voorouders wil bezingen, beweegt
voortdurend heen en weer tussen heden en verleden, en uit die herhalende
cirkelbewegingen komt langzaam de kern van het boek naar voren. Steeds
sterker wordt het contrast duidelijk tussen de hedendaagse, slappe nietsnut en
de pure, bijna dierlijke plattelanders die zich in de jaren dertig met hart en ziel
tegen de Japanse bezetter verzetten. Hun bovenmenselijke dapperheid schildert Mo Yan letterlijk in geuren en kleuren: het zijn de rauwe zwarte aarde en

Mo Yan
(© Prometheus)

het schitterende rode koren waaraan de oude generatie haar vitaliteit lijkt te ontlenen. Toch is het een vergane vitaliteit, en daaraan word je telkens herinnerd doordat Mo Yan de hartstochtelijke wapenfeiten van zijn destijds nog jonge, blakende grootouders – de beroemde vrijscène in het rode koren! – weliswaar beschrijft alsof je erbij bent, maar de personages tegelijkertijd consequent 'grootmoeder' en 'overgrootvader' blijft noemen. Een vervreemdend contrast, kortom, dat hij nog eens samenvat in het laatste beeld van het boek, waarin de verteller aan het graf staat van zijn Tweede Grootmoeder, die er in een visioen uit opspringt en hem voor de laatste maal inwrijft dat hij 'haar kleinzoon niet is'. Omringd door het geïmporteerde 'bastaardkoren' dat tegenwoordig de zwarte aarde bedekt, raakt de verteller doordrongen van een groot verlies. 'Het koren dat op een zee van bloed lijkt, waar ik keer op keer de lof van heb gezongen, is in de kolkende stroom van de revolutie verdronken.'

Een groteske streekroman zou je deze uitbundige lofzang op de vitale, landelijke mens kunnen noemen, in de traditie van William Faulkner, niet toevallig een van Mo Yans grootste voorbeelden. Toch was er voor de Chinese lezer uit de jaren tachtig meer aan de hand met *Het rode korenveld*. Op het eerste gezicht leek het boek alles weg te hebben van de historische romans waarin al decennialang volgens het schema van de revolutionaire romantiek het verzet tegen Japan werd geroemd. Maar eigenlijk zette Mo Yan het genre

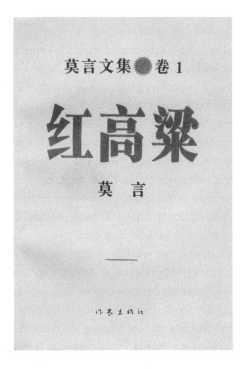

Het rode korenveld van Mo Yan (Zuojia 1995)

op zijn kop, door van de verzetsstrijders geen voorbeeldige helden te maken, maar liederlijke bandieten die net zo hartstochtelijk de vijand bestreden als dat ze schurkenstreken uithaalden. Ook vochten ze niet tegen de Japanners uit hoogdravende nationalistische gevoelens, maar domweg om het feit dat ze in hun levensonderhoud werden bedreigd. En dat alles met een beroep op authenticiteit: in interviews benadrukt Mo Yan, die uit een eenvoudige boerenfamilie komt, dat hij alles optekent uit de mond van 'de oude mensen bij mij op het platteland'. Hij ondermijnde de officiële geschiedschrijving waaraan de Communistische Partij haar bestaan ontleende, en daarin ging hij nog een stapje verder door zijn taal. Alle overdrijving kun je gerust zien als een ironisch commentaar op de potsierlijke partijtaal, de galmende retoriek van holle leuzen, die destijds per slot van rekening nog maar net uit de literatuur aan het verdwijnen was: *Het rode korenveld* verscheen tien jaar na het eind van de Culturele Revolutie. In het verlengde van dat taalgebruik ligt bovendien het spel met de kleur rood: de symbolische kleur van het communisme wordt hier verdrongen door het rood van het koren en het bloed – het bloed dat net als het koren voor levenskracht staat en veelvuldig vloeit in de talloze gewelddadige passages die meestal druipen van de symboliek, zoals de scène waarin 'oom Arhat' levend wordt gevild, een foltering die hij, sterk en onverzettelijk als hij is, tergend lang volhoudt.

Veel van Mo Yans dwarsheid en ironie zou een niet-Chinese lezer kunnen ontgaan, en het is wat dat betreft jammer dat er al zoveel van verloren ging in de invloedrijke verfilming van Zhang Yimou, die in 1987 de wereld veroverde. Mo Yan heeft er ongetwijfeld een deel van zijn roem aan te danken – al werd zijn boek pas in 1993 in het Engels vertaald en een jaar later, uit het Engels, in het Nederlands – maar filmer Zhang presenteerde wel een beduidend eenduidiger versie van *Het rode korenveld*. Het essentiële heen en weer schakelen tussen heden en verleden maakte plaats voor een chronologisch verteld verhaal waarin zelfs de kleur rood geen dubbelzinnige betekenis meer leek te hebben en een puur patriottisch symbool werd.

Maar zoals Zhang Yimous beeldtaal desondanks een lust voor het oog blijft, blijf je Mo Yan toch vooral om zijn beeldrijke taalgebruik lezen. Alhoewel: hij schrijft zo veel en zo snel dat er weleens een boek uit zijn vingers glipt waarvan je achteraf iets meer had verwacht. Dat gebeurt bijvoorbeeld als hij zich ergens over opwindt, zoals toen hij in 1988 naar eigen zeggen in dertig dagen de driehonderd dichtbedrukte bladzijden van *De knoflookliederen* neerpende, als een aanklacht tegen de uitbuiting van knoflookboeren in het Paradijsgewest. Dankzij zijn verbale krachtpatserij walmen de knoflookdampen weliswaar van de pagina's, maar de personages 'zijn en blijven Chinese boeren, met hun eigenbelang, hun beperkte blikveld en hun woede, hoe terecht die ook is', concludeerde bespreker Martin de Haan, die hun lot eerder triest dan tragisch noemde. Regelrechte gemakzucht werd Mo Yan alom verweten bij *Grote borsten, brede heupen* uit 1995, waarin hij een kinderlijk naïeve hoofdpersoon – die tot in zijn puberteit alleen moedermelk drinkt en er een levenslange borstenobsessie aan overhoudt – tot speelbal van de geschiedenis maakt. Op voorspelbare wijze doorloopt hij China's woelige twintigste eeuw, en al presenteert hij een schalkse satire van het commercialisme in de jaren negentig – de borstenfanaat gaat in de lingeriehandel – uiteindelijk rijgt hij alleen maar losse scènes aan elkaar zonder dat hij er een bezielend verband aan geeft, zoals hij dat in *Het rode korenveld* wel deed.

Mo Yan is zich natuurlijk bewust van zijn breedsprakigheid; hij heeft zich nota bene het pseudoniem *mo yan*, 'niet spreken!', aangemeten om zijn eigen woordenvloed in te dammen. Toch meent hij zich soms tegen de veelvuldig geuite kritiek te moeten verdedigen, bijvoorbeeld in het voorwoord van de verhalenbundel *Alles voor een glimlach*: laat die recensenten met hun 'pretentieuze literaire concepten' maar eens een 'betoverend verhaal spinnen' dat 'tot de verbeelding spreekt'! Maar in *De wijnrepubliek*, een complexe roman uit 1992, steekt hij juist de draak met zijn eigen handelsmerk. Heel vermakelijk voert hij zichzelf op als een gevestigd schrijver die vastzit in een boek over een opsporingsambtenaar die in het stadje Alcoholica, dat niet alleen berucht is om zijn alcoholproductie en -consumptie, maar ook om zijn culinaire en seksuele uitspattingen, een schandaal van het eten van zuigelingen moet uitzoeken – een sensationeel gegeven dat overigens teruggaat op eeuwenoude Chinese legenden. Dit hard-boiled detectiveverhaal wordt afgewisseld met een briefwisseling tussen Mo Yan en de aankomende schrijver Li Yidou, een 'doctorandus in de wijn' uit Alcoholica, die zijn eigen korte verhalen bij hem onder de aandacht wil brengen. De maestro laat zich schaamteloos bewieroken en zelfs inspireren door de aspirant: personages en andere elementen uit Li's verhalen komen in Mo Yans verhaal terecht, en op het eind gaat Mo Yan zelf in Alcoholica ten onder, beschonken zakt hij weg in een poel stront, bedwelmd door zijn eigen fictieve wereld van roes en decadentie. Groteske satire, geweldige zelfspot, maar toch overspeelt Mo Yan ook hier weer zijn hand. Li Yidous pennevruchten namelijk, die integraal worden opgenomen, zijn echt beginnersverhalen. Ze zijn opzettelijk slecht geschreven en de doctorandus lijkt wel een alter ego van Mo Yan: 's meesters neiging tot langdradigheid en zijn zwelgen in bijvoeglijke naamwoorden zijn bij de leerling vele malen uitvergroot. Overdaad is weliswaar het thema van het boek, maar als je na elk hoofdstuk weer zo'n slecht verhaal tegenkomt, gaat het leuke er op den duur wel vanaf.

Het is dan ook niet verbazend dat Mo Yan zelf, wederom in het voorwoord bij de bundel *Alles voor een glimlach*, trotser zegt te zijn op zijn korte verhalen. Want inderdaad, op de korte baan kan het voor hem zo karakteristieke uitspinnen van een sfeer of het breed uitmeten van een decor iets bezwerends krijgen. Een voorbeeld is het indringende 'Droge rivier', waarin een jongetje per ongeluk de dood van een buurmeisje veroorzaakt en daarvoor van zijn wrede vader een ruw pak slaag krijgt. Als hij vervolgens zelf op sterven ligt in de bedding van een opgedroogde rivier, wordt hij bestookt door herinneringen aan een gewond hondje en aan de eerste keer dat hij een dode zag, het lichaam van een mooie vrouw. Zo naverteld heeft het geheel misschien weinig om het lijf, maar door de voortdurende flashbacks en de verwarde impressies van de jonge hoofdpersoon lijken alle sterfgevallen tegelijk plaats te vinden en ontstaat er, met ongeveer hetzelfde temporele effect als in *Het rode korenveld*, een zeer intense evocatie van de dood, gezien en beleefd door een 'onschuldige' kleine jongen.

Mo Yan (Uit: 'Droge rivier', Stichting Het Trage Vuur)

De secretaris was bij het lichaam van de vrouw gaan staan met zijn ogen vol tranen, en toen had zich op haar gezicht ineens een prachtige glimlach ontrold. Haar wenkbrauwen die zich bogen als zwaluwstaarten. [...] Iedereen had gezegd dat ze op een vreselijke manier was gestorven. Tijdens haar leven een stille, onopvallende vrouw, maar eenmaal dood had ze ieders aandacht gekregen, en zelfs de secretaris was gekomen. Zo zag je maar weer dat de dood zo slecht nog niet was. Hij had toen gedacht dat de dood aantrekkelijk was geweest. Met de rumoerige menigte had hij de lege ruimte verlaten en daarmee was hij ook de vrouw en de dood weer snel vergeten. Die vrouw, de dood, en vagelijk ook dat lichtbruine hondje, kwamen nu langs de stralend zilveren rivier naar hem toe, zonder enige wrok of woede. Hij hoorde het geluid van hun voetstappen al, kon hun grote zwarte vleugels zien.

(Vertaler: Marc van der Meer)

Ook in zijn meer magische, fantastische verhalen komt Mo Yans talent goed tot zijn recht. Zoals in 'IJzerkind': tegen de achtergrond van de grote ijzer-smeltcampagnes van de Grote Sprong Voorwaarts*, toen elk gezin eind jaren vijftig zijn eigen smeltoventje aanlegde om in één stap de Verenigde Staten in te halen, laat Mo Yan zijn jonge verteller een ijzeren kindje ontmoeten, dat hem schroot leert eten – de Grote Sprong ontaardde immers in een enorme hongersnood. Het is een toverachtig maar geloofwaardig verteld verhaal, in de traditie van het klassieke Chinese wonderverhaal, met de typische mengeling van het nuchtere en het ongerijmde, die bij moderne Chinese schrijvers vaak ten onrechte voor simpele invloed van het Latijns-Amerikaanse magisch realisme wordt aangezien. Vooral Mo Yan is de vergelijkingen met Márquez inmiddels beu: hij herkent een gelijke geest in hem, pleegt hij gepikeerd te reageren, maar de Colombiaan was hem gewoon te snel af geweest.

In die wonderverhalen is Mo Yan misschien nog wel traditioneler dan Han Shaogong, die andere verteller van hedendaagse wonderen. In plaats van Hans modernistische, individualistische beklemming, doet Mo Yan simpelweg verslag van een vreemde gebeurtenis – een monterheid die mogelijk ook het abrupte einde van een verhaal als 'IJzerkind' verklaart; niet alleen in zijn romans, ook in zijn korte werk heeft hij lak aan plot. Het korte verhaal is in het klassieke China altijd een belangrijk genre geweest, en tegenwoordig nog bestaat er een grote literaire onderscheiding voor, de Lu Xunprijs*. De Chinese roman groeide uit van verhalencycli tot episodische structuren, waarin het thema niet door plot maar door een zich steeds uitbreidende reeks van nieuwe of juist terugkerende motieven gestalte kreeg. Een westerse sinoloog bedacht er ooit de toepasselijke naam 'aanwassende roman' voor. Bij Mo Yan blijkt het een grotendeels onbewust proces; op een vraag hierover zei hij in *de Volkskrant* dat hij er als schrijver alleen maar naar streefde het leven in al zijn volheid weer te geven, en daarbij gaat hij nu eenmaal nooit rechtstreeks op zijn doel af, net zoals hij niet in een supermarkt boodschappen doet, maar liever in allerlei kleine winkeltjes aan onverwachte zijstraatjes. In dat ideaal van de getrouwe, ongekunstelde weergave zit wel degelijk iets traditioneels. Hoe dan ook blijft het opmerkelijk dat het 'aanwassende' *Het rode korenveld* een krachtiger boek is dan *Grote borsten, brede heupen*, dat alleen de chronologie van de geschiedenis als basis heeft, of *De wijnrepubliek*, waarin Mo Yan toch wat te veel van die door hem zo verfoeide 'pretentieuze literaire concepten' van westers geschoolde, postmodernistische critici verwerkte. *De sandelhoutstraf* uit 2001, waarschijnlijk zijn meest ambitieuze roman tot nu toe, lijkt die observatie te bevestigen.

In deze nog niet in het Nederlands vertaalde, dikke pil voegt hij een nieuwe, diepere jaarring toe aan zijn door de geschiedenis beheerste oeuvre, door nog wat verder terug in de tijd te duiken. Net als in *Het rode korenveld* belicht hij de minder glorieuze rol van de Chinezen in hun moderne, twintigste-eeuwse geschiedenis, ditmaal aan het begin ervan: in de aanloop naar de val van het keizerrijk. Zijn voorouders uit Shandong staan nu niet tegenover de Japanners maar tegenover de Duitsers, die daar rond 1900 een spoorlijn aanlegden. Mo Yan suggereert dat de buitenlandse krachten China alleen maar konden verzwakken doordat Chinezen onder de druk van het moderne Westen onderling tegen elkaar werden opgezet. Hij laat dat zien door middel van een wrede, 'incestueuze' constellatie van familieleden. Sun Bing, een lokale operazanger, raakt tamelijk argeloos verwikkeld in de Bokserbeweging, een nationalistische verzetsgroep die in opstand kwam tegen de koloniale mogendheden – de zogenoemde Bokseropstand*. Opnieuw is er dus geen sprake van een echt nationalistisch bewustzijn. Onder druk van de Duitsers wordt hij gearresteerd door de laffe onderprefect Qian Ding, de minnaar van zijn bloedeigen dochter Meiniang, en veroordeeld tot de gevreesde sandelhoutstraf. Dat is een foltering waarbij het slachtoffer met een zorgvuldig geslepen en geïmpregneerde stok van sandelhout wordt doorspiest, via de anus, langs de ruggengraat, en bij de nek er weer uit, waarna hij zo langzaam mogelijk dient te sterven; hij krijgt zelfs ginsengsoep te eten. Mo Yan in optima forma, hij houdt nu eenmaal wel van een krachtig, symbolisch beeld. En alsof dat nog niet genoeg is, wordt de strafrechtelijke sodomie uitgevoerd door niemand minder dan Meiniangs schoonvader, de meester-beul, bijgestaan door Meiniangs slappe echtgenoot, slager van beroep.

Het lijkt wederom een groteske voorstelling van zaken, maar Mo Yan overtreft zichzelf ditmaal door het geheel in de vorm van de plaatselijke Shandongnese 'kattenopera' te gieten: in lange, klaaglijke aria's zingen de verdoemde familieleden elkaar om beurten toe, een ware zwanenzang van het oude China. Mo Yan zelf neemt de verbindende teksten voor zijn rekening – niet in de brave chronologische volgorde van *Grote borsten, brede heupen*, maar op de levendige, springerige manier van een traditionele verhalenverteller. Tekenend is dat Mo Yan in zijn nawoord bij *De sandelhoutstraf* bekent dat hij een eerste versie van het boek uit ontevredenheid aan de kant had gelegd, er vijf jaar later achterkwam dat het te sterk 'naar magisch realisme riekte' en het vervolgens in deze krachtige, polyfone operavorm herschreef ... Dat laat nog maar eens zien hoe hij door een op de traditionele literatuur geënte compositie zijn woordenvloed in goede banen kan leiden. Misschien moet hij zijn pseudoniem dan ook positiever opvatten, niet als een verbod maar als een aansporing: niet spreken, maar zingen!

4

Sterk en zwak, hard en mild

Geweld is er altijd geweest in de moderne Chinese literatuur, maar nooit werd het zo klinisch en schijnbaar ongemotiveerd opgediend als in de verhalen van China's *brat pack*, een groepje twintigers dat eind jaren tachtig op allerlei manieren de gevestigde orde uitdaagde. In de door het maoïsme gepropageerde revolutionaire romantiek werd de Japanner of de klassenvijand geregeld met vuur en wapen bestreden, en ook al gaf Mo Yan dat genre in *Het rode korenveld* een kritische draai, het bloed vloeide bij hem nog altijd met een reden, in een historische context, als een symbool. Niets daarvan bij Su Tong (1963), die een jongen op een katoenveld in juli zomaar wat laat verzinnen om een ander de kop in te slaan, of in het universum van Yu Hua (1960), waar een kleuter per ongeluk zijn kleine neefje uit zijn armen laat vallen en daarmee niets dan apathie en harteloosheid tussen zijn volwassen familieleden blootlegt. Niet alleen de inhoud van hun verhalen stelde lezers voor raadsels, vooral ook de vorm, die de leegte van hun personages alleen maar scherper tot uiting leek te brengen. 'We zetten de vertelstructuren op zijn kop en deden er alles aan om de lezer maar in de war de brengen', bekende Su Tong lachend toen hij in 1997 in Nederland op promotietoer was. De hogere roeping van de sociaal bewogen elite was bondgenoot Yu Hua dan ook volslagen vreemd, hij wilde alleen schrijver worden om net als alle door de staat onderhouden 'culturele arbeiders' rustig in de stad te kunnen wandelen terwijl anderen zich naar hun werk haastten. 'Mijn eerste dag op het Cultureel Centrum van de Schrijversbond kwam ik twee uur te laat,' hield hij een Amerikaanse interviewer guitig voor, 'maar ik bleek de eerste te zijn – dat was de baan voor mij, dacht ik meteen.'

Maar de voornaamste provocaties deed de 'avant-garde', zoals de groep algauw werd genoemd, op papier, met kersvers vertaalde postmodernisten als Borges, Calvino en Robbe-Grillet in de hand. De iets oudere Ma Yuan (1953) bijvoorbeeld, speelde graag een spel met fictie en waarheid. In de typerende novelle *Verzinsel* voert hij zichzelf op – 'Ik ben Ma Yuan,' luidt de eerste zin, 'je weet wel, die Chinees die verhalen schrijft' – en benadrukt hij om de

Su Tong
(© Xu Fusheng)

haverklap dat hij alles heeft verzonnen. Soms komen ook de personages tussenbeide om de lezer waarschuwen dat 'meneer Ma' hem leugens ophangt. Toch beschrijft Ma zijn avonturen, die zich vaak afspelen in het verre Tibet, ondertussen zo terloops en feitelijk dat ze weer geloofwaardig worden; hij fabriceerde zelfs de zogenoemde *Apocriefe geschriften van het boeddhisme* om het exotische Tibet zo authentiek mogelijk te maken. Minder treiterig, meer ingetogen avant-gardisme was er in de parodieën op klassieke verhalen van de academicus Ge Fei (1964) en de droomachtige, of eerder nachtmerrieachtige werelden van Can Xue (1953), de enige vrouw van het stel. Bij haar kan een mysterieuze paarse os zomaar zijn hoorn door de muur van de slaapkamer steken, maar elke poging daarin een seksuele metafoor te zien wordt door de schrijfster afgewimpeld met een beroep op de volstrekte non-rationaliteit. Ondanks alles was de Chinese avant-garde maar een kort leven beschoren. Ma Yuan verdween lange tijd van het literaire toneel (om nu misschien eens echt naar Tibet te gaan), Can Xue begon zichzelf te herhalen, terwijl ze nog wel een essayboek aan haar grote inspirator Kafka wijdde, en Su Tong en Yu Hua stapten over op beduidend conventioneler werk, waarmee ze uitgroeiden tot de bekendste auteurs van de jaren negentig. Hoewel ze vaak in één adem worden genoemd, werd in hun goed verkopende en veelvuldig vertaalde romans steeds duidelijker hoezeer ze van elkaar verschillen: de een koos de innerlijke weg, de ander de maatschappelijke.

EENLING

'Vogelverschrikker' (1990), in *Het trage vuur* vertaald door Jeanne Boden, is een van Su Tongs eigen lievelingsverhalen. Op een hete julidag zoekt een geitenhoedertje in een katoenveld verkoeling. Eerst vindt hij een krant tegen de zon, maar als hij er bloedvlekken op ziet, verscheurt hij hem en gooit de snippers in de rivier. Dan wil hij de strohoed van een vogelverschrikker afpakken, want er zijn toch geen vogels te bekennen; hij haalt de vogelverschrikker uit elkaar en gooit de stok die zijn lijf vormt ook in de rivier. Stroomafwaarts zien twee jongens de stok en de snippers voorbijdrijven en de een maakt de ander wijs dat de stok een moordwapen is. Een jaar eerder is er in het katoenveld namelijk een moord gepleegd, luidt zijn ongerijmde verklaring, en de dader had het bloed aan een krant afgeveegd – hij had het destijds zelf gezien! De twee vinden het geitenhoedertje, de opjutter beschuldigt hem en slaat hem zonder pardon dood met de stok, terwijl de medeplichtige alleen maar moet braken. Het verhaal eindigt met een beschrijving van het lege veld, waarin de vogelverschrikker weer overeind is gezet. 'Maar waar bleven de vogels?'

Veel meer dan dat het geweld op een flagrant verzinsel berust, komen we dus niet te weten, en een echte verklaring hoef je ook niet van de schrijver zelf te verwachten. Toen ik hem er in 1997 in Nederland naar vroeg, antwoordde hij dat het hem bij het schrijven om de sfeer te doen was geweest. Zo zijn kinderen nu eenmaal, zei hij schouderophalend, hij had het zelf vaak meegemaakt toen hij klein was, die onheilspellende sfeer van jongens die anderen zonder enkele reden bedreigden. Dezelfde sfeer die hij in een ander favoriet verhaal tamelijk geslaagd had overgebracht, vond hij: 'Wilde vlucht', waarin een kind niet begrijpt wat de doodkist bij hem thuis in zijn kamer doet, wat er speelt tussen zijn moeder en de doodkistenmaker, en het vervolgens op een lopen zet. Sfeer lijkt inderdaad het sleutelwoord voor Su Tongs oeuvre. Meestal weet de hoofdpersoon of de verteller niet precies wat er om hem heen gaande is, hij lijkt niet in zijn omgeving thuis te horen en contact met anderen is vaak vijandig, zo niet gewelddadig. Su Tongs talent bestaat erin die broeierige, zinderende sfeer meesterlijk op te roepen, niet zelden door een pregnant beeld: een vogelverschrikker in een stil katoenveld zonder vogels, een doodkist in een kinderkamer.

Net als bij Mo Yan is de kracht van dergelijke verstilde beelden over het algemeen groter in zijn korte verhalen, maar toch was voor zijn eerste roman *Rijst* uit 1991 het uitgangspunt ook een beeld. Een grote berg witte rijst in een Zuid-Chinese rijsthandel zag Su Tong voor zich toen hij eraan begon. 'Rijst als basisbehoefte in het leven, een symbool van energie en kracht – maar ook van macht', lichtte hij op zijn Nederlandse promotietournee toe. Het is die basisbehoefte die de uitgehongerde hoofdpersoon Wulong van zijn door overstromingen belaagde platteland naar de stad drijft. Aanvankelijk genegeerd en vernederd, probeert hij zich binnen te werken bij de familie van een rijsthandel, waar hij zich van hardwerkende schoonzoon ontpopt tot een brute tiran en uiteindelijk zelfs de schrik van het hele stadje. De wreedheden stapelen zich op in de roman, alle familieleden lijken elkaar te haten, en de kinderen van Wulong (die achtereenvolgens de beide dochters van de winkelbaas trouwt) zetten de vetes simpelweg voort. Er is geen enkel lichtpuntje, geen climax of loutering. De generatieconflicten in de grote familieromans van Ba Jin zijn er niets bij, lijken hier volledig uitgehold. Gechoqueerde Nederlandse journalisten konden vragen wat ze wilden, Su Tong wist ook niet wat hem bij het schrijven had bezeten, hij bekende alleen maar dat hij er zelf, na voltooiing, ook behoorlijk ziek van was geweest.

Het boek zelf licht misschien toch wel een tipje van de sluier op. Bullebak Wulong bezwijkt uiteindelijk aan het geweld dat hij zelf heeft gezaaid: als hij op het eind, ziek en verzwakt, naar zijn geliefde platteland terug wil, sterft hij in de trein – eenzelfde trein als waarin hij in de stad aankwam, alleen nu op een berg rijst in plaats van een berg steenkool. Het beeld van de trein is minstens zo veelzeggend als dat van de rijst: Wulong is voor altijd onderweg, hij is noodgedwongen verdreven van huis en in de stad blijft hij ongeaccepteerd: hij schijnt zich alleen te kunnen bewijzen door uitoefening van geweld. Hoewel de roman zich afspeelt in de jaren 1930 wordt hij vaak gelezen als een commentaar op de grote, dramatische trek van boeren naar de stad in het huidige China, temeer omdat Su Tong wel meer donkere verhalen over het conflict tussen stad en platteland heeft gepubliceerd. Toch is Wulongs gevoel nergens thuis te zijn volgens mij de kern van *Rijst*, zeker omdat dat buitenstaanderschap een opvallende parallel vormt met zijn novelle *Vrouwen en bijvrouwen* (1987), die dankzij Zhang Yimous verfilming onder de naam *Raise the Red Lantern* (1991) zijn bekendste werk werd. In dit verhaal treedt het jonge meisje Lotus als vierde vrouw van een rijke man toe tot een vijandige schare jaloerse echtgenoten en concubines, waarvan het onderlinge psychologische geweld, het dingen om de gunst van de ene man, haar uiteindelijk tot waanzin drijft. Wie alleen de film kent zou misschien denken dat de rode lantaarn hier het centrale beeld is, ware het niet dat het ritueel van het ophangen van rode lantaarns, waarmee de man aangeeft met welke vrouw hij de nacht wil doorbrengen, geheel en al verzonnen is door filmer Zhang Yimou – in Su Tongs verhaal komt geen enkele lantaarn voor. Misschien is de

waterput waarin een eerdere, gek geworden concubine zich wierp een tref-
fender beeld voor het lot van de eenling; alleen al omdat het verhaal ermee
eindigt: 'Lotus zegt dat ze niet in de put zal springen.'

Maar Su Tong schiep niet alleen eenlingen die tot de ondergang zijn
gedoemd, sommige weten zich te bevrijden van de bedreigende mensenwereld. *Mijn leven als keizer* uit 1992, zijn tweede roman, situeerde hij in een
imaginair keizerrijk, in een onbestemd verleden, om zich geheel te kunnen
'overgeven aan een zorgeloze zwerftocht door mijn innerlijke wereld' – ook
een soort bevrijding voor Su Tong zelf dus. De veertienjarige prins Duanbai
belandt na de dood van zijn vader onverwacht op de troon en weet zich met
zijn nieuw verworven macht geen raad. Bovendien heeft hij het vage vermoeden dat hij maar een pion is in de machtsspelletjes van zijn konkelende
grootmoeder, die achter de schermen de dienst uitmaakt. In zijn onzekerheid
verordent het verwende kindkeizertje, net als de machteloze Wulong, de
meest roekeloze wreedheden, zoals het laten uitrukken van de tongen van
opgesloten concubines die hem met hun gehuil uit zijn slaap houden. Als hij
ten slotte door hofintriges wordt afgezet en verbannen, aanvaardt hij dat dan
ook als een bevrijding. Eindelijk kan hij zich gaan wijden aan zijn ware
roeping: koorddanser worden, de enige manier om het vliegen van de vogels
te benaderen. Als Keizer van het Koord trekt hij met een succesvol circus door
het land, totdat het door een buurrijk veroverd wordt, en hij zich als monnik
terugtrekt op een berg om zijn dagen te slijten met Confucius' geschriften.
Werd Duanbai op de eerste pagina van het boek nog ondergepoept door
reigers, op de laatste pagina staat hij zelf in de 'kraanvogelpose' op het slappe
koord.

De ontwikkeling die de hoofdpersoon doormaakt wordt duidelijk geac-
centueerd in het boek. Om te beginnen door een treffende scène op het
moment dat Duanbai, geholpen door zijn trouwe dienaar, schielijk over de
paleismuur vlucht, zijn vrijheid tegemoet. 'Ik ging op Yanlangs zachte schouders staan en rees omhoog als een gehavende vlag, langzaam loskomend van
de keizerlijke grond waarop ik ruim twintig jaar had geleefd.' En in het
daaropvolgende laatste deel van het boek is Duanbai ook echt in beweging
gekomen, het boek krijgt meer vaart en, zoals John Updike opmerkte, Duanbai is ook meer een 'hoofdpersoon in de westerse zin van het woord' geworden, iemand die dingen 'najaagt, bevecht en ontdekt'. Tegelijkertijd heeft
deze ontwikkeling de roman behoed voor het nogal repetitieve karakter van
Rijst, waarin het geweld alleen maar scène na scène leek toe te nemen, tot de
dood erop volgde. Toch blijft de voormalige experimenteerder Su Tong een
voorkeur houden voor de typisch Chinese episodische vorm. Soms lijkt hij te

zoeken naar een middenweg tussen kort en lang proza, zoals in zijn *Berg-liederen uit Fengyangshu* uit 2001, een verzameling korte verhalen rond het fictieve dorpje Fengyangshu, dat al vaker in zijn werk, ook in *Rijst*, als thuis-basis had gediend – een verhalenreeks als roman in afleveringen? Daarin verschilt hij dus niet zo veel van Mo Yan en Han Shaogong, de generatie waarvan de avant-garde zich heette af te zetten. Maar Su Tong noemt hen dan ook niet voor niets zijn 'kleine voorvaderen', auteurs van wie hij heeft ge-leerd, zo zei hij in Nederland, 'dat een zoektocht naar je historische of culturele wortels uiteindelijk een zoektocht naar jezelf is, je identiteit als schrijver'.

Su Tong (Uit: *Mijn leven als keizer*, De Geus)

Ik ging op Yanlangs zachte schouders staan en rees omhoog als een gehavende vlag, langzaam loskomend van de keizerlijke grond waarop ik ruim twintig jaar had geleefd. Het onkruid op de paleismuur viel over mijn handen, de getande bladeren sneden in mijn huid. Ik zag de hoofdstad aan de andere kant van de muur, ik zag de kokende zon die in de lucht hing, met daaronder de straten, de huizen en de bomen die zich eindeloos uitstrekten. Het was een zinderend hete, onbekende wereld. Er vloog een grijze vogel over mijn hoofd en zijn eigenaardige roep kraste door de zomerhemel.
Weg … weg … weg …

(Vertaler: Mark Leenhouts)

Toen Su Tong gevraagd werd om een bijdrage aan het door de Schotse uitgever Canongate geïnitieerde project 'Myths', waarin schrijvers van over de hele wereld, onder wie Margaret Atwood, David Grossman en Chinua Achebe, plaatselijke mythen herschrijven, leverde Su Tong dan ook geen subversieve parodie op een klassieke legende, zoals je die van de Chinese avant-garde had kunnen verwachten. In *Binu, de mythe van Meng* (2006) koos hij voor een tamelijk getrouwe bewerking van het verhaal van Mengjiangü, oftewel de vrouwe Meng, die met haar tranen de Grote Muur laat instorten – tranen die ze als deugdzame weduwe plengt om haar man die bij de bouw van de muur is omgekomen. Op het eerste gezicht blijft Su Tong in oude, mythische sferen: hij situeert zijn boek in een sprookjesachtig verleden, waar de keizer zijn volk heeft verboden te huilen maar men vervolgens leert zijn tranen ongemerkt af te voeren via zijn urinewegen, lippen of zelfs haren. Toch is het beslist een *moderne* allegorie, omdat bij Su Tong niet meer de traditionele deugdzaamheid van de vrouw centraal staat, maar eerder de kracht van de zwakke. Hij maakt van de mythologische figuur een van zijn eigen typische eenlingen: de ontwapenende maar ook voor gek verklaarde vrouwe Meng onderneemt een eenzame zoektocht naar haar vermiste man, waarop ze met haar tranen vele psychologische muren slecht voordat ze ten slotte aankomt bij de echte muur, die opvallend lang buiten beeld blijft. Dat laatste is een leuke doorbreking van het verwachtingspatroon, maar toch is de weg naar de muur toe wel wat erg lang. Niettemin lijkt de ontwikkeling in Su Tongs werk zich te bestendigen: vrouwe Meng heeft veel weg van het kindkeizertje Duanbai, wiens kracht uiteindelijk niet in wreedheid lag, maar in een innerlijke overwinning. Het machteloze geweld van de rijsthongerige Wulong lijkt te hebben plaatsgemaakt voor de sterke tranen van Binu.

In een verfilming van Zhang Yimou zou de Grote Muur vast groots op de voorgrond treden, maar Su Tong is nu eenmaal op zoek naar andere beelden, beelden voor tijdloze thema's, beelden als tranen, als rijst. En niet alleen in zijn boeken: op het eind van zijn bezoek aan Nederland werd hij voor eventjes een van zijn eigen personages. Nadat hij met een buikgriep dagenlang in zijn Amsterdamse hotel had doorgebracht, wilde hij op de avond voor hij terug naar huis vloog kost wat kost in een Chinees restaurant op de Zeedijk eten. Hij had de plek eerder die middag op eigen houtje gevonden, al sprak hij geen woord Engels en moest hij kriskras door de drukke straatjes van de rosse buurt. Maar het was dan ook alles of niets: voor zo'n lange vlucht naar China moest hij toch echt wat rijst in zijn maag hebben.

ALLEMAN

Op 'een ochtend als alle andere ochtenden' laat een kleuter per ongeluk zijn kleine neefje uit zijn armen laat vallen en zet daarmee een keten van geweld in gang: de vader van het neefje vermoordt de kleuter en wordt op zijn beurt vermoord door de vader van de kleuter, zijn broer, die daarvoor uiteindelijk wordt opgepakt en geëxecuteerd. 'Een soort werkelijkheid' (1988) heet dit verhaal van Yu Hua, en de titel kan niet toepasselijker zijn. De personages begaan al deze gruwelijkheden zonder enige blijk van de emoties die je er normaal bij zou verwachten. De argeloze kleuter is alleen maar gefascineerd door het bloed van de baby, en zijn vader doodt zijn broer door hem vast te binden en een hond een kliekje van zijn voeten te laten likken tot hij letterlijk sterft van het lachen – opnieuw de verkeerde emotie op de verkeerde plaats. Bovendien worden deze wraaknemingen schijnbaar mechanisch uitgevoerd, onverschilligheid heerst in de familie, de leden zien alles wel maar voelen niets, ze zijn ook voortdurend dingen vergeten of hebben de grootste moeite zich iets te herinneren. Zo gaat de dood van de grootmoeder tijdens al deze verwikkelingen volledig aan iedereen voorbij.

De reacties van de personages kloppen niet met de werkelijkheid, ben je geneigd te denken, maar welke werkelijkheid dan? Die van jezelf? Door zich te onthouden van elk commentaar, stelt Yu Hua de morele oordelen van de lezer op de proef. Want anders dan Su Tong is Yu Hua niet uit op sfeer, hij bekijkt deze bepaalde 'soort werkelijkheid' niet vanuit de verbaasde blik van een buitenstaander, maar stelt op een haast zakelijke manier iets aan de orde. Dat blijkt wel uit de slotscène van het verhaal, waarin de geëxecuteerde broer door chirurgen vakkundig wordt opgesneden ten behoeve van de orgaan-handel, zodat zijn schoonzus nog iets aan hem kan verdienen. Minutieus beschrijft Yu Hua de operatie, waardoor hij nog eens lijkt te onderstrepen dat de personages in dit verhaal kennelijk alleen maar zakken met organen zijn in plaats van individuen. Als klap op de vuurpijl drijft hij nog de spot met het heilige belang van de familie in China: de testikels van de veroordeelde, zo leren we in een naschriftje, hebben door donatie een aanvankelijk impotente patiënt een gezonde mannelijke nazaat gebracht.

Desgevraagd verklaart Yu Hua dat zijn fascinatie, of moeten we zeggen zijn klinische belangstelling voor geweld deels voortkomt uit de gruwelen van de Culturele Revolutie: vage herinneringen van een angstige basisscholier, zoals hij die later zou beschrijven in zijn eerste roman *Kreten in de regen* (1991). Maar dat niet alleen. Laconiek vertelt hij in interviews dat hij als kind veel in het ziekenhuis rondhing, aangezien zijn vader arts was. 'Als het warm was, deed ik mijn middagdutje in het mortuarium; lekker koel.' Het latere verhaal 'Appendix' moet vanwege dergelijke uitspraken haast wel autobiografisch zijn: als een vader, chirurg, een acute blindedarmontsteking krijgt, weigeren zijn kleine zoontjes een andere arts te gaan roepen, omdat ze willen dat hij zichzelf opereert, net als de heldhaftige Engelse arts waarover hij hun ooit heeft verteld ... Ook tijdens zijn tandartsopleiding werd Yu Hua's verbeel-ding rijkelijk gevoed. Pas toen hij na vijf jaar tandartsenpraktijk weleens wat meer van de wereld wilde zien dan al die open monden, besloot hij schrijver te worden. Een bekend grapje van Mo Yan is dan ook: 'Als ik Yu Hua's verhalen lees, durf ik me niet voor te stellen wat hij vroeger allemaal met zijn patiënten heeft uitgehaald.'

Maar Mo Yan kon algauw gerust zijn: in de jaren negentig ging Yu Hua een mildere koers varen. Hij wilde niet meer afstandelijk problemen aan de kaak stellen en personages domweg gebruiken als rekwisieten, verklaarde hij, maar zich juist meer in zijn personages verplaatsen, hen zelf het verhaal laten vertellen. Met de explosieve inhoud verloor zijn werk ook de experimentele trekjes: de romans waarmee hij doorbrak naar een groter publiek, *Leven!* uit 1992 en *De bloedverkoper* uit 1996, zijn rechttoe rechtaan vertelde familiegeschiedenissen die het China van de jaren veertig tot de jaren tachtig bestrijken. Alle grote historische gebeurtenissen passeren de revue en vinden hun weerslag in het dagelijks leven: de overgang van gokhuizen naar communes, de privé-ijzersmeltoventjes van de Grote Sprong Voorwaarts en de antikapitalistische leuzen van de Culturele Revolutie. Ook zijn thematiek is eenduidiger dan voorheen: hij wil voornamelijk laten zien hoe de gewone man zich op pure wilskracht, de wil te blijven *leven*, door de oorlog, armoede en sociale misstanden uit die decennia heen kon slaan.

Zhang Yimous verfilming van *Leven!* uit 1994 was, net als bij Mo Yan, zowel een zegen als een vloek voor Yu Hua. De film bracht hem bekendheid in binnen- en buitenland, maar haalde wel de laatste scherpe kantjes van zijn boek af. Yu Hua's medeleven met de mens werd een verontwaardigde aanklacht tegen het systeem. Zijn focus op het personage Fugui, die in een raamvertelling zijn woelige leven vertelt aan een anonieme volksverhalenverzamelaar, is door Zhang Yimou vervangen door een strak chronologisch raamwerk, waarin de opeenvolgende communistische campagnes en rampen het lot van de gemiddelde Chinees bepalen. Terwijl het boek eindigt met de eenzame Fugui en zijn buffel, zijn enige bron van levensonderhoud, besluit de film met de zoveelste politieke toespeling die van overlever Fugui een willoze speelbal maakt. En *als* de oude, bloedzuchtige Yu Hua dan weer even opspeelt, in de scène waar het zoontje van Fugui letterlijk doodbloedt om het leven van een hoge ome uit de partij te redden, zwakt de cineast dat juist af tot een tragisch ongeval; weg felle sociale kritiek. Zhang Yimou is weleens behaagzucht jegens het westerse publiek verweten, en in zijn *Lifetimes* bedient hij dat publiek niet alleen met politiek maar ook met exotisme: na de toegevoegde rode lantaarns bij Su Tong verzon hij hier het Chinese schimmenspel als steeds terugkerend motief erbij.

Het is alsof Yu Hua van die verfilming heeft geleerd: was in zijn roman *Leven!* de Chinese geschiedenis nog zeer pregnant aanwezig, in *De bloedverkoper* is die meer naar de achtergrond verdrongen, waardoor het thema van de existentiële overlevingsstrijd centraler komt te staan. Dat zie je ook terug in de stijl: een verontrustende mengeling van realisme en fabel. Hoofdpersoon Xu Sanguan, net als Fugui een simpele alleman, geeft bloed voor geld. Dat is een wijdverbreide praktijk onder arme Chinese boeren, en een van de grootste oorzaken van de enorme aidsepidemie die sinds de jaren negentig in verschil-

lende Chinese provincies heerst. Maar in Yu Hua's boek is die werkelijkheid
ver te zoeken. Fabrieksarbeider Xu Sanguan beseft wel dat hij met zijn leven
speelt door keer op keer bloed af te staan, maar hij weet van geen hiv, hij maakt
zich alleen zorgen om iets mythisch als zijn 'levenskracht'. Tekenend zijn wat
dat betreft de herhaaldelijke beschrijvingen van het bloed aftappen. In zijn
korte verhalen zou de jongere Yu Hua daar graag alle plastische details van
hebben gegeven, maar in deze roman laat hij het vanuit zijn personages zien, en
gaat alles gehuld in hun bijgelovige rituelen. Zo moet je van tevoren eerst zoveel
water drinken dat je blaas op knappen staan, om je bloed te verdunnen –
staaltje ondernemerschap – en achteraf meteen een deel van je geld uitgeven
aan gebakken varkenslever met rijstwijn in restaurant De Overwinning.

Het verhaal van Xu Sanguan is even simpel als zijn gedachten. In zijn jeugd
leert hij wat bloed verkopen is en in zijn volwassen leven grijpt hij steeds naar
dat middel als hij met zijn rug tegen de muur staat. Voor een schuldeiser, in
de hongersnood van de jaren zestig, voor een etentje om een ambtenaar te
paaien of een cadeautje voor de vrouw met wie hij een slippertje maakt ...
Het geld dat hij met zijn eigen bloed verdient, is strikt voor hem en de zijnen
bedoeld, dat wordt wel duidelijk wanneer hij weigert die dure centen te
besteden aan de zoon die zijn vrouw vermoedelijk van een ander heeft gehad.
Met zijn fabriekssalaris voedt hij de arme jongen wel op, maar een extraatje
van zijn 'bloedgeld', dat gaat hem te ver. Die boerse simpelheid wordt nog
versterkt doordat Yu Hua zijn personages bewust van buitenaf beschrijft,
zonder enige poging tot dieptepsychologie, net als in het traditionele Chinese
proza, dat ook meer door typen dan *round characters* wordt bevolkt. Ook de
ietwat vervreemdende toneelachtige dialoogvorm draagt daar op een mooie
manier aan bij. Toch wordt het verhaal er naar het einde toe wel wat al te
simpel op. Xu Sanguan verkoopt steeds vaker en met steeds kortere tussenpozen zijn bloed, tot aan de bloedstollende finale waarin hij het bijna om de
dag doet – om de ziekenhuisrekening van zijn onechte zoon te betalen. Dat is
op het sentimentele af, ook al suggereert Yu Hua op de laatste bladzijden net
als in *Leven!* dat één overwinning van tegenspoed nog geen 'eind goed, al
goed' betekent. Het is alsof Yu Hua zijn sympathie voor zijn personages, die
immers niet louter rekwisieten meer mochten zijn, alleen kan uiten door dit
soort melodrama, waar de Chinese literatuur sinds Ba Jin een patent op
schijnt te hebben. Zijn volgende roman laat dat nog scherper zien.

Na tien jaar stilte, waarin hij vooral essays schreef, kwam hij in 2005 en 2006
met de twee delen van *Broers*, een roman die in beide jaren de bestsellerlijsten
domineerde maar door de literaire kritiek werd neergesabeld. Opnieuw kiest
Yu Hua voor een historische tijdlijn: hij volgt twee broers vanaf de Culturele

Yu Hua
(© Owen Franken/Corbis/TCS)

Revolutie, jaren van geweld en repressie, tot aan de jaren tachtig en negentig, die in het teken staan van ongebreideld commercialisme. En hij legt parallellen tussen die twee tijdperken: om de waanzin van het narcistische consumentisme in China te begrijpen, lichtte hij in de *New York Times* toe, moet je de collectieve waanzin van de Culturele Revolutie begrijpen. Dat doet hij vooral door alles, op extremere wijze dan in *De bloedverkoper*, gaandeweg steeds maar uit te vergroten, zevenhonderdvijftig bladzijden lang – te lang, volgens vriend en vijand. Aanvankelijk slaan de broers zich samen door de gruwelen van de 'tien jaar chaos', die Yu Hua weer als vanouds in schrille kleuren schildert – al leiden zijn overdrijvingen volgens sommige critici tot historische onnauwkeurigheden. Maar daarna zien we de ene broer, een goeiige sul, aan hard werken ten onder gaan, terwijl de andere, een slimmerik, jong al een boefje, zo'n rijk zakenman wordt dat hij zich meldt als de eerste Chinese ruimtevaarttoerist. Maar de ruimte is tegelijk een vlucht voor hem, want van hoog boven de aarde treurt hij alleen maar om zijn overleden broer. Veel lezers vonden de zwartwitte geschiedenis van de broers een onvervalste tranentrekker, terwijl andere geamuseerd waren door de groteske vormen die de markteconomie bij Yu Hua aanneemt. En ja, beide kanten zitten aan de roman, een mengeling die je als lezer een ongemakkelijk gevoel kan bezorgen.

'In China laat ik mijn lezers huilen van ontroering', grinnikte Yu Hua in een interview tijdens zijn gastschrijverschap aan de universiteit van Iowa, 'tranen met tuiten, haha.' Het was alsof hij zich er zelf ook een beetje ongemakkelijk bij voelde – alsof de provocateur in hem nog altijd vecht met zijn hoe langer hoe mildere kant.

5

Partijleiders en bedrijfsleiders

Ik heb ze nog net meegemaakt, de oude Chinese staatsboekhandels. Kille lokalen met meer bedienden dan boeken. Bedienden in vale kantoorjasjes achter hoge toonbanken, die je voorzichtig moest vragen of ze een boek voor je uit de kast achter hen wilden pakken. Met norse onverschilligheid kwakten ze het dan meestal voor je neer, en als het niet was wat je zocht, moffelden ze het met een landerige zucht weer terug op zijn plek. Dat was begin jaren negentig. Sinds de eeuwwisseling verrijzen er in China boekhandels zo groot als warenhuizen, die uitpuilen van de tweehonderdduizend boeken die er inmiddels jaarlijks verschijnen – en van de drommen jonge lezers die de vele verdiepingen staand, hangend en hurkend gebruiken als bibliotheek. Dat zijn nu de mensen die je moet storen als je een boek uit het schap wilt pakken.

Boekenmarkt in Peking (foto auteur)

Boekhandel in Peking (foto auteur)

Die enorme 'boekentorens' of 'boekensteden', vaak nog altijd staatsbedrijven, zijn het zinnebeeld van een communistisch land waarin het kapitalisme vaak wildere vormen aanneemt dan in het Westen. Massaconsumptie, ook van het geschreven woord, is in het huidige China pas echt massaconsumptie – de paradox van de 'socialistische markteconomie', zoals het sinds 1993 in de Chinese grondwet heet. En de uitersten, politiek en commercie, liggen vaak dichter bij elkaar dan je denkt.

Neem alleen al het begin. Er is bijna een exacte datum vast te stellen waarop de moderne consumptiemaatschappij haar intrede deed in de Volksrepubliek China: 4 juni 1989 – de bloedige onderdrukking van de protestbeweging rond het Tiananmenplein in Peking. De voorafgaande jaren tachtig waren dankzij Deng Xiaopings opendeurpolitiek een periode van verhitte discussies over kunst en cultuur, van herontdekking van traditie en geschiedenis, en van experimenteerlust met westerse ideeën en literatuur. Ondanks enkele ouderwetse overheidscampagnes* tegen Geestelijke Vervuiling (1983-1984) en Burgerlijk Liberalisme (1986-1987), die echter al lang niet meer zo fel en destructief waren als voorheen, leek de politiek soms ver weg. Toch was niets minder waar: men praatte niet alleen over cultuur omdat de politiek het weer toestond, maar ook omdat het een manier was om indirect over politiek te praten. De mens zien tegen de achtergrond van een rijke, veelkleurige cultuur was – voor de goede verstaander – hem wegtrekken uit een enge klassenachtergrond. Als het écht over politiek ging, greep de overheid nog altijd in. De laatste keer dat dat pijnlijk duidelijk werd was bij de openlijke demonstraties om democratie, die uitmondden in de traumatische les van 'vier juni'.

Even werden alle monden gesnoerd, maar na een korte stilte werden de debatten over mens en maatschappij overstemd door discussies over de consumptiemaatschappij. De regering kwam dat niet slecht uit: praten over geld was altijd nog beter dan praten over politiek. Sterker nog, rijk worden werd voortaan aangemoedigd, vooral sinds de altijd pragmatische Deng Xiaoping begin 1992 met een goedkeurende blik de wolkenkrabbers inspecteerde die in de 'speciale economische zone' Shenzhen bij Hongkong in acht jaar uit de grond waren gestampt. Maghiel van Crevel vatte het in zijn inauguratierede als Leidse hoogleraar Chinese taal- en letterkunde in 2000 als volgt samen: waren de jaren tachtig het decennium van de geest, dan waren de jaren negentig het decennium van het geld – met daartussenin dat kortstondige moment van geweld.

De onmiddellijke gevolgen voor de literatuur waren inderdaad gewelddadig – scherpere controle door de overheid, schrijvers die in ballingschap gingen – maar de veranderingen voor de iets langere termijn lagen meer op economisch vlak. Door de toenemende welvaart brak de populaire cultuur, die onder Mao eigenlijk nauwelijks bestaan had en ook in de jaren na zijn dood nog weinig voorstelde, nu echt door. Voor sommige intellectuelen was het een schok: nu tv, kungfuromans en popmuziek de dienst gingen uitmaken, zagen zij hun eens zo vooraanstaande rol gemarginaliseerd. In de bevlogen jaren tachtig had het geleken alsof het woord 'elitair' niet bestond, maar nu kregen zij dat etiket opgeplakt. Voor andere, nog ongevestigde schrijvers bood de nieuwe situatie juist kansen, en zij ontpopten zich als trendsetters voor de toekomstige boekenmarkt. De carrières van Wang Shuo en Jia Pingwa laten mooi zien hoe hoog én laag met die nieuwe realiteit te maken kregen.

LITERAIRE VANDAAL, LITERAAT IN VERVAL

Wang Shuo (1958) begon halverwege de jaren tachtig als schrijver van sociaal bewuste detectiveverhalen, een toen nog tamelijk onontgonnen genre in de Volksrepubliek, en hij greep tegelijkertijd de nieuwe, zij het nog beperkte mogelijkheden voor vrij ondernemerschap aan om zich zelf in allerhande kruimelhandel te begeven. Omdat het hem in de harde zakenwereld niet

Wang Shuo
(© Sabine Peschel)

lukte, zei hij eens, besloot hij zijn marketingprincipes uiteindelijk maar eens op de literatuur los te laten. Met bravourige, meesmuilende uitspraken als 'ik weet wat de massa's willen, ik dien pas echt het volk' wist hij serieuze schrijvers uit de tent te lokken. Met name zijn lijfspreuk à la Herman Brusselmans, 'als men schrijver wordt, moet er ook geschreven worden', was vloeken in de kerk – hij legde zichzelf een strak quotum woorden per dag op, beschouwde zijn schrijverij als winkeltje en wist in 1992 al een vierdelig verzameld werk bijeen te onderhandelen, iets wat voor een jonge schrijver als hij destijds ongekend was. 'De Vier Delen' werden die in een mum van tijd uitverkochte boeken gekscherend genoemd, de gebruikelijke term voor de verzamelde werken van Mao Zedong.

De reden waarom hij het establishment zo op de kast kon jagen was, volgens mij, dat hij simpelweg nooit de pulpschrijver is geworden waarvoor men hem uitmaakte. In de eerste plaats was hij geen pure misdaadschrijver, hoewel misdaad in veel van zijn boeken een aanzienlijke rol speelt. Wang bezag misdaad liever van de andere kant, die van de 'dader', die hij dan ook eerder zag als een normaal en hem sympathiek persoon dan als iemand die door de wet gepakt moest worden. Dat had misschien te maken met het feit dat hij er voor zijn schrijverscarrière zelf al een aardige loopbaan als kleincrimineel op had zitten. De bestempeling van zijn werk als 'vandaalliteratuur' leek dan ook voornamelijk op morele afkeuring gestoeld – voordat het een geuzennaam werd, die nog vele jonge epigonen zou voortbrengen.

Veel van Wangs personages zijn jonge werklozen die hun inkomsten uit de criminaliteit halen en hun tijd doorbrengen met kaartspelen en vrouwen versieren, als ze niet met hun vlotte babbel een diender der wet om de tuin moeten leiden. Zo ook in de roman *Spannend spel* uit 1989, een titel die past bij het genre van de thriller of 'mystery novel', zoals de ondertitel van de Engelstalige uitgave *Playing for Thrills* luidde. Fraai of niet, de titels van beide vertalingen dekken samen wel de lading: de Chinese titel betekent letterlijk 'zolang je hart er maar sneller van gaat kloppen', en inderdaad draait alles in het boek om spel. Verteller Fang Yan wordt verdacht van een moord die tien jaar geleden heeft plaatsgevonden; hij schijnt de laatste te zijn die het slacht-offer heeft gezien, maar hij kan zich niets meer herinneren. Aangemoedigd door opvallend welwillende rechercheurs begint hij vrienden en kennissen af te gaan met de vraag of zij nog weten wat hij toentertijd allemaal uitvoerde. Ook al lijkt hij zijn speurtocht soms serieus te nemen – 'als ik mijn verleden niet uitpluis ... gaat mijn kop eraf' – toch blijkt ook al snel dat hij die als een spel gaat zien, waarin hij tot zijn genoegen zelf de hoofdrol kan spelen. Als er even geen schot in de zaak zit, is hij ook bereid zichzelf maar aan te geven – totdat iemand hem weer een aanwijzing komt aandragen.

De vele verhalen die hij over zichzelf te horen krijgt, en die hij met geamuseerde verbazing aanhoort, zorgen eerder voor meer verwarring dan voor opheldering over zijn persoon. Bovendien compliceert Fang alles ook nog eens met zijn eigen onbetrouwbare bijdragen. Fang Yan is een notoir prater, grappenmaker en fantast, die iedereen graag voorhoudt dat hij liegt. En daarbij komen zijn veelvuldige dromen (of dagdromen, of dronkenschaps-roezen), die heden en verleden naadloos in elkaar over laten lopen. Ook personages gaan in elkaar over, worden uitwisselbaar: mensen worden voort-durend voor anderen aangezien en veranderen van naam. Want wat mensen betreft, is Fang nu eenmaal vergeetachtig: het is dat hij nog weleens over het Tiananmenplein wandelt, anders wist hij niet eens meer of voorzitter Mao zijn haar achterovergekamd had of in een scheiding. Toch zijn het geen vrijblijvende spelletjes die Wang Shuo speelt. Ten eerste omdat je alle ver-halen wel goed moet blijven lezen, want bijna niets staat er voor niets, net als bij een klassieke speurdersroman. Dat het relaas in de eerste persoon gesteld is, maakt het spel met ambiguïteiten overigens alleen maar spannender en overtuigender: je zit als het ware in het hoofd van de hoofdpersoon die maar niet dichter tot zichzelf kan komen, en juist daardoor kom je als lezer misschien wel dichter bij de vraag of het zoeken naar identiteit überhaupt wel een doel heeft.

Daarbij komt Wang Shuo's veelgeroemde taalgebruik. Ouwehoeren is bij hem ook echt ouwehoeren: de roman, die voor zeven à acht tiende uit dialoog bestaat, heeft vaart. Wangs personages bezigen het oliegladde Pekingslang, dat Lao She vijftig jaar eerder al romanfähig maakte, en sorteren in eindeloze taalgrappen, waarbij het hun specialiteit is het officiële partijjargon onderuit te halen. Rond de kaarttafel beschouwt Fangs vriendenkring zich bijvoorbeeld graag als een kleine partij, die laatkomers royeert en vrouwen automatisch opneemt als ze er mooi uitzien, of ze nu lid willen worden of niet: 'Als jij likt aan dat lid van mij, maak ik jou lid van mijn partij.' In grote politieke problemen is Wang Shuo door dat soort satire nooit gekomen – dat kwam hij pas toen hij zijn 'ondermijnende activiteiten' naar veel invloedrijkere (en winstgevendere) media overbracht. De verfilmingen van zijn boeken, waaraan hij zelf meewerkte, zijn herhaaldelijk verboden geweest, maar dan toch veeleer om de 'vandalistische' levensstijl van de protagonisten: hun zorgeloze gebrek aan moraal, hun tegenspreken van oom agent of van het vaderlijk gezag, zoals in Wangs autobiografisch getinte roman *Ik ben je vader*. Deze generatie bittere levensgenieters zijn grofweg de jongere broertjes en zusjes van de in hun idealen gefrustreerde Rode Gardisten. Ze groeiden op tijdens de nasleep van de Culturele Revolutie en hebben het leven zonder geloof of hoop, maar met bijvoorbeeld vrije seks, dat ze van hun oudere broers en zussen erfden, dubbel zo hard voortgezet. Dat uitgerekend zij in hun alledaagse taaltje met de politiek een loopje namen, suggereerde dat dit uitschot juist het product was van de socialistische maatschappij … En zo speelde Wang ook buiten zijn boek een serieus spel met het partijgezag, dat immers weinig kon aanvangen met een dergelijke ironie.

Het is wat dat betreft opvallend te noemen dat het eerste grote literaire schandaal van de na-Maose periode niet Wang Shuo ten deel viel, maar Jia Pingwa – een schrijver die in alle opzichten zijn tegenvoeter was. Jia Pingwa (1952) werd begin jaren tachtig bekend als nostalgisch chroniqueur van zijn geboortestreek in de provincie Shaanxi, vlak bij de stad Xi'an, bekend van het nabijgelegen terracottaleger van de Eerste Keizer van China. In een wat klassiek aandoende stijl beschreef Jia het hedendaagse plattelandsleven, en vanwege het licht vervreemdende effect daarvan noemde Han Shaogong hem indertijd een goed voorbeeld van de 'zoektocht naar wortels'. In zijn latere romans liet Jia zich steeds meer kennen als een wat anachronistische literaat, die zich vanuit zijn woonplaats in de grote stad Xi'an zorgen maakt over het verdwijnen van de oude Chinese cultuur op het boerenland, waarmee hij zich nog altijd zei te identificeren. Een thema dat hem overigens tot op de dag vandaag een van de meest gelezen schrijvers van China heeft gemaakt. Het was daarom voor velen een verrassing toen hij in 1993 voor het eerst met een roman kwam over het grootsteedse leven, dat hij bovendien, in tegenstelling tot zijn bedreigde maar toch nog altijd tamelijk arcadische platteland, als een poel van verderf afschilderde. Het kwam de respectabele man uiteindelijk zelfs op een officieel publicatieverbod wegens 'pornografie' te staan. Jia had een diepe knieval gemaakt, heette het algauw, hij zou op geld uit zijn door zijn boek vol te stoppen met ordinaire seks.

Ikzelf was op mijn beurt verrast toen ik *Vervallen stad,* in Frankrijk bekroond met de Prix Fémina 1997, uiteindelijk opensloeg. Aangenaam verrast welteverstaan, omdat het niets had van de verontwaardigde geruchten die er de ronde over deden. Integendeel, als het boek iets is, is het een even vileine als zwierige aanklacht tegen de verregaande commercialisering van de Chinese maatschappij. De vervallen stad uit de titel is de fictieve metropool Xijing ('westelijke hoofdstad'), die onmiskenbaar staat voor de historische Chinese hoofdstad Xi'an ('westelijke vrede'). De titel kan in het Chinees zowel 'gewezen hoofdstad' als 'stad in verval' betekenen, en beide connotaties zijn hier van toepassing: het is de vergane glorie van de oudste cultuurstad van China die Jia Pingwa hier toont, en het zijn bij uitstek de klassieke intellectuelen die het zover hebben laten komen.

De roman draait om Jia's alter ego Zhuang Zhidie, de beroemdste schrijver van de stad, en een aantal van zijn aristocratische vrienden, die hun status geheel aan hun afkomst en hun hoogwaardige, culturele hobby's hebben te danken. Stuk voor stuk houden ze zich bezig met aloude kunsten als kalligrafie of opera, of anders wel met het verzamelen van antiek of oude boeken. Fijntjes laat Jia echter zien hoe deze heren van stand steevast alles te gelde maken: de een verhandelt schaamteloos zijn dure erfstukken, de ander doet in valse kunst of heeft een zoon die schilderijen verpatst voor drugs. En elke op een straathoek opgeduikelde potscherf uit een lang vervlogen dynastie wordt op zijn financiële waarde geschat. Schrijver Zhuang Zhidie komt oorspronkelijk van het platteland (net als Jia Pingwa) en heeft zich een plaatsje in die wereld moeten veroveren – onder meer door de juiste partij te trouwen. Maar inmiddels blaast hij een lustig deuntje mee. Hij ziet geen been in het schrijven van een lovend krantencolumnpje voor het louche pesticidenbedrijf van een kennis, en ook in de politiek kent hij de weg, want de burgemeester wordt graag met deze lokale vedette gezien. Alleen een raadselachtige koe, waarmee Zhuang de hele roman door een soort magisch-realistische gesprekken houdt, herinnert hem telkens aan zijn eenvoudige afkomst, is zijn levende symbool voor de onbedorven natuur.

Alle figuren in het boek zijn enigszins karikaturaal, maar vooral de hoofd-

Bladzijden uit *Vervallen stad* van Jia Pingwa, met de kenmerkende witte hokjes (Beijing 1993).

persoon is *larger than life*, zeker wat zijn relaties met vrouwen betreft: ze vallen bij bosjes voor hem, deze kleine, corpulente, nog altijd wat boerse man van middelbare leeftijd. De amoureuze avonturen van onze grote schrijver zouden een nogal hoog soapgehalte hebben, als Jia Pingwa niet in een treiterig gebaar naar de censor alle seksscènes consequent had vervangen door blanco tekstblokjes met de toevoeging 'hier zijn zo-en-zoveel schrifttekens weggelaten'. Op een gegeven moment kun je alleen nog maar aan het *aantal* weggelaten woorden afleiden hoe intens de liefde wordt bedreven, want soms zijn het er hooguit tien, maar elders een paar honderd. Knap dat de autoriteiten Jia toch nog beschuldigd hebben van pornografie, die juist niet bestaat bij de kunst van het verhullen.

Ik liet het woord 'soap' vallen, en daarvan heeft de roman in zijn geheel wel wat weg; al houdt Jia het als ervaren schrijver meestentijds goed in de hand. Als in een traditionele roman gaat hij kalmpjes van scène tot scène, en neemt hij uitgebreid de tijd om via allerlei personages het gedegenereerde stadsleven in te kleuren. Niet zelden met een satirische noot: zo helpt Zhuang Zhidie ergens een jonge, pas afgestudeerde studente aan een baan in een project voor het aanleggen van moderne openbare toiletten – haar hoge hakken komen goed van pas in de overstroomde oude latrines. Slechts een flinterdun verhaallijntje moet ons tussen dat alles door naar het einde van de roman leiden: een persschandaal en een rechtszaak over een vroegere verhouding drijven hem naar zijn ondergang. Wanneer Zhuang zijn penseel aan de wilgen wil hangen, merkt hij dat hij daarmee ook zijn invloed en zijn status, zijn hele zelf, verliest. Als een klassieke literaat besluit hij zich dan uit het openbare leven terug te trekken en als kluizenaar te gaan leven op het land – maar ook dat vredige doel lijkt uiteindelijk onbereikbaar. Zijn geliefde koe had het hem al voorspeld: de mensheid gaat aan al het stedelijk kwaad ten onder. En met die niet mis te verstane moraal van het verhaal past ook dit grotestadsboek tenslotte perfect in Jia's oeuvre.

Dat laatste leken veel lezers niet te zien, net zomin als de ironie van Jia's zelfportret. In plaats daarvan speculeerde men over de hoge rechten die hij bij de uitgever bedongen zou hebben, en over de vraag of het boek hem nu echt zijn huwelijk had gekost. *Vervallen stad* werd zo de eerste mediahype van de hedendaagse Chinese literatuur: het verkocht naar verluidt een half miljoen exemplaren in een half jaar, totdat de overheid begin 1994 ingreep, vermoedelijk juist omdat de hype te veel aandacht genereerde. De uitgever werd beboet en het boek heeft nooit meer in de winkel gelegen, maar de auteur zelf bleef buiten schot. Jia Pingwa kon algauw weer terug naar zijn oude stiel, de plattelandsroman, met als enige verschil dat die hem voortaan beduidend meer geld opbrengt.

Ook tegenpool Wang Shuo kon ongestoord zijn imperium uitbouwen, onder meer op internet, waar hij in een blog zijn schelmennaam ophoudt door van tijd tot tijd een literaire reputatie te kraken – zonder aanzien des persoons overigens: noch Jin Yong, de Hongkongse koning van de kungfuroman, noch vadertje Lu Xun zijn bij hem heilig, of veilig. De gevallen van Wang Shuo en Jia Pingwa zetten de toon voor de jaren erna. De commercialisering leek geen grenzen te kennen, maar de grenzen van de censuur moesten nog telkens worden opgezocht. Dat bleek wel in 2005, toen het meest zorgvuldig georkestreerde marketingsucces en het strengste censuurgeval sinds jaren zich nagenoeg gelijktijdig voordeden.

WOLF EN VOLK

Vanaf het moment dat Deng na Mao's dood de politieke touwtjes enigszins liet vieren, werd marktwerking in de kunsten in feite al toegelaten, zo niet gestimuleerd. In de jaren tachtig begon de overheid zelf al met het uitkleden van de Schrijversbond, tot dan toe voor de meeste auteurs een felbegeerde 'ijzeren rijstkom'. De politiekewaakhondfunctie van het orgaan nam toch al af, en het was voor de staat financieel niet meer rendabel om voor zoveel 'culturele arbeiders' huisvesting en andere sociale voorzieningen te betalen. De bond werd zo hoe langer hoe meer blootgelegd als een simpele carrière-machine. Mo Yan, die zich altijd tamelijk afzijdig van officiële kringen heeft gehouden, gaf in 2004 in *de Volkskrant* fel af op het systeem. 'Iedereen die ook maar een beetje kan schrijven, krijgt van de bond een salaris en een woning', zei hij cynisch. 'Vervolgens maakt het niet uit of je een dag niet schrijft, of helemaal niet meer schrijft, je bent gewoon een ambtenaar ge-worden. Met dat systeem kweek je geen onafhankelijke geesten. Als je het mij vraagt heeft het zijn langste tijd gehad.'

Al bleven degenen die de maatschappelijke functie van literatuur hoog-hielden hun gesubsidieerde status vanzelfsprekend vinden, steeds meer schrij-vers keerden de instelling de rug toe zodra ze zelf van de pen konden gaan leven; met name voor de jongere generatie werd klein-ondernemerschap haast een vanzelfsprekendheid. Schrijver Zhu Wen (1967) hield in 1998 een enquête waarbij op de vraag 'wat betekent de Schrijversbond voor u' ant-woorden kwamen als 'openbaar badhuis'. Sinds de jaren negentig lijkt de Chinese boekenmarkt in bepaalde opzichten ook wel commerciëler geworden dan de westerse: auteurs kennen geen enkele uitgeverstrouw, ze geven elk nieuw boek bij een ander uit, de hoogste bieder welteverstaan, bij wie ze bovendien kortlopende contracten bedingen, zodat het heel gewoon is dat dezelfde titel binnen een paar jaar in meerdere uitgaven in de winkel ligt. Of de literatuur er beter bij vaart blijft onderwerp van debat. Er wordt gepraat over de 'censuur van de markteconomie', die serieuzere literatuur geen kans geeft, en er wordt geklaagd over broodschrijvers, die door hun hoge productie geen boodschap meer aan kwaliteit zouden hebben. Dat laatste is overigens een reden waarom sommige bestsellerauteurs het bondlidmaatschap toch blijven ambiëren, omdat het hoe dan ook een bepaalde *literaire* erkenning met zich meebrengt. De bond werkt er uit lijfsbehoud aan mee: in 2007 liet hij een jonge schrijver van extreem populaire jeugdromantiek toe uit hoofde van zijn 'brede lezerschap', wat toch wel een erg mager socialistisch principe mag worden genoemd.

Niet alleen de bond, de gehele, nog altijd genationaliseerde boekenindu-strie begon scheurtjes te vertonen. Privéboekhandels werden al langer toege-staan, op het gevaar af dat de staat de controle over de distributie van boeken daarmee enigszins uit handen gaf. Maar alle uitgeverijen, ruim vijfhonderd-vijftig in het hele land, bleven staatsbedrijven. Wel ontstond er een grijs

gebied, het zogenoemde tweede kanaal, waarin bedrijfjes uit de culturele
sector die zich voor de wet niet met uitgeven mogen bemoeien (ze hebben
geen recht op drukpers of ISBN) toch onmisbare schakels in de productieketen werden. Ze traden gewiekster en vaak met meer vakkennis op dan de
logge staatshuizen, die vanwege gegarandeerde afname door overheidsorganen
nooit echt als een bedrijf hadden leren opereren. Op die manier konden ze
hun jarentachtigimago van illegale pornoverkopers algauw van zich afschud-
den en begonnen ze uitgeverijen van interessante (buitenlandse) titels of
innovatieve marketingmethoden te bedienen. Yu Hua's roman *Leven!*, bijvoorbeeld, had toen die in 1993 voor het eerst uitkwam zo'n tienduizend
exemplaren verkocht – goed voor die tijd, maar niet zoveel als je zou verwachten gezien de succesvolle verfilming door Zhang Yimou (die in China
dan wel verboden was, maar de auteur toch internationale standing had
bezorgd). Vijf jaar later, in 1998, dokterde een dealer uit het tweede kanaal
een hippe *repackaging* uit, waarna de verkoopcijfers opeens naar tweehonderdduizend schoten.

De bestsellercultuur was geboren, en die liet zich algauw het sterkst gelden
onder jongeren; *zij* zitten immers vooral in die boekentorens. Han Han
(1982) debuteerde in 2000 op zeventienjarige leeftijd met zijn 'schoolroman'
De drie poorten, waarvan binnen twee jaar een miljoen exemplaren werden
verkocht, in vijfenveertig drukken, terwijl een Chinese uitgever met twintig-
duizend exemplaren al dik tevreden is. De goedogende Han Han werd een
tieneridool, die zijn school niet afmaakte en zich voortaan het liefst liet
fotograferen in zijn outfit van autocoureur – de hobby waarin hij zich met
zijn verdiende geld kon uitleven. Achter die snelle jongen ging niettemin een
belezen schrijvertje schuil. *De drie poorten* is een snerende kritiek op het
Chinese schoolsysteem: een jonge, spottende wijsneus betrapt zijn leraren
er telkens op dat ze vergeten zijn hoe ze een bepaald karakter uit een klassieke
tekst moeten schrijven, terwijl hij zelf grossiert in verwijzingen naar die klassieken. Toch loopt het verhaal over de scholier die 'de drie poorten' van de
drie klassen van bovenbouw moet passeren, uit op een voorspelbare liefdesgeschiedenis met het nodige pubersentiment. Dat laatste zie je dan ook het
meest onder Han Hans generatiegenoten, het is zelfs het specialisme van zijn
medemultimiljonair Guo Jingming (1983), die niet alleen schrijver is van
romantische verhalen, met vaak een fantasycomponent, maar ook succesvol
producent van een podium voor die jongerenliteratuur, het trendy tijdschrift
Island. Net als Han Han is hij een superster die als van nature gedijt in de
nieuwe markteconomie – en die zich, zie boven, ook nog eens een plaatsje in
de Schrijversbond wist te verwerven.

Toch kwam het voorlopige hoogtepunt van de bestsellercultuur uit onverwachte hoek. Niet een hippe stadsjongen wist Dan Browns *Da Vinci Code* van
de eerste plaats op alle toptienen te stoten, maar een anonieme, zestigjarige
professor met een boek over de mens en zijn plaats in de natuur. *Wolventotem*
van het pseudoniem Jiang Rong, verschenen in 2004, verkocht een miljoen
exemplaren in het eerste jaar, aanzwellend naar vier miljoen in 2007, als je de
berichten mag geloven. Volgens sommige bronnen is het zelfs het best ver-
kochte boek sinds Mao's rode boekje, al was dat uiteraard geen product van
de vrije markt. Het bewoog uitgeverij Penguin ertoe in 2005 een bod van
100.000 dollar te doen op de Engelse vertaalrechten, hetgeen voor een Chinese roman internationaal weliswaar ongekend was, maar binnen China al
eerder vertoond. Schrijfster Annie Baby (1974), chroniqueur van het eenzame
stadsleven, beroemd geworden op het internet, boekte omstreeks dezelfde tijd
een voorschot van omgerekend 200.000 euro voor haar nieuwe roman *Pad-
ma*.

Jiang Rongs lijvige boek is een geromantiseerd volkenkundig verslag van
zijn verblijf in Binnen-Mongolië, waar hij tijdens de Culturele Revolutie als
student tewerk was gesteld. Gebaseerd op zijn jarenlange observatie van de
nomaden en de wolven op de steppe, ontwikkelde hij een soort cultuurkri-
tiek: de Chinezen zouden zich van hun makkelammerengeest moeten bevrijden en een voorbeeld moeten nemen aan wolven, zoals het Mongoolse jagers-
volk dat doet. Alleen zo'n volk had immers de grote veroveraar Djengis Khan
kunnen voortbrengen, terwijl de sedentaire boerensamenleving van China
smoorde in angstvallige behoudzucht. Erg subtiel wordt die boodschap niet
overgebracht; Jiang Rong gebruikt zijn personages louter als spreekbuis voor
zijn nogal magere theorieën. De oude schaapherder Bilgee pepert de jonge
student Chen – ongetwijfeld Jiangs alter ego – tot treurens toe in dat wolven
slimmer en sluwer zijn dan mensen, en dat 'jullie Chinezen toch niet kunnen
begrijpen' waarom de nomaden deze dieren als een totem vereren. De stadse
Chen speelt op zijn beurt de rol van de romantische intellectueel, die de
Mongoliërs vol bewondering afschildert als 'nobele wilden'. Maar ook hij
moet uiteindelijk moedeloos toekijken hoe de Chinese machthebber uit Peking de heroïsche paardrijders toch kleinkrijgt, en door zijn moderniserings-
drift een ecologische ramp aanricht: de grootscheepse verwoestijning van de
mooie grasvlakten. Dat landschap kan Jiang bij vlagen meeslepend beschrijven, in een stortvloed van details, maar dat alleen is wel wat pover voor de
eerste Man Asian Literary Prize die het boek eind 2007 in Hongkong won,
voor de beste, nog onvertaalde Aziatische roman.

Al ruim voor die tijd had *Wolventotem* in China geleid tot lucratieve spin-

offs voor kinderen en populaire boeken over 'wolvenmentaliteit voor mana-
gers', waarmee van een zuiver literair succes al snel geen sprake meer was.
Over het marketingsprookje deden wilde verhalen de ronde. Zo zou de
uitgever zelf boeken opkopen bij grote boekhandels om zo hoger op de
bestsellerlijsten te komen. En wat ook geholpen zou hebben, was dat de
populaire, boomlange basketballer Yao Ming, wiens autobiografie door hetzelfde uitgeefconcern was uitbracht, bij geen enkel interview vergat te melden
dat hij bij zijn Amerikaanse NBA-succes toch ook wel erg geïnspireerd was
door de wolvenmentaliteit uit het boek van Jiang Rong – waarmee ook in één
klap het enorme jongerenpubliek weer werd bereikt.

Een dergelijke positieve boodschap voor de jeugd, evenals de onschuldige
scholierenromantiek van Han Han en de zijnen, zal de censor niet gauw uit
zijn sluimer wekken. Het wordt te midden van al dat moderne mediageweld
natuurlijk ook moeilijker om alle publicaties – ruim tienduizend literaire
titels per jaar, waaronder zo'n duizend nieuwe – in de gaten te houden.
Maar dat ligt wel anders wanneer er in overheidsogen sprake is van jeugd-
bederf, zoals bij Wei Hui's schandaalroman *Shanghai baby,* die in 2000 door
de seksueel expliciete scènes zo'n ophef maakte dat de censuur, net als bij Jia
Pingwa, alsnog in actie kwam, juist omdát het zo'n commercieel succes werd.
Shanghai baby, nota bene geproduceerd door de sterredacteur die later *Wolventotem* zou 'maken', was een heropleving van het oude Shanghai: sexy
romantiek en modern kosmopolitisme, oftewel, vertaald in partijtaal: decadentie en horigheid aan de westerse cultuur. Het boek werd verboden en de
verkoopteller bleef steken op een 'schamele' paar honderdduizend, wat overigens ruimschoots werd goedgemaakt door opportunistische pirateneditties –
een ware plaag in China – en overhaaste vertalingen wereldwijd. Toch zijn de
gevolgen van zo'n ban niet mis. In een interview met *Het Parool* somde Wei
Hui in 2001 de maatregelen op: de auteur mocht een tijd haar vak niet
uitoefenen, de uitgeverij ging zes maanden dicht, de directeur moest zichzelf
in lange vergaderingen bekritiseren, direct betrokken personeel werd ont-
slagen en van anderen werden salarissen opgeschort. Van het boek, ten slotte,
zouden veertigduizend exemplaren publiekelijk zijn verbrand, maar dat ge-
rucht ontkrachtte de schrijfster al meteen: de oven was in dit geval waarschijnlijk gewoon goedkoper geweest dan de versnipperaar.

In veel gevallen echter komt het niet tot zo'n dramatische operatie. Vaak
genoeg worden in China boeken verboden door middel van een kort telefoontje, waarin een ambtenaar de uitgever vriendelijk doch dringend verzoekt
het bewuste boek niet te herdrukken en er geen reclame meer voor te maken.
Al uitgezette exemplaren hoeven dan soms niet eens uit de boekhandels te

worden teruggehaald; het grote publiek merkt er amper iets van. Men moet zich de Chinese censuur dan ook niet voorstellen als een groot kantoor vol ambtenaren die alles lezen voordat het verschijnt en met rode stempels verboden uitvaardigen. Het is eerder een fijnvertakt systeem van gedelegeerde verantwoordelijkheden, dat niet werkt met duidelijke richtlijnen maar met algemene, soms ronduit vage aanwijzigen die uitgevers en schrijvers ertoe nopen hun eigen afwegingen te maken. Literatuur moet 'bijdragen aan de bevordering van de economische en sociale ontwikkeling van China' en 'maatschappelijke vooruitgang en harmonie weerspiegelen', zei premier Wen Jiabao* in 2006 bijvoorbeeld nog. Door dreiging en onvoorspelbaarheid kan de censor het vaak zonder daadwerkelijke sancties stellen, alleen al door de wijdverbreide zelfcensuur die een dergelijk optreden in de hand werkt. Soms nemen uitgevers het zekere voor het onzekere en melden hun voorgenomen publicatie aan voor 'goedkeuring', maar in andere gevallen blijft de status van een boek tot het einde toe onduidelijk, zoals Mo Yan in 2004 in *de Volkskrant* vertelde.

Zijn roman *Grote borsten, brede heupen* verscheen eind 1995 en won begin 1996 direct een prijs. 'Maar liefst 100.000 yuan (10.000 euro),' aldus Mo Yan, 'destijds veel geld, zeker voor de gemiddelde Chinees. Bovendien was het geen staatsprijs maar een nieuw ingestelde particuliere prijs, die sowieso al het stigma "commercieel" hebben. Daarna werd ik meteen aangevallen in de pers: ik zou met de titel alleen op sensatie uit zijn, met seks de verkoop willen aanwakkeren!' In het geval van Mo Yan liepen de spanningen snel op omdat hij bij het leger en dus bij de overheid werkte – Mo Yan is het kopstuk van de prestigieuze Kunstopleiding van het Bevrijdingsleger, 'een erfenis van het revolutionaire verleden', zoals hij het zelf omschrijft, toen kunstenaars ook als strijders voor het communisme werden gezien. 'Op een gegeven moment werd er in allerijl een politieke onderzoekscommissie ingesteld, bestaande uit de collega's van mijn eenheid, die het boek in één avond van commentaar moesten voorzien. Ieder kreeg een hoofdstuk te lezen, waarna de bevindingen bij elkaar werden gelegd. Ik moest een zelfkritiek schrijven. Maar die werd netjes voor mij opgesteld en ik hoefde hem alleen maar te ondertekenen. Goed, zei ik, ik teken wel, dan kunnen jullie tenminste gaan slapen.' Niet lang daarna stapte Mo Yan uit zijn militaire functie. De materiële omstandigheden waren goed, zijn salaris hoog, maar dat wilde hij graag opgeven voor zijn creatieve vrijheid. Het boek zelf heeft vervolgens zeven jaar lang niet kunnen verschijnen, al is het volgens Mo Yan eigenlijk nooit echt verboden geweest: 'Het hing af van mijn "opstelling", zeiden de autoriteiten. Hoe moet ik me dan opstellen? vroeg ik. Het kwam erop neer dat ik zelf een brief moest schrijven aan de uitgever om hem af te raden het boek uit te geven. Uiteindelijk heb ik het begin 2003 stilletjes laten uitbrengen. Als we er geen publiciteit aan geven, zei ik tegen een uitgever die het inmiddels wel aandurfde, kraait er vast geen haan naar. En inderdaad, het ligt nu gewoon in de winkels. China is erg veranderd: als dit twintig, dertig jaar geleden was gebeurd, had ik hier nu niet gezeten.'

Toch kon het in 2005, terwijl *Wolventotem* alle verkooprecords brak, gebeuren dat Yan Lianke voor zijn roman *Dien het volk* het zwaarste verbod in jaren kreeg opgelegd. Yan Lianke (1958), ook in dienst van het leger, had vanwege zijn militaire functie al een aantal malen hetzelfde meegemaakt als Mo Yan. Verschillende romans waarin hij het revolutionair en militair heldendom had ontluisterd (naar eigen zeggen had hij zijn hoofdpersonen alleen maar wat menselijker gemaakt) waren een tijd uit de schappen gehouden, of de problemen werden tijdig gesust door de uitgever. In 2004 had hij, wederom net als Mo Yan, onder druk zijn ontslag bij het leger genomen, nadat hij met zijn groteske communistische satire *Welbehagen*, goed voor de Pekingse Lao Sheprijs*, opnieuw in opspraak was gekomen. Begin 2005, ten slotte, was zijn erotisch-politieke satire *Dien het volk* – genoemd naar Mao's heilige revolutionaire leuze – alleen nog maar in verkorte, gekuiste vorm in een tijdschrift opgenomen of de novelle werd met twee schriftelijke verklaringen, een van het ministerie van Propaganda en een van het Staatsbureau Pers en Publicatie, in de ban gedaan. De uitgevers van Jia Pingwa en Wei Hui hadden naar verluidt alleen een brief van het iets lagere Staatsbureau Pers en Publicatie ontvangen. Alle pers, distributeurs en uitgeverijen kregen daarop langs officiële weg te horen dat *Dien het volk* 'niet verspreid, herdrukt, besproken, geciteerd of vermeld' mocht worden. Het tijdschrift werd uit de handel genomen, de verantwoordelijke redactrice op non-actief gesteld, bonussen van werknemers bevroren, en de directeur van de Kantonese uitgeverij moest zich tot op het hoogste niveau in Peking voor zijn dwaling komen verantwoorden. De tekst zelf ging 'ondergronds' op internet en kon in het Chinees alleen worden uitgegeven in Taiwan, Hongkong en Singapore – zoals dat gaat met verboden boeken.

Die snelle en felle overheidsreactie had alles te maken met het feit dat Yan Lianke de beroemde spreuk van Mao Zedong als uitgangspunt voor zijn boek had genomen. De oproep Dien het volk!, afkomstig uit een artikel van Mao uit 1944, nog voor zijn machtsovername, groeide in de jaren vijftig en zestig uit tot het 'hoogste devies' van het Maodenken en prijkte als zodanig, in Mao's hoogsteigen handschrift, op de muren van vele overheidsgebouwen. Al zie je de leus vandaag de dag veel minder in het straatbeeld dan toen, het

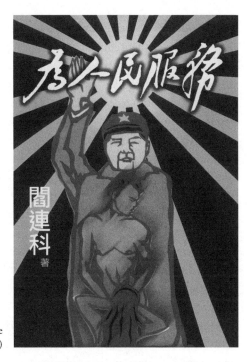

Taiwanese uitgave *Dien het volk*, Yan Lianke
(Maitian 2006)

begrip is nog altijd gemeengoed. Politie en leger werven er nog steeds mee en voor veel jonge rekruten is het volk dienen een eer en een plicht. Voor anderen, die denken aan de misstanden die het maoïstisch regime in naam ervan heeft begaan, is het een holle frase geworden, terwijl de term ook gerust met een knipoog wordt gebezigd: zo heb je in Peking tegenwoordig een hip Thais restaurant dat Dien Het Volk heet.

Yan Lianke ging veel verder dan een knipoog; en ook veel verder dan Wang Shuo's olijke maograpjes van vijftien jaar daarvoor. In zijn boek wordt tijdens de Culturele Revolutie een voorbeeldige soldaat van boerenafkomst, even doorkneed in partijretoriek als in kookkunst, aangesteld als persoonlijke ordonnans in het huishouden van zijn commandant. Wanneer de commandant op reis moet, probeert zijn aantrekkelijke, jonge vrouw de ordonnans te verleiden. Door middel van een bord met DIEN HET VOLK erop laat ze hem weten dat zijn diensten niet alleen in de keuken maar ook in de slaapkamer zijn gewenst: om het volk te dienen moet hij zijn commandant dienen, en om zijn commandant te dienen moet hij de commandantsvrouw van alle gemakken voorzien: 'Vooruit, dien het volk, uitkleden jij!' De gezagsgetrouwe soldaat geeft na enige aarzeling toe en uiteindelijk brengen ze zeven dagen en nachten tussen de lakens door, waarbij hun lust het toppunt bereikt door het verbrijzelen van een gipsen beeld van Mao en het verscheuren van zijn

Verzamelde werken, waarna uiteindelijk alle huisraad met zijn citaat of portret erop aan gruzelementen gaat, tot aan de eetkommetjes toe.

Een dergelijke belastering van Mao en zijn verheven gedachtegoed ging de autoriteiten begrijpelijkerwijs te ver. Ook dertig jaar na zijn dood is Mao nog altijd het symbool van partij en natie – zijn portret hangt niet voor niets nog steeds prominent op het Tiananmenplein – en zodoende zou Yan Lianke simpelweg van 'majesteitsschennis' beschuldigd kunnen worden. Maar alles wijst erop dat er meer aan de hand was. In de hedendaagse beeldende kunst in China wordt Mao immers vaak genoeg zonder de gebruikelijke eerbied afgebeeld, met commercieel succes tot over de grenzen, maar om die inmiddels tamelijk gezapige en eerder nogal commerciële treiterij maakt de overheid zich allang niet meer druk. Communiqués van hogerhand gaven de volgende redenen voor het verbod: 'belastering van Mao Zedong en van diens hoogste devies "dien het volk", belastering van het Volksbevrijdingsleger, de revolutie en de politiek, beschrijvingen van seksuele promiscuïteit en het propageren van verstorende denkbeelden en onjuiste westerse opvattingen'. In de internationale berichtgeving over de ban overheerste direct de seksuele component; de snelle Italiaanse vertaling zette gemakshalve op het omslag: 'gecensureerd als pornografie'. Seks is, naast politiek en religie, inderdaad een van de gevoeligste onderwerpen voor de Chinese literaire censuur, dat is wel te zien aan *Shanghai baby* en *Vervallen stad*. Maar waar die boeken seks gebruiken als illustratie van de persoonlijke ontplooiing of het morele verval van de hoofdpersoon, maakt Yan seks echt tot inzet van zijn politieke satire.

Seks en politiek zijn sinds de puriteinse maoïstische jaren onlosmakelijk met elkaar verbonden geweest. 'Onzedelijkheid' was samen met corruptie een van de grootste misdrijven, op zaken als overspel en verkrachting kon de doodstraf staan. Seks werd gezien als bourgeois en decadent, liefde bestond alleen voor de partij, en de enige romantiek was de romantiek van de revolutie – zoals die in talloze communistische films en romans werd gepropageerd. Echtelieden werden geacht elkaar met kameraad aan te spreken en de uniseks maopakjes waren niet bepaald zinnenprikkelend; pornografie en bordelen werden door de communisten nagenoeg uitgeroeid. Tot op de dag van vandaag kunnen partijafdelingen van scholen of instituties op grond van het eufemisme 'levenswandelprobleem' ingrijpen in het leven van hun studenten of werknemers, zij het lang niet meer zo verregaand als destijds. Yan Lianke zelf is van mening dat veel onderdrukte, al te menselijke gevoelens in die jaren naar buiten kwamen in de vorm van revolutionaire hartstocht. De Woodstockachtige taferelen tijdens de protestbeweging op het Tiananmenplein in 1989 laten volgens hem hetzelfde zien – iets waarin schrijfster Hong

Ying (1962) hem gelijk zou geven, getuige haar broeierige getuigenis van die gebeurtenissen in *Zomer van verraad* uit 1992, die zij niet eens in China gepubliceerd heeft proberen te krijgen. Hong Ying koppelt verraad in de liefde aan politiek verraad: nadat haar hoofdpersoon Lin Ying zich zowel door haar vriend als door de regering bedrogen voelt, zoekt ze haar bevrijding in seksuele uitspattingen, waarbij ze opvallend genoeg juist opgewonden raakt door het geweld van het leger bij de onderdrukking van de protesten, of de donderpreek van een partijbons in de drukkende zomer erna.

Yan Lianke gaat een stapje verder. Hij plaatst deze freudiaanse sublimering in de Culturele Revolutie, zoals bekend de climax van Maocultus. Ook zijn personages zijn niet simpelweg ondeugend in de weer met verboden spelletjes, hun opwinding raakt vermengd met echte liefde, en de hilariteit van hun erotische beeldenstorm krijgt een serieuze ondertoon. De soldaat blijft na de affaire volledig verward achter en het is geen toeval dat hij het bord met DIEN HET VOLK, als enige voorwerp, van de vernietiging redt – als herinnering aan hun liefde, maar ook nog iets meer. Chinese critici waren het erover eens dat Yan met seks niet op sensatie uit was, ze vonden de bewuste passages eerder behoudend en gaven hoog op van de manier waarop hij de lezer via de leus 'Dien het volk!' aan het denken zette over het morele gezag van de politiek. Zij wezen daarbij vooral op de slothoofdstukken van de roman, de nasleep van de liefdesgeschiedenis, waarin Yan tussen de regels door een verregaand doofpotschandaal binnen de legerleiding suggereert en hij dus, net als in eerder werk, de integriteit van de sterke arm van de overheid in twijfel trekt. Desgevraagd verklaarde Yan dan ook in een interview dat het hem er nooit om te doen was geweest Mao's leus zelf te bespotten, waar veel buitenlandse commentatoren voetstoots van uitgingen, maar eerder 'degenen die hem niet met hart en ziel waarmaken'.

Yan trekt de betekenis van zijn roman dus bewust in het algemene, in het hedendaagse. *Dien het volk* bevat ook nauwelijks feitelijke, realistische beschrijvingen van de Culturele Revolutie, de setting is een huis clos – één huis, twee mensen – waarin een moreel probleem wordt uitgespeeld. In dat opzicht is Yan Lianke onmiskenbaar een traditioneel literaat, die zich uit haast confuciaans rechtvaardigheidsbesef verantwoordelijk voelt machtsmisbruik te ontmaskeren. Ook als schrijver is hij dus niet stiekem met iets stouts bezig, hij probeert juist, al is het dan via een allegorie, zo oprecht mogelijk kritiek te leveren. Het is zijn persoonlijke verdienste dat hij dat niet belerend doet, maar met humor en altijd via de weg van de verbeelding. Hetzelfde gaat op voor zijn een jaar later verschenen roman *De droom van het dorp Ding*, over de rampzalige aidsepidemie op het Chinese platteland, die hij beschrijft vanuit het perspectief van een reeds gestorven jongetje. Ook deze roman werd verboden, ditmaal door een telefoontje nadat het boek al bijna driekwart jaar in de winkel had gelegen. Ook al had Yan uit voorzorg de scherpe kantjes eraf gehaald en niet alle details van het bloedtransfusieschandaal prijsgegeven, berichten over de dubieuze rol die de overheid erin speelde moeten via andere kanalen toch in de openbaarheid zijn beland.

Dergelijke stille censuur overkomt lang niet alleen Yan Lianke. Romans die concreet wanbestuur aan de kaak stellen, zoals corruptie, zijn sinds het eind van de jaren negentig juist zeer populair; ze hebben zelfs een naam: bureaucratieromans. Door de meer open maatschappij is het makkelijker geworden voor schrijvers om het erop te wagen, zolang ze maar niet man en paard noemen en openlijk de legitimiteit van de partij ter discussie stellen – wat velen overigens niet eens per se willen; zoals de confucianist de keizer diende, zien ze hun werk vaak als een kritische bijdrage aan het bestuur van hun land. Een schrijver zal niet meer zo gauw naar een kamp worden gestuurd of in het gevang gegooid vanwege een roman alleen, daarvoor moet hij zich op een directere manier in politieke kwesties mengen. Ondanks het strenge verbod en het 'advies' tijdelijk niet in de openbaarheid te treden, is Yan Lianke persoonlijk dan ook niets aangedaan, net zoals de eerder al mild aangepakte Jia Pingwa, Mo Yan en Wei Hui. Niets verhinderde bijvoorbeeld dat er in de zomer van 2007 een speciaal symposium aan zijn werk werd gewijd in het prestigieuze Lu Xunmuseum van Peking. In zijn verzameld werk dat ter gelegenheid daarvan werd uitgebracht, was *Dien het volk* weliswaar niet opgenomen, en ook tijdens het officiële gedeelte van de bijeenkomst 'bestond' het boek niet. Maar in de marges van de congreszaal waarde het uiteraard wel rond. Toen de deelnemers – professoren, critici, schrijvers en vertalers – tijdens de middagpauze gezamenlijk op de foto moesten en het feestvarken op zich liet wachten, schalde het onder luid gelach vanaf de trappen van het gebouw: 'Kom Lianke, op de foto, het volk dienen jij!'

Afgezien van de problemen leveren kritische romans veel auteurs zelfs hoge verkoopcijfers op, wat in het buitenland soms de gedachte voedt dat het hun alleen om geld en roem te doen is – ook Yan Liankes werk ging immers als een vuurtje de wereld rond. Maar voor iemand binnen China liggen de zaken toch minder eenvoudig; voor hem is censuur een realiteit en engagement dus nog altijd niet vrijblijvend. Gezien de risico's die hij ook zijn Chinese uitgever laat lopen, zal het altijd een afweging van belangen blijven. Noem het schipperen, maar dan schippert de Chinees, pragmatisch als hij is, toch op tamelijk montere wijze. Schrijver Bi Feiyu (1964) verwoordde het ironisch in de roman *Maanopera* (2000), waarin de traditionele Chinese opera zich aan het eind van de twintigste eeuw staande moet houden in de wereld van het grote geld. Als een gewezen operadiva door sponsoring van een sigarettenfabrikant nog eenmaal de kans krijgt om te schitteren, weet de operaleider wat hem in deze moderne tijd te doen staat. 'Als manager van een operagezelschap moest je tegenwoordig met één hand de ruggen van de partijleiders krabben en met je andere die van de bedrijfsleiders,' verzucht hij fatalistisch, 'dan had je je lot pas echt in eigen handen.' Een grimmig grapje misschien, maar niet voor schrijvers met genoeg ruggengraat om, in Lu Xuns woorden, de lezer 'eerder een pijnlijke stoot dan een aangename kitteling' te bezorgen.

6

Miss Shanghai

Eens het Parijs van het Oosten, tegenwoordig de First Metropolis of the New Millennium. Onder Mao was Shanghai het schrikbeeld van alles wat decadent en westers was, maar sinds China aan het begin van de eenentwintigste eeuw in rap tempo tot de wereld toetreedt (WTO 2001, WK voetbal 2002, Miss World 2007, Olympische Spelen 2008, World Expo 2010), is die stad hard bezig haar kosmopolitische karakter van voor de grijze communistische tijd te heroveren. En China zou China niet zijn, als je dat proces niet in de literatuur op de voet zou kunnen volgen. Sterker nog, Shanghais tweede jeugd loopt bijna parallel aan die van de Chinese letteren.

Het begon met voorzichtige nostalgie, die algauw zou omslaan in wild exhibitionisme. Shanghai was in de jaren dertig natuurlijk de stad van mode en ballrooms, van opium en paardenraces. En over dat hele mondaine wereldje kon je alles lezen in de typische Shanghailiteratuur van die tijd – die van commerciële, sentimentele liefdesverhalen. Soms steeg een auteur boven de vermaaksliteratuur uit, zoals Zhang Ailing die sentimentaliteit zo nu en dan een beklemmend randje gaf, of Mu Shiying (1912-1940) die zijn stad op papier probeerde te vangen in jazzritmes, met beelden en stemmen die elkaar snel en onvoorspelbaar opvolgden – 'op de gladde vloer in het midden, wapperende rokken, wapperende splitjurken, chique hakken, hakken, hakken', klinkt het in zijn verhaal 'Shanghai foxtrot'. Maar in de regel overheersten vluchtigheid, ennui en geflirt met westerse cultuur. Het was overigens Zhang Ailings dood in 1995 die de Shanghainostalgie pas echt deed opgloeien. Het feit dat zij na haar eerste schrijfsucces in de jaren veertig naar Amerika was vertrokken, daar nauwelijks meer iets geschreven had en na decennia van kluizenaarschap stilletjes was gestorven, benadrukte nog maar eens hoe ver het Shanghaigevoel achter de hedendaagse Chinees lag. In een poging het terug te halen kwam er een hele publicatie-industrie op gang, variërend van boeken over de Shanghainese art-decostijl tot eigentijdse versies van die fameuze grootsteedse boeketreeksen.

Toch kwam schrijfster Wang Anyi (1954) al in het jaar van Zhang Ailings dood met een roman die nogal kritisch was over deze nostalgie: *Lied van het eeuwig verdriet*, haar magnum opus, en ook een van de meest gewaardeerde romans van de na-Maose periode. Wang Anyi is internationaal vooral bekend van haar vroege werk dat zich voornamelijk op het platteland afspeelt, zoals het ook in het Nederlands vertaalde *Een dorpsvertelling uit Klein-Bao*, dat met zijn mythische verwijzingen en zijn nadruk op de bestendigheid van oude tradities – ondanks pogingen tot uitroeiing door de Communistische Partij – duidelijk aansluit bij de 'zoektocht naar wortels'. Maar Wang komt oorspronkelijk uit Shanghai en had vóór *Lied van het eeuwig verdriet* al furore gemaakt met haar voor de jaren tachtig vrij openhartige 'liefdestrilogie' – elementen die haar al iets dichter bij Zhang Ailing brengen. Bovendien had ze ook al eens een essay gewijd aan de oude 'vete' tussen de typisch Shanghainese en de typisch Pekinese stroming in de literatuur. De manier waarop ze daarin het beschaafde, culturele oude Peking nogal stereotiep afzette tegen het vulgaire, materialistische jonge Shanghai, dat inmiddels niet meer het literaire, maar het financiële centrum van China is, deed al vermoeden dat ze gemengde gevoelens over haar stad had. En die gevoelens komen inderdaad tot uiting in *Lied van het eeuwig verdriet*.

Want een roman over de stad is het. Het boek bestaat uit drie delen, waarvan het eerste speelt in de jaren dertig en veertig, het tweede in de

Wang Anyi
(© FOTOE)

maoïstische tijd, en het derde in de jaren tachtig. Via vier essayistische hoofdstukjes aan het begin, achtereenvolgens getiteld 'Stegen', 'Geruchten', 'Boudoirs' en 'Duiven', daalt Wang vanaf een vogelvluchtperspectief langzaam
neer in de stad en zoomt ze tegelijkertijd in op de kern, de essentie van
Shanghai. Die essentie is een vrouw. Ze heet Wang Qiyao en ze is een van de
vele jonge vrouwen die in de boudoirs in de stegen van Shanghai wonen,
tussen de duiven en de geruchten. Door haar hoofdpersoon zo te introduceren, laat de schrijfster ons duidelijk weten hoe we haar roman moeten
lezen: Qiyao staat voor Shanghai, en haar lot is het lot van de stad. Ook
de titel *Lied van het eeuwig verdriet* wijst op dat vrouwelijke aspect: het is de
titel van een beroemd gedicht van de Tangdichter Bai Juyi (na te lezen in
W.L. Idema's *Spiegel van de klassieke Chinese poëzie*), waarin hij de onmogelijke liefde bezingt van keizer Xuanzhong voor een van de mooiste vrouwen
uit de Chinese geschiedenis, de Verheven Gade Yang.

Opvallend genoeg is Qiyao een doorsnee burgerlijk meisje, dat er hooguit
wat knapper uitziet dan de rest. Haar eerste wapenfeit is de deelname aan de
Miss Shanghaiverkiezing in 1946, maar daarbij wordt ze veelbetekenend
derde. Verder houdt ze aan haar jeugd maar één andere herinnering over:
een bezoekje aan een filmstudio, waar ze een indrukwekkende sterfscène
meemaakt. De toon is gezet. Wel blijkt Qiyao, en dat maakt haar volgens
de schrijfster typisch Shanghainees, een onafhankelijke vrouw – handig en als
het moet gewiekst, zodat ze met een eenvoudig verpleegstersbaantje altijd op
zichzelf kan blijven wonen, in haar eigen gehuurde damesvertrek aan het
einde van een steeg. En hoewel ze aan mannelijke aandacht geen gebrek heeft,
blijft ze ook altijd op zichzelf, vrij ongenaakbaar zelfs. Als een oude vrijster
slijt ze haar gemiddelde leventje, kwebbelend en kaartend, en daarin komt
verrassend genoeg nauwelijks verandering in de jaren na de communistische
machtsovername van 1949, als Shanghai van een wervelende in een kille stad
verandert. Dat Qiyao en haar buren en kennissen hun bescheiden vertier
binnenshuis moeten zoeken, schijnt hun niet echt te deren; ze moeten hooguit een beetje opletten dat ze niet gesnapt worden met het inmiddels illegale
mahjong.

Een ontluisterend, maar misschien ook wel realistisch beeld: het leven ging
gewoon door onder het totalitaire regime, en in het geval van de flegmatische
Shanghainezen *kabbelde* het zelfs gewoon voort. Nogal een verschil met de
vele egodocumenten van uitgeweken Chinese vrouwen, waarin politiek het
leven beheerst en er amper ruimte lijkt voor een lach. Jammer genoeg is die
verdienste tegelijkertijd ook een beetje de makke van dit kloeke boek. Dat
Wang Anyi de grote historische gebeurtenissen bewust naar de achtergrond

schuift, is op zich een zegen, gezien de vele Chinese romans die vrij programmatisch de jaren veertig tot tachtig afwerken. Ook kan ik de subtiliteit waarderen waarmee ze laat merken dat de 'geruchten' uit haar eerste inleidende hoofdstukjes in de jaren zestig langzamerhand van politieke aard worden, en dus hun vrijblijvendheid verliezen. Maar verder staat ze zo uitgebreid stil bij de kleine alledaagsheid, en bij de bijfiguren die allemaal een eigen hoofdstukje krijgen, dat ze haar doel voorbij dreigt te schieten.

Ook Zhang Ailings verhalen en novellen kenmerkten zich door zoveel onbetekenende voorvallen en gesprekken, maar doordat de lengte daarvan beperkt bleef, kon er overtuigender naar de vaak abrupte, emotionele ontknoping worden toe gewerkt. Wang Anyi's slot is eerder bevreemdend dan verrassend. In het derde deel van de roman wordt Qiyao als vrouw van achter in de vijftig het levende voorwerp van de Shanghainostalgie die in de jaren tachtig de kop opstak. Een jonge student maakt haar het hof, maar vermoedelijk alleen omdat zij zijn romantische verlangen verpersoonlijkt naar een tijd die hij nooit heeft gekend. Die hele verhouding is wat ongeloofwaardig, hetgeen een breuk betekent met het hoge realistische gehalte van de roman tot zover. De allegorische opzet – Qiyao is Shanghai – gaat wat al te sterk doorschemeren, en Wang Anyi's ironie is hier ook onverwacht hard: de jongen aanbidt de voormalige Miss Shanghai, terwijl de lezer weet dat ze slechts derde was en beslist geen extravagant leven heeft geleid. Dat een andere jongeling domweg achter het geld aan zit dat zij al die communistische jaren verborgen heeft weten te houden, maakt de teloorgang van het oude Shanghai compleet. Geen wonder misschien dat de schrijfster Qiyao ten slotte op tamelijk achteloze wijze aan haar einde laat komen, in een echo van de scène uit de filmstudio aan het begin van het boek.

Hoewel wat zwaar aangezet, bleek het einde van Wang Anyi's *Lied* toch een voorafschaduwing van de manier waarop twee jonge vak- en stadsgenotes amper een paar jaar later met het thema Shanghai aan de haal gingen. Wang had haar heldin, haar Shanghai, achtergelaten in de jaren tachtig, toen de jarendertignostalgie nog iets onschuldigs had: ondanks de hervormingspolitiek was de stad nog altijd maar een schim van haar vroegere gedaante. Shanghai leek een beetje vergeten, misschien vanwege de afkeer die bij orthodoxe partijleden bestond jegens de vroegere reputatie van de stad. Natuurlijk was het aan de ene kant het Parijs van het Oosten, de haven via welke alle nieuwste westerse modes het land binnenkwamen. Maar dat kon alleen bij de gratie van het feit dat de Britten, Fransen en Amerikanen zich bij onderhandelingen na de Opiumoorlog van 1839 tot 1842 hele wijken van de stad hadden toegeëigend en onder semikoloniaal bestuur hadden geplaatst.

Vandaar Shanghais andere bijnaam: Hoer van Azië. Aan die vernedering hadden de communisten een einde gemaakt, en het was dan ook pas in de jaren negentig, toen China zich definitief naar de wereld had geopend en de leuze 'sommigen mogen eerder rijk worden dan anderen' lanceerde, dat de stad speerpunt van het economisch beleid werd en paradepaardje van de Volksrepubliekse opmars in de vaart der volkeren. En vandaar dat jonge schrijfsters als Wei Hui (1973) en Mian Mian (1970) Shanghai weer konden brengen zoals het ooit was geweest: hip, ijdel, materialistisch, en onmiskenbaar vrouwelijk.

Want wat dat betreft beantwoorden *Shanghai baby* (1999) van Wei Hui en *Candy* (2000) van Mian Mian precies aan Wang Anyi's karakterschets – sterker nog, de schrijfsters vereenzelvigen zich er zozeer mee, dat hun semi-autobiografische getuigenissen van een losbandig leven eigenlijk weinig meer opleveren dan een ruw, ongeslepen portret van de eerste generatie stadsjongeren die opgroeide na de Culturele Revolutie. Met name vanwege de seksuele openhartigheid maakten beide boeken grote ophef en werden ze al snel na hun verschijnen verboden. *Shanghai baby* werd het strengst aangepakt, maar sinds het moment dat Mian Mian Wei Hui van plagiaat beschuldigde, werden hun romans in één adem genoemd, en het is geen toeval dat ze paarsgewijs in tientallen landen werden vertaald, want zoveel schandaal, dat moest verkopen – in tegenstelling tot Wang Anyi's aarzelende, ironische *Lied*, waarvan pas na tien jaar een (Franse) vertaling verscheen.

Shanghai baby (een betere vertaling zou overigens *Shanghai babe* zijn geweest) is nog het meest een voortzetting van de oude Shanghailiteratuur. In de grond is het een 'romantische stadsroman' zoals ze ook in de jaren dertig verschenen; hij kwam ook uit in een serie onder die naam. De vertelster, de jonge vrijgevochten Coco, kan niet kiezen tussen de liefde voor haar impotente Chinese vriend en de lust voor haar viriele Duitse minnaar. De mogelijke allegorische uitleg daarvan was waarschijnlijk een extra steen des aanstoots voor de Chinese overheid: het zwakke China verliest zijn jonge blommen aan het sterke buitenland. Overdreven om te stellen is dat niet: Wei Hui werd in de brief van de censor 'horigheid aan de westerse cultuur' verweten, en die cultuur is in haar boek dan ook volop aanwezig. Zozeer zelfs dat ze van het aloude Shanghainese kosmopolitisme bijna een farce maakt – een van de redenen waarom het boek in Nederland soms honend werd ontvangen. Wei Hui citeert westerse artiesten bij de vleet, van Salvador Dalí tot Allen Ginsberg en Joni Mitchell, gemiddeld twee of drie motto's per hoofdstuk. Maar haar pretenties en haar missers werden in het VPRO-radioprogramma *De droomhandel* van oktober 2001 gierend van het lachen

Wei Hui
(© Contact)

besproken. Zo heeft ze het over *Boris* Brecht in plaats van Bertolt, al was dat uiteraard deels een vertaalkwestie; de Nederlandse vertaalster had het zo uit de Franse vertaling overgenomen en de uitgever had kennelijk niet ingegrepen. In een interview zei Wei Hui heus wel thuis te zijn in de Chinese klassieken, maar dat ze die niet kon gebruiken voor het moderne levensgevoel dat ze wilde uitdrukken. Dat gevoel moet voor haar bestaan uit 'rebellie en snelheid', maar lijkt voornamelijk neer te komen op een vlucht in de roes, in de vorm van seksorgieën, drank- en drugsgebruik en dansen op pop, punk en techno. Waartegen ze rebelleert wordt in het boek niet duidelijk, of het moet zijn tegen mensen die zich niet volgens haar normen kleden. Coco (naar Coco Chanel, wie anders?) deelt de wereld voortdurend in in mensen met en zonder 'stijl', een begrip dat vaag blijft, maar voornamelijk te maken schijnt te hebben met bepaalde kledingmerken, het liefst buitenlandse natuurlijk.

Wei Hui's pretenties gelden eveneens haar schrijverschap. Coco, die net als haar schepster aan haar eerste boek werkt, praat er meer over dan dat ze erin uitblinkt. Keer op keer verkondigt ze dat ze net de laatste hand heeft gelegd aan weer een 'krachtige, poëtische passage' in 'een taal die steeds buitensporiger wordt', terwijl haar stijl in feite maar onbeholpen is. 'Seks en liefde maken een mens geniaal, gevoelig en beschouwend', noteert ze bijvoorbeeld zelfvoldaan. Niet verwonderlijk dat de personages om Coco heen, zelfs haar beide mannen, figuren van bordkarton blijven. Vooral het leed van haar psychisch ontmande levensgezel, die uiteindelijk aan de heroïne bezwijkt, wordt nergens voelbaar. Daarvoor is Coco uiteindelijk te druk met zichzelf bezig, ze pinkt een traantje weg maar zit algauw weer voor de spiegel om haar lange benen te bewonderen. Misschien moet je, zoals welwillende besprekers leken te doen, dit alles niet zo zwaar opnemen en eerder zien als camp, als een kitscherige pose waarmee Wei Hui bewust de leegheid illustreert van haar naar een identiteit zoekende generatie. Maar het is juist Wei Hui allemaal bittere ernst, ik heb geen vleugje zelfspot kunnen ontdekken dat haar boek de lichtheid zou kunnen geven van de betere Shanghaiverhalen uit de jaren dertig.

Veel van het bovenstaande gaat ook op voor *Candy* (geen meisjesnaam, maar 'snoep') van Mian Mian. Bij haar ook geen gebrek aan gemeenplaatsen en sentiment, maar wat haar boek al direct een stuk draaglijker maakt is dat ze zich minder overgeeft aan bespiegelingen vol grote woorden, maar het eerder bij kleine anekdoten houdt en meer rechttoe rechtaan vertelt, wat ook in de veel stijlvastere vertaling (in dit geval direct uit het Chinees, door Martine Torfs) uitstekend overeind blijft. Als in een dagboek beschrijft Mian Mian hoe een meisje vanaf haar schuchtere 'eerste keer' verwordt tot een in de liefde bedrogen heroïneprostituee – en zich weer uit dat leventje werkt. Hoewel haar constante, humorloze zelfbeklag ('ik word niet begrepen!') en haar bakvis-achtige gedweep met de grote liefde het boek wel wat monotoon maken, heeft ze zowaar ook enig oog voor andere personages. Dat resulteert in een aantal aandoenlijke portretten van hoertjes in Shenzhen (de zuidelijke stad bij Hong-kong die Shanghai naar de kroon steekt), en van een homovriend die vreest aids te hebben en bij het zoeken naar medische behandeling tegen de Chinese bureaucratie oploopt. Met name in die passages, waarin breekbare tederheid tussen Mian Mian en haar vriend me soms deed denken aan *Wir Kinder vom Bahnhof Zoo* van Christiane F., vangen we eindelijk eens een glimp op van het rigide systeem waartegen deze jongeren zich afzetten. Want zowel *Candy* als *Shanghai baby* had aan waarde kunnen winnen als de schrijfsters meer hun conflict met de maatschappij hadden laten zien, in plaats van alleen maar te paraderen met hun eigen 'alternativiteit'. Dat Mian Mian daar uiteindelijk toch beter in slaagt, komt vooral doordat haar relaas authentieker en geloof-waardiger is dat van Wei Hui. Net als in haar korte verhaal 'Show me the way to the next whiskey bar', over een kroegentocht die in het ziekenhuis eindigt, laat ze in al haar schijnbare naïviteit zien hoever stuurloze stadsjongeren kunnen doorslaan in het China van de jaren negentig, dat naast geld verdienen soms nauwelijks andere – morele – waarden lijkt te kennen.

De Nederlandse uitgevers, Contact en Arena, presenteerden Wei Hui en Mian Mian als boegbeelden van de hedendaagse Chinese literatuur, terwijl hun geschriften in China hooguit sociologisch interessant werden gevonden. 'Boeken die vroeg of laat geschreven moesten worden', luidde het gemiddelde oordeel daar, en: 'als ze niet in de ban waren gedaan, hadden ze nooit zoveel aandacht gekregen.' De opvolgers van *Candy* en *Shanghai baby* bewezen dat wel. In Wei Hui's *Trouwen met boeddha* uit 2004 volgen we haar alter ego Coco naar New York, de huidige tweede woonplaats van de schrijfster. Wederom grossiert Wei Hui in hoofdstukmotto's met citaten uit de westerse popcultuur, maar nieuw zijn ditmaal de aanhalingen uit de Chinese klassieken, behorend bij Coco's nieuwe levensfase: na een moeizame liefdesaffaire met een Japanner in de Verenigde Staten raakt ze spiritueler gestemd, en terug in China brengt ze een tijdje in een boeddhistisch klooster door. Toch blijft het opnieuw bij tenenkrommende namedropping, en de modieuze taoïstische erotiek kan het algehele boeketreeksgehalte niet verhullen. De Nederlandse flaptekst beweert dat ook *Trouwen met boeddha* in China werd verboden, maar het tegendeel is waar: net als wel meer Chinese auteurs heeft Wei Hui voor de Chinese uitgave vrijwillig de meest expliciete seksscènes en een enkele politieke allusie geschrapt, omdat ze 'ook in haar moederland gelezen wil worden'. Haar popsterachtige promotietournee door diverse Chinese steden bewees dat ze wat dat betreft niet had misgegokt.

Pandaseks van Mian Mian (Qunyan 2004)

Wellicht waren Chinese lezers onder andere gecharmeerd door het exotische decor van New York, zoals westerse lezers door dat van Shanghai in haar eerste boek (getuige de voor een Chinese roman zeldzame vier herdrukken die het in Nederland beleefde). Toch blijven Coco's observaties van Manhattan beperkt tot de opmerkingen dat het Chinese eten er niet zo lekker is als thuis en dat de huid van westerse vrouwen ruwer en minder verzorgd is dan het zijdezachte velletje van Aziatische vrouwen. Opvallend is dat Coco in het buitenland bijna uitsluitend onder Aziaten verkeert, behalve een Amerikaan die op haar een voornamelijk seksuele aantrekkingskracht heeft en een andere die gewoon 'aardig' is en dus volgens haar wel homo moet zijn. Voor haar typering van New York als stad lijkt ze meer te putten uit de tv-serie *Sex and the City*. Leek Coco in Shanghai dus nog zo verwesterd, uit *Trouwen met boeddha* blijkt dat dat nogal meevalt. Die verwestering is kortom, alle trendy quotes ten spijt, maar oppervlakkig. Jammer genoeg blijft Wei Hui zelf te oppervlakkig om daar dieper over na te denken. Parmantig schrijft ze immers: 'Te veel denken heeft volgens de traditionele Chinese geneeskunde zelfs een nadelige invloed op de kwaliteit van je haar.'

In de tussentijd ontpopte Mian Mian, die in *Candy* eigenlijk minder gaf om het typische Shanghai dan om het typische stadsgevoel, zich door middel van film en andere mediaoptredens tot 'de nachtkoningin van Shanghai'. Haar tweede roman, *Pandaseks* (2004), werd zelfs een soort documentaire annex reisgids, waarin ze haar vrienden volgt op hun zwerftochten door de stad, die ze ondertussen presenteert door middel van vele, soms bladzijdenlange voetnoten bij de straten, gebouwen en historische feiten die er voor haar toe doen. De experimentele vorm mocht dan een stapje vooruit zijn, de typering van de leegheid en de schone schijn van het grotestadsbestaan was niet nieuw – en als vanouds een tikje aan de warrige en langdradige kant. Wel werd de schrijfster, vier jaar na de ophef over haar liederlijkheid, opeens beschaafd of in ieder geval regimefähig genoeg bevonden voor een bespreking in de Engelstalige partijkrant *China Daily*. Ze was 'volwassen geworden', luidde het oordeel – misschien omdat de redactie wist dat pandaberen het maar twee keer per jaar doen. Misschien ook omdat duidelijk is dat Mian Mian minder geforceerd hip en westers probeert te zijn dan Wei Hui, het ook niet zoekt in zogenaamde oude Chinese wijsheden, maar het domweg houdt bij wat ze weet. Shanghai. Maar het kan natuurlijk ook dat er sinds de plagiaatkwestie nog altijd een rivaliteit speelt tussen de twee, een strijd over wie nu de echte Miss Shanghai is. Laat ze maar strijden, zou ik zeggen, een bescheiden derde plaats is wat mij betreft in ieder geval weggelegd, net zoals het haar heldin in *Lied van het eeuwig verdriet* verging, voor Wang Anyi.

7

Man van de marge

Nog steeds kun je in bepaalde Chinese kringen horen dat Pearl Buck in 1938 alleen maar de Nobelprijs kreeg om China te eren, aangezien de belangrijkste Chinese kandidaat, Lu Xun, de vader van de moderne Chinese literatuur, toen net was overleden. Pearl Sydenstricker Buck (1892-1973), die als dochter van Amerikaanse zendelingen de eerste helft van haar tachtigjarige leven in China doorbracht, werd gelauwerd om haar 'waarheidsgetrouwe beschrijving van het boerenleven in China' en in haar Nobelrede ging ze bovendien in op de Chinese romantraditie, waarvan de westerse in haar ogen iets kon leren.

Het mag een uiting zijn van gekrenkte nationale trots, persoonlijk zie ik ook wel wat meer in die Chinese verontwaardiging. Buck sprak beslist met kennis van zaken over de Chinese volksroman – ze had tenslotte de zestiende-eeuwse klassieker *Het verhaal van de wateroever* uit het Chinees vertaald. Maar haar eigen werk was er hooguit een slap aftreksel van: de onopgesmukte stijl en het traditionele gebruik van typen in plaats van 'levende' personages leveren bij haar vlak proza en regelrechte stereotypen op. In *De goede aarde* (1931), haar grootste en eigenlijk enige succes, zien we de eenzame pachter Wang Lung opklimmen tot grootgrondbezitter en vervolgens worstelen met zijn boereneenvoud als hij wordt blootgesteld aan de verleidingen van de rijkdom. Om dat contrast kracht bij te zetten, maakt Buck alle boeren goedig, zwijgzaam en hardwerkend, en de stedelingen gehaaid, ijdel en babbelziek. Bovendien is het nogal ongeloofwaardig dat die 'gewone Chinese mensen' telkens hun dagelijkse gebruiken en folklore voor de westerse lezer toelichten, en dat terwijl authenticiteit voor Buck, en voor het Nobelcomité, nu juist zo belangrijk was. Lu Xun, van wie overigens wordt gefluisterd dat hij zelf in 1927 weigerde genomineerd te worden, vond het boek (dat algauw in het Chinees werd vertaald) maar oppervlakkig; collega Ba Jin viel hem bij. De blijvende populariteit van het boek in Bucks thuisland, de Verenigde Staten, kan dan misschien ook heel anders worden verklaard. Bucks bijna moralistische pleidooi voor landelijke eenvoud heeft vermoedelijk veel te maken met haar christelijke, presbyteriaanse achtergrond, dus je zou eerder kunnen zeggen dat het Nobelcomité niet China heeft geëerd, maar Bucks *good American values*, opgevoerd in een exotische setting – een beetje zoals in de verfilming *The Good Earth* uit 1937, waarin Hollywoodacteurs de hoofdrollen spelen, met Chinese figuranten.

Hoe het ook zij, het geval Buck laat zien hoe China al sinds het begin van de twintigste eeuw in de greep is geweest van de Nobelprijs. In de jaren veertig wijdde Qian Zhongshu er nog een vermakelijke satire aan in het verhaal 'Inspiratie', waarin een ijdele Chinese literator – zoals Qian ze wel vaker portretteerde – zijn kansen denkt te vergroten door in het Esperanto te gaan schrijven. Maar toen de Volksrepubliek na de dood van Mao weer aansluiting bij de rest van de wereld zocht, werd het winnen van de prijs een regelrechte obsessie. Uit de intellectuele debatten van de jaren tachtig spraken gevoelens van minderwaardigheid en zelfkritiek: wat was er mis met de Chinese cultuur dat zij globaal niet op haar waarde werd geschat? Over alle Chinese genomineerden deed wel een anekdote de ronde zoals die over Lu Xun: dat ze de Zweedse eer door hun dood – Lao She in 1968, Shen Congwen in 1988 – op het nippertje zouden hebben gemist. Nationalisme in engere zin zag je bij de overheid, die actief als promotor optrad; voor de regeringsleiders was de Nobelprijs kennelijk net zo'n prestigezaak als het binnenhalen van de Olympische Spelen of het toetreden tot de Wereldhandelsorganisatie. De verwachtingen werden nog hoger gespannen sinds de Zweedse sinoloog en vertaler Göran Malmqvist in 1985 tot het Nobelcomité toetrad. Malmqvist, die het lange uitblijven van een Chinese winnaar doorgaans weet aan het gebrek aan goede vertalingen, legde enkele verkennende bezoekjes aan China af en ontving ook menig Chinees auteur in Zweden – wat telkens aanleiding gaf tot wilde speculaties. Vooral de auteurs die Malmqvist zelf vertaalde werden in de gaten gehouden, onder wie met name de dichter Bei Dao (1949), die als de bekendste Chinese exilschrijver sinds het Tiananmen-incident van 1989 internationale bekendheid genoot en, al dan niet tegen wil en dank, jarenlang de gedoodverfde winnaar was.

Toen uiteindelijk Gao Xingjian (1940) in oktober 2000 de eerste Chineestalige laureaat in de ruim honderdjarige geschiedenis van de prijs werd, overheerste de verrassing. Zeker, ook hij was vertaald door Malmqvist, al heel vroeg zelfs, en ook hij was uitgeweken naar het Westen, Frankrijk in zijn geval – maar als vrijwillige balling was hij nooit zo in het nieuws gekomen als Bei Dao. Voor de Chinese regering maakte dat laatste geen verschil, en de officiële reactie uit Peking was dan ook voorspelbaar: na anderhalve dag omineuze stilte klonk het dat de jury een politieke keuze had gemaakt en de intrinsieke waarde van de Chinese literatuur had miskend. Veel Chinese schrijvers relativeerden het belang van de prijs van 'een clubje oude Zweedse heren', terwijl het feit dat Malmqvist Gao Xingjian vervolgens vergezelde op zijn tournee door Azië hier en daar wel wat wenkbrauwen deed fronsen; hij ging weliswaar mee in zijn hoedanigheid van vertaler, maar had als jurylid toch meer weg van een beschermheer. Voor het westerse publiek, tenslotte, was Gao Xingjian simpelweg een volslagen onbekende, en geen wonder: het beeld dat zij uit de pers kregen was dat van een volstrekt marginaal auteur – een zestigjarige, nauwelijks vertaalde en in zijn moederland al tien jaar lang niet uitgegeven schrijver, die in een flatje in een Parijse buitenwijk leefde van de bescheiden verkoop van zijn schilderijen; hij deed de journalisten open op zijn sloffen. Maar juist die marginaliteit bleek de sleutel tot zijn uitverkiezing.

In zijn Nobellezing liet Gao zich kennen als een overtuigd schrijver van de marge. Hij pleitte in Stockholm voor wat hij noemt een 'koude literatuur', een literatuur waarin de stem van het individu spreekt. De schrijver van koude literatuur schrijft voor zichzelf, niet voor zijn brood, maar voor zijn eigen geestelijke voldoening, zonder zich erom te bekommeren of hij wordt gelezen of niet; hij zet zich niet in voor een maatschappelijk of politiek doel, maar moet zich verzetten tegen sociale normen en politieke macht aan de ene kant, en tegen de commerciële waarden van de consumptiemaatschappij aan de andere. Uitspraken die een westerling naïef in de oren kunnen klinken, zoals ook bleek uit verschillende commentaren in de pers. Maar in de Chinese geschiedenis, betoogde Gao, is de verhouding tussen literatuur en politiek over het algemeen dusdanig geweest dat de vrijheid van een schrijver om zichzelf uit te drukken niet vanzelfsprekend was en bevochten moest worden. Als een Chinese schrijver intellectuele vrijheid zocht, had hij de keuze tussen zwijgen of vluchten – en de schrijver van koude literatuur zal altijd vluchten om te overleven, om zijn menselijke waardigheid te behouden.

En dat is wat Gao deed. Toen hij in 1987 besloot niet meer terug te keren van een officieel schrijversbezoek aan Parijs, was dat niet omdat hij in zijn land werd vervolgd. In de vroege jaren tachtig werd hij bekend doordat hij, als een van de eersten na het isolationisme van de maoïstische periode, westerse literaire technieken introduceerde in zijn *Inleidende verkenningen van de moderne romankunst* uit 1981. Daarnaast baarde hij opzien als schrijver en regisseur van experimenteel toneel, dat mede door zijn studie Franse letterkunde en zijn werk als vertaler Frans sinds de jaren zestig, invloeden vertoont van Beckett en Ionesco, vermengd met Chinese elementen uit de Pekingopera en later ook het zenboeddhisme. Dat was in die tijd al voldoende om in de problemen te komen. Ondanks de politieke dooi lanceerde de Communistische Partij nog altijd periodieke campagnes tegen bijvoorbeeld Geestelijke

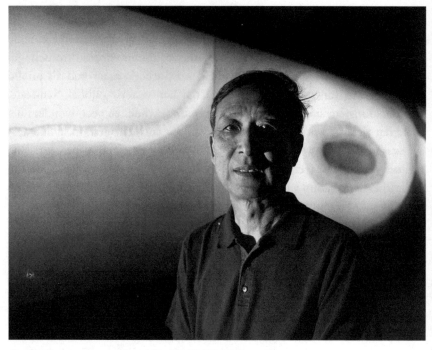

Gao Xingjian voor een van zijn schilderijen (© AFP/ANP)

Vervuiling (1983-1984) of Burgerlijk Liberalisme (1986-1987), en met name literatuur die riekte naar het 'verderfelijke' westerse modernisme kon onder die noemers vallen. Gao's toneelstukken werden vaak al na enkele voorstellingen door de autoriteiten verboden, maar dat was eerder regel dan uitzondering, andere schrijvers hadden tijdens zo'n campagne evenzeer te kampen met restricties. Gao's werk was dus niet per se controversiëler of subversiever dan dat van anderen, maar hij was principieel in zijn verzet tegen de alomtegenwoordige censuur en koos voor vluchten in plaats van zwijgen. Pas toen hij in 1990 een toneelstuk schreef dat speelde tegen de achtergrond van het Tiananmen-incident van 1989, besloten de Chinese autoriteiten opnieuw zijn boeken uit de winkels te houden – ook al bevatte het stuk geen politieke aanklacht, maar juist kritiek op de demonstrerende studenten, die naïviteit werd verweten. Zo kreeg Gao's 'kluizenaarschap' het grimmige karakter van politiek dissidentschap, waar het hem geenszins om te doen was geweest.

De enige vrijheid die Gao verlangde was namelijk te kunnen schrijven wat hij wilde. Of liever gezegd: vrijheid vindt hij in laatste instantie *in* het schrijven, dat voor hem betekent: zich uitdrukken in zijn eigen taal. Een taal waarnaar hij lang op zoek is geweest, vooral in zijn proza, waaraan de Nobeljury ook duidelijk meer aandacht besteedde dan aan zijn toneel – dat hij overigens altijd is blijven schrijven, in de jaren negentig ook in het Frans. Aan zijn eerste roman, *Berg van de ziel* uit 1990, heeft Gao zeven jaar gewerkt, een tijd waarin hij zijn pen probeerde in de korte verhalen die in Nederland verzameld zijn in de bundel *Kramp*. In die vingeroefeningen is te zien hoe zijn schrijven zich ontwikkelde van onopgesmukte beschrijvingen van alledaagse voorvallen, zonder plot of psychologisering, tot louter impressies, associaties en momentopnamen in wat hij noemt een pure 'taalstroom': een zo zuiver mogelijke taal waarmee hij de wereld kan vangen zonder die direct van een betekenis te voorzien – al kan hij die wereld dan alleen nog in flarden weergeven. Een Frans criticus omschreef het als een 'denotatieve stijl, ontdaan van metaforen', die de taal van elke ideologische connotatie tracht te 'ontsmetten'.

Berg van de ziel is tegelijkertijd het verslag van Gao's vlucht en de kristallisering van zijn taalbewustzijn. Het is een boeddhistische zoektocht, gebaseerd op een maandenlange voetreis door Zuid-China die hij in 1983, gedesillusioneerd door politieke problemen in Peking, daadwerkelijk had ondernomen. Net als veel andere Chinese schrijvers in die tijd, Han Shaogong is een van hen, raakte Gao geboeid door 'de andere Chinese cultuur', die sinds oudsher in de marge van de centrale confucianistische cultuur heeft bestaan: de zuidelijke, meer spirituele wereldbeschouwing, gevoed door taoïstische en boeddhistische tradities, en door de 'barbaarse' gebruiken van etnische minderheden. Ook in klassieke tijden plachten in onmin of opspraak geraakte literaten zichzelf naar dergelijke streken te verbannen, en niet zelden deden zij daar hun inspiratie op. Gao blijft niet achter: hij citeert legenden, verzint parabels en laat niet na naar de klassieken te verwijzen – zo is het aantal van eenentachtig hoofdstukken een knipoog naar de beroemde klassieke roman *De reis naar het westen* van Wu Cheng'en, waarin de Apenkoning eenentachtig avonturen moet doorstaan op zijn boeddhistische pelgrimage.

Gao's tocht is overigens wel een totaal andere dan die uitbundige allegorie uit de zestiende eeuw. Hier is een ingetogen intellectueel op het platteland op zoek naar een mythisch oord dat Berg van de Ziel heet. Wat opvalt is de vorm: een niet nader aangeduide 'ik', die zich uitgeeft voor etnoloog en journalist, praat om het andere hoofdstuk in de jij-vorm tegen zichzelf. Die 'jij' is een soort lyrische tegenhanger van de 'ik', waarmee de fysieke zoektocht een innerlijke dimensie krijgt. Later schept de 'ik' ook nog een 'zij', een vrouw tegen de eenzaamheid, en een 'hij', dat is de 'jij' die hem de rug toe keert – alleen van 'wij' moet Gao beslist niets hebben. Dit modernistische spel met persoonlijke voornaamwoorden – ook in zijn latere toneel zou hij het toepassen – is lang niet zo ingenieus als de Nobeljury in haar rapport suggereert. Het krijgt op den duur zelfs iets van een trucje, omdat Gao's typische stijl in de ik- of jij-vorm gewoon hetzelfde blijft. Die stijl is herkenbaar uit de latere verhalen in de bundel *Kramp*: Gao schrijft hier als een schijnbaar doelloos registrerende camera, geeft veel details, gebruikt soms wetenschappelijke plantennamen voor nog meer afstand, maar weerhoudt zich er meestal van die beschrijvingen te duiden. De lange zinnen die daarbij horen, nog opgerekt door de flexibele interpunctie in het Chinees, stellen westerse vertalers voor problemen. Het geduld van lezers die tijdens het lange wachten op de Nederlandse vertaling niet gauw naar de Engelse of Franse vertaling hadden gegrepen, werd op dat punt beloond: Anne Sytske Keijser neemt in het Nederlands wel enig risico, maar vermijdt ook de vervlakking waaraan haar buitenlandse collega's zich schuldig maken.

Gao's doelloosheid heeft alles te maken met het centrale idee van het boeddhisme: de illusie van de individualiteit, die je ook terugvindt in de opsplitsing in 'ik', 'jij' en 'hij', zoals Gao in zijn roman uitgebreid toelicht. Hoe je zonder vaste identiteit de wereld tegemoet treedt, dat is de vraag waar zijn verteller in het boek mee lijkt te worstelen. In het begin is hij op zoek naar 'echtheid', die hij vindt in de natuur. Hij wil af van 'logica en analytisch denken', woorden als 'oer-' en 'instinctief' duiken vaak op in zijn boek, ook in de erotische passages met zijn metgezellin – het boeddhisme ziet het aardse immers bij uitstek getypeerd door de vrouw. Maar gaandeweg komt hij tot het zenboeddhistische inzicht dat 'alleen bestaat wat je waarneemt'. En omdat een boeddhist verlost wil worden van het bestaan, dat immers lijden is, streeft hij er dus naar die waarnemende instantie, zijn ik, zijn ziel, te laten oplossen in het niets – wat Gao uiteindelijk op een besneeuwde bergtop lijkt te bereiken, wanneer hij in een extatisch moment van verlichting zijn lichaam als een leeg omhulsel ervaart.

Dat is kortom een boeddhistische loutering volgens het boekje. Gao heeft zijn kennis en zijn eigen ervaring opgeschreven, zou je kunnen zeggen, maar wat is daar nu eigenlijk de literaire waarde van? Zijn trage cameravoering kun je in dit opzicht weliswaar opvatten als een consequent doorgevoerd experiment, of een extreem uitgepuurde vorm van het traditionele 'weergeven als een spiegel', maar weet hij daarmee vijfhonderdvijftig dichtbedrukte pagina's lang te overtuigen? Misschien kunnen sommige lezers zich met de stadse Gao vergapen aan het exotische platteland – de lezer wordt bedolven onder de folklore, het lijkt alsof al het typisch Chinese in het boek terecht moest komen, van de *Zhuang Zi* tot het *Boek der veranderingen*, van sjamanen tot pandaberen. Maar die stukken zijn vaak eerder droge verslagen dan onthechte waarnemingen. Op een paar gesprekken met een kluizenaar en een priester na, wier voorbeeld hij overigens besluit niet te volgen, wordt de lezer niet echt deelgenoot van Gao's zoektocht. 'Tegen jezelf praten is het begin van de literatuur', zei hij in zijn Nobellezing, en uit een interview blijkt dat hij dat ook letterlijk in de praktijk toepast: hij spreekt zijn boeken altijd eerst alleen in een donkere kamer op de band in. Misschien gaat het bezwerende effect van met name de jij-vorm op het papier ten dele verloren? Ik kan me niet aan de indruk onttrekken dat het Nobelcomité met name is gevallen voor oosterse wijsheid in een modern, westers jasje, en dat in combinatie met de politieke dimensie van een schrijver uit het collectivistische China die het woordje 'ik' prefereert boven 'wij' – het vraagstuk van het individu, dat comitévoorzitter Espmark in de krant aanhaalde om zich te verdedigen tegen beweringen dat het comité politieke bedoelingen met de prijs had gehad: 'We hebben de prijs gegeven aan iemand die schrijft over individuele vrijheid, dat is een keuze.'

In *Bijbel van één mens*, Gao's tweede roman, uit 1999, komt het thema van de individuele vrijheid nog duidelijker naar voren – en is het ook *easier to grasp*, makkelijker te vatten, zegt het Nobelrapport. Je zou *Bijbel van één mens* het vervolg op *Berg van de ziel* kunnen noemen, Gao's alter ego zwerft inmiddels niet meer door de periferie van China, maar reist door diverse buitenlanden. Ook wat de vorm betreft zijn de romans verwant. Er zijn weer twee vertellers, ditmaal een 'jij' en een 'hij', maar ditmaal is de betekenis ervan veel concreter. Beiden zijn weer een tweedeling van Gao zelf, die van de autobiografische basis geen geheim maakt: 'jij' kijkt vanuit 'het vrije Westen' terug op zijn leven in China onder het communistisch regime, tijdens de jaren zestig en zeventig. De 'jij' is weer steeds gekoppeld aan een 'zij', die dit keer iets meer reliëf krijgt en niet louter als een spiegel fungeert zoals in *Berg van de ziel*. Net als Zhang Xianliang in zijn roman *Doodgaan went* uit 1989 heeft Gao's alter ego een reeks amoureuze verhoudingen in Frankrijk, de Verenigde Staten en Hongkong. Maar de gesprekken die hij met zijn minnaressen voert, zijn heel wat abstracter en veel minder beklemmend dan die van Zhang – vooral de dialogen met de half-Duitse, Franstalige Jodin Margerete, waarin Gao tamelijk ongenuanceerde vergelijkingen tussen het nazisme en het Chinese regime maakt.

Zhang Xianliang splitste de held van zijn roman *Doodgaan went* overigens ook al op in een hij, jij en ik, maar liet het aan de lezer over om dat te duiden. Zo niet Gao, die net als in de *Berg* alles uitlegt: over de persoon die hij was in het verleden kan 'jij' alleen maar in de derde persoon schrijven. Nu is op zo'n manier afstand nemen van je eigen leven weliswaar niet zo heel bijzonder, maar hier komt Gao's taalbewustzijn weer om de hoek kijken. Zijn vroegere zelf is onbereikbaar door de partijtaal die ieders denken destijds beheerste. Veel schrijvers en dichters betogen sinds de jaren tachtig dat ze het gepolitiseerde, propagandistische taalgebruik van deze zogenoemde Maostijl, de ronkende retoriek van holle leuzen, van zich af moeten schudden om op zoek te gaan naar hun eigen taal. Vaak gebeurt dat satirisch of parodistisch, maar in Gao's *Bijbel* voltrekt zich dat als een heel persoonlijk proces. Hij besluit dat hij alleen maar tot het verleden kan doordringen door, op zijn typische wijze, alles zo kaal en sereen mogelijk, 'zonder metaforen', weer te geven. Het geweld en het wantrouwen onder het totalitaire regime in deze flashbacks zijn niet nieuw, maar door de afwisseling met de soms stemmige, soms sensuele jij-hoofdstukken, wordt de ontwikkeling die Gao doormaakt overtuigend neergezet en bij vlagen indrukwekkend voelbaar gemaakt.

Bijbel van één mens is daarom een krachtiger roman dan *Berg van de ziel.* Veel Chinezen hebben boeken geschreven waarin ze terugblikken op de Culturele Revolutie, en dat levert meestal sentimenteel en sensationeel rauw materiaal op. Gao Xingjian denkt daarentegen (hardop) na over het hoe en het waarom van het schrijven van een dergelijk egodocument, en dat is al een flinke winst. In de laatste hoofdstukken observeert hij berustend zijn huidige leven, dat hij bewust in eenzaamheid leidt, trekkend 'van stad tot stad' en 'van vrouw tot vrouw', en hoewel hij onafgebroken in de jij-vorm tegen zichzelf blijft praten, is hij gelukkig.

Gao Xingjian (Uit: *Bijbel van één mens*)

Licht en gewichtloos zweef je, trek je van land tot land, van stad tot stad, van vrouw tot vrouw, je verlangt niet naar een thuis, je hebt genoeg aan de woorden die je op je tong proeft en waarmee je, net als met geloosd zaad, overal je sporen achterlaat. Je hebt geen verwachtingen meer, bekommert je niet meer om wat voor of achter je ligt, dit leven is je in de schoot geworpen, dus waarom zou je je er druk over maken? Je leeft enkel in het nu, als een dwarrelend blad dat van een boom valt. Of het nu een talkboom, een populier of een linde is, vroeg of laat moet elk blad vallen, maar op het moment dat het nog in lucht zweeft is het vrijer dan ooit, en jij, verloren zoon van een verdoemde familie, jij moet je losmaken uit de kluisters en de kwellingen van je voorgeslacht en je herinneringen …

(Vertaler: Mark Leenhouts)

Inhoudsopgave van het tweedelige Chinese overzichtswerk *Works of Nobel Prize for Literature* (1901-2004). Het jaartal 2000, waarin Gao Xingjian de prijs won, ontbreekt. (Beijing Yanshan 2006.)

Wel mag het opvallend heten voor een mens die alleen leeft met zijn taal, en ervan geniet 'als van seks met een vrouw', dat Gao taal blijft zien als niet meer dan een middel om 'het leven' weer te geven, en niet – wat zijn taalfascinatie misschien zou doen vermoeden – als een doel op zich. In een van zijn essays zegt hij voorzichtig: 'Soms twijfel ik weleens aan het vermogen van taal om de werkelijkheid uit te drukken.' Maar hij heeft een afkeer van wat hij 'pure taalspelletjes' noemt; die ziet hij als een symptoom van een crisis in de moderne literatuur. Uiteindelijk 'biedt alleen het leven zekerheid', of, zoals hij het aan het einde van zijn *Bijbel* zegt: 'Je mag pas praten als je iets te zeggen hebt.'

Zijn dat de 'bittere inzichten' van een 'onverbeterlijk scepticus', zoals de Nobeljury het typeerde? Gao's mijmeringen over het leven van de eenzame maar vrije mens zijn eerder de grote woorden van een wat naïeve romantische ziel. Maar met die woorden was hij bij de Zweedse Academie, met zijn humanistische idealen van literatuur als middel om een betere wereld te bereiken, beslist aan het goede adres. Op papier lijkt Gao inderdaad de ideale keuze voor de prijs: geen politiek activist, maar een kunstenaar die zich ondubbelzinnig afzet tegen alle politiek. Een kunstenaar in verschillende takken van sport bovendien: schrijver, schilder, toneelregisseur, vermenger van oosterse en westerse tradities, en ook nog eens een beschouwer die zijn stellingname in essays met titels als 'Zonder -ismen' kan verwoorden en verdedigen. Toch kun je vraagtekens zetten bij het oordeel dat Gao's proza 'nieuwe wegen opent voor Chinese roman' – nog afgezien van het feit dat andere Chinese schrijvers het in principe niet eens kunnen lezen. In zijn moederland liggen zijn boeken nog altijd niet in de winkels en in Chinese overzichten en bloemlezingen van Nobelprijswinnaars wordt het jaar 2000 zelfs domweg overgeslagen. Voor velen in China blijft Gao daarom nog altijd de theaterschrijver van de jaren tachtig, die tot een jaar voor de prijsuitreiking tenslotte slechts één roman op zijn naam had staan. Maar ook zij die hem wel hebben gelezen, op internet of vrijelijk in Taiwan, Hongkong en Singapore, lichten vooral zijn toneel eruit en hebben hem nog niet in de armen gesloten als de verloren zoon van de Chinese romantraditie.

Dat laatste lijkt ook waar voor de rest van de wereld. In Nederland laat de vertaling van zijn tweede roman op zich wachten, en in Amerika heeft hij Pearl Buck nog niet doen vergeten: in 2004 nam Oprah Winfrey *De goede aarde* met veel tamtam op in haar boekenclub. Gao Xingjian blijft kortom een man van de marge. Maar erg zal hij dat vermoedelijk niet vinden. De betekenis van de Nobelprijs, zei hij bescheiden in zijn dankrede, lag precies daarin dat de zwakke stem van een broos individu, die het amper waard was om gehoord te worden en daar anders ook nooit de kans toe had gekregen, één keer in de gelegenheid was gesteld om zich tot de wereld te richten.

8

Het menselijk gebrek

Mijn herinneringen zijn maar een deel van mij,
En toch ben ik de som van al mijn herinneringen
Shi Tiesheng

De woelige twintigste eeuw van China overziend, kun je je soms afvragen: zijn er tussen de vele schrijvers die zo druk bezig zijn met hun land, de geschiedenis en de misstanden, nog wel auteurs die zich in afzondering wijden aan het meer intieme, persoonlijke werk? Het antwoord is ja, uiteraard, maar soms lijkt het er haast op dat de Chinese schrijver het geraas en gebral alleen de rug kan toekeren als hij ertoe gedwongen wordt door de omstandigheden, of door een speling van het lot. Net zoals de klassieke Chinese literaat pas na zijn pensioen of ontslag uit de ambtenarij, of zelfs na zijn verbanning van het hof, als taoïstische kluizenaar het platteland opzocht en 'in zichzelf keerde'.

Zhang Xianliang werd in een ver heropvoedingskamp jarenlang op zichzelf teruggeworpen. De dood went, concludeerde hij na veel honger te hebben geleden, maar de bedreiging van zijn menselijke waardigheid bleef een levenslange angst. Gao Xingjian zei het wereldse leven vaarwel na politieke problemen en een (uiteindelijk onterechte) diagnose van terminale kanker. Hij vertrok op een spirituele en tegelijk innerlijke zoektocht, maar nam later in zijn dankrede voor de Nobelprijs dermate nadrukkelijk afstand van de politiek en de markt, dat hij zich nog altijd een typisch geëngageerd intellectueel toonde. Anders ligt het voor Shi Tiesheng en Chen Cun, ook wel de twee 'rolstoelschrijvers' van China genoemd. Of het nu komt doordat ze door ziekte aan hun huis zijn gekluisterd, zul je nooit met zekerheid kunnen beweren, maar het is een feit dat ze in hun werk met een opmerkelijke vanzelfsprekendheid het individu voor de maatschappij stellen. Chen Cun (1954) heeft bijvoorbeeld veel over zijn stad Shanghai geschreven, maar niet als in de lichte verhalen uit de jaren dertig of negentig: hij zoomde vooral in, zie het moderne spookverhaal 'Voetstappen op het dak', op de eenzaamheid in een troosteloze nieuwbouwwijk in aanbouw. Ook zijn roman *Bloem en*

(1997) gaat over de onpersoonlijkheid van het veranderende en uitdijende stadslandschap: op zoek naar iets van natuurlijke schoonheid stelt de verteller zich in het eerste hoofdstuk voor dat er uit een koeienvlaai op straat spontaan een bloem zou groeien. Door zijn meer experimentele werk is Chen Cun geen schrijver van het grote publiek, sterker nog: als een van de internetpioniers onder de Chinese schrijvers spant hij zich in de luwte van het web in om een virtuele vrijhaven voor experimentele, niet-commerciële literatuur te creëren.

Ook zijn vriend Shi Tiesheng (1951), hoewel een stuk bekender, heeft slechts een bescheiden maar trouwe schare bewonderaars. De filosofische inslag waarom hij geliefd is, sluit hem tegelijk uit van de overwegend realistische, vaak maatschappijkritische mainstream. Om dezelfde reden waarschijnlijk is hij ook internationaal vrij onopgemerkt gebleven, zowel in het wetenschappelijk onderzoek, dat literatuur ook nog altijd graag leest om de Chinese maatschappij te bestuderen, als bij het grotere publiek – zelfs nadat Chen Kaige in 1987 een van zijn novellen verfilmde als *Life on a String*, een parabolisch liefdesverhaal over een blinde muzikant. Maar in 2002 was Shi Tiesheng zeer veelzeggend de eerste winnaar van de nieuw opgezette, particuliere Grote Mediaprijs voor Chineestalige Literatuur*, tegenhanger van de volstrekt verpolitiekte Mao Dunprijs, de staatsonderscheiding die, een uitzondering als de breed geliefde Wang Anyi daargelaten, uitsluitend gereserveerd leek voor staatsvriendelijke establishmentauteurs (onder wie elke keer verplicht een scribent uit het Bevrijdingsleger). In de jaren na 2002 kreeg Shi Tiesheng in de laureatenlijst van de Grote Mediaprijs gezelschap van zo'n beetje alle toonaangevende auteurs die de Mao Dunprijs het in de jaren tachtig en negentig gepresteerd had te passeren: Mo Yan, Ge Fei, Jia Pingwa, Han Shaogong en Su Tong.

Shi Tiesheng is een schrijver die zijn handicap echt tot inzet van zijn literaire werk heeft gemaakt. Misschien doordat ziekte hem in zijn leven wel erg zwaar heeft getroffen: op zijn eenentwintigste raakte hij verlamd aan beide benen en enige jaren later, in 1981, liep hij ook nog eens een ernstige nieraandoening op, waarvoor hij sinds 1998 veelvuldig in dialyse moest, na verloop van tijd zelfs drie dagen per week. 'Ziek zijn is mijn dagelijks werk, schrijven doe ik ernaast', heeft hij weleens gezegd. Shi schrijft veel over zijn rolstoelbestaan, maar is in het geheel niet uit op begrip of sentiment. Integendeel: een vroeg verhaal als 'De geest van de stoel' is een tragikomisch, toverachtig relaas van een ik-figuur die na lang sparen zijn oude mechanische rolstoel inruilt voor een elektrisch karretje. Hoewel hij nu, met een extra accu, veel verder van huis kan, doet die nieuw verworven vrijheid hem met pijn in zijn hart terugdenken aan al het moois dat zijn oude twee-

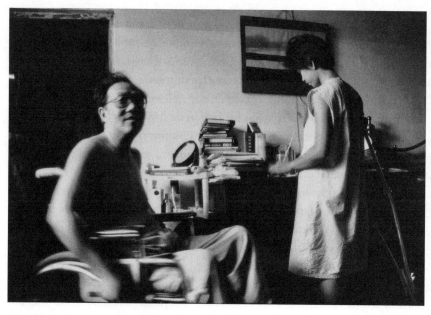

Shi Tiesheng en zijn vrouw Chen Ximi (© FOTOE)

dehandsje hem al die jaren heeft geschonken. Hij dankt de 'twintig moeders' die er geld voor bijeenlegden en memoreert het wonderlijke kindje dat een tijdlang met hem meereed – de geest van de stoel? Maar bovenal koestert hij een droomachtige herinnering aan een vriendinnetje dat hem ooit op een bijzondere manier liet zien waar ze woonde – een laatste gebaar voor hun definitieve afscheid. Omdat hij de trappen ernaartoe onmogelijk met zijn rolstoel kan nemen, en hij zich ook zou schamen voor de overlast, rijdt ze hem op een heuvel tegenover haar gebouw, schenkt hem een glas rode wijn in en toont hem, door het raam, met behulp van een spiegel de hele inrichting van haar kamertje. Totdat hij ziet dat een ander haar kamerdeur opent – einde voorstelling.

'Noodlot', uit 1989, heeft dezelfde lichte toon, al maakt weemoedigheid plaats voor zelfspot in deze kleine bespiegeling over toeval en onontkoombaarheid. Door een ongeluk raakt de jonge hoofdpersoon Mo Fei verlamd en ziet hij zijn toekomstdromen (hij had zijn vliegticket voor het buitenland al op zak) in één klap verpulverd. Lezers die louter op autobiografie en bekentenis uit zijn, zijn wederom gewaarschuwd: Shi Tiesheng raakte zelf niet door een ongeval maar door een ziekte verlamd. Obsessief probeert Mo Fei te achterhalen waarom hij niet één seconde eerder of later over die fatale, gladde aubergine op de weg had kunnen fietsen, zodat hij de auto die hem na zijn val aanreed nog had kunnen ontwijken. Een politieagent verzekert hem dat noch hemzelf, noch de automobilist iets te verwijten viel, want wie zou er bedacht kunnen zijn op een aubergine op het wegdek, moeilijk te zien bovendien, vanwege het avondlijk uur? Mo Fei, die geen genoegen kan nemen met het toeval als verklaring, krijgt de brave diender zover om dan maar de aubergine de schuld te geven. Maar Mo Fei denkt en rekent verder, elke seconde tot in het komische terug- en hertellend. Waarom fietste hij daar op dat moment? Had hij na zijn operabezoek die avond nog wel moeten stoppen voor een hapje? Hoe had hij dat operakaartje trouwens op het laatste moment nog gekregen? Het mooie is dat Mo Fei zijn queeste voortdurend onderbreekt voor allerlei zijsprongen en terzijdes, over zijn huwelijkskansen en zijn schrijverscarrière bijvoorbeeld, waarmee tegelijkertijd de spanning wordt opgebouwd en de 'verklaring' uiteindelijk – jaren later, als Mo Fei net als Shi Tiesheng een gevierd schrijver is geworden – toch nog onverwacht opduikt. Ik zal de hele keten van het toeval niet verklappen, maar alles moet uiteindelijk zijn begonnen met de scheet van een hond. De nietigheid van die oorzaak leert Mo Fei iets over de nietigheid van de mens. 'Nog altijd dreunt dat gedempte geluid na in mijn oren', besluit hij berustend, en op de vraag 'waarom dat gedempte geluid er moest zijn', antwoordt hij met een olijke combinatie van de oerknal en de christelijke schepping: 'God zei dat dat gedempte geluid er moest zijn, en dat gedempte geluid was er. En God zag dat het goed was. Zo is het gegaan. Het was avond en het was ochtend geweest, en zo ging het alle dagen na de zevende dag.'

Noodlot en liefde zouden de hoofdrollen blijven spelen in Shi Tieshengs werk, bij uitstek in zijn eerste grote roman, *Notities van een theoreticus* uit 1996. Voor velen is het zijn magnum opus, omdat er zoveel van zijn werk in samenkomt, maar voor evenzovelen staat het om diezelfde reden te boek als 'moeilijk'. Shi is weliswaar een gewaardeerd essayist – de Grote Mediaprijs kreeg hij nota bene voor zijn autobiografische *Aantekeningen tussen ziekbed en rolstoel* – maar van deze roman, bestaande uit tweehonderdzevenendertig genummerde notities verdeeld over tweeëntwintig hoofdstukken, heeft het sterk beschouwelijke karakter veel lezers afgeschrikt. Het begrip 'notities' verwijst naar een traditioneel Chinees genre waarin de schrijver op een vrije manier zijn losse gedachten kwijt kon; ook Han Shaogongs hybride *Woordenboek van Maqiao* wordt vaak een moderne 'notitieroman' genoemd. Maar Shi Tiesheng gaat een stapje verder, hij noemt zich in de titel niet voor niets spottend een 'theoreticus', iemand die meer denkt dan doet. Vanaf de eerste bladzijde is die denkende schrijver aanwezig: het is Shi Tiesheng zelf die zich 'in zijn schrijversnachten' afvraagt wie hij is, of hij zichzelf wel kan kennen.

Wat maakt mij 'ik'? Zijn het mijn herinneringen? En hoe betrouwbaar zijn die dan? Het hieronder vertaalde fragment uit notitie nummer 5, over zijn geboorte, geeft een beeld van het ongewisse waarin hij rondtast. Uiteindelijk besluit Shi zijn eerste hoofdstuk met een paradox, die pas gaandeweg de roman duidelijker zal worden. Analoog aan het logische grapje: 'De volgende zin is waar,/ de voorgaande zin is onwaar', schrijft hij: 'Mijn herinneringen zijn maar een deel van mij,/ en toch ben ik de som van al mijn herinneringen.'

Shi Tiesheng (Uit: *Notities van een theoreticus*)

Ik heb wel vaker opgeschreven: ik ben in 1951 geboren. Maar voor mij komt 1951 eigenlijk na 1955. Op een dag in 1955 – ik herinner me dat de tekens op de kalender groen waren – in dat weekend is voor mij de tijd begonnen. Daarvóór was 1951 een lege vlek, pas na dat weekend in 1955 werd 1951 overgeleverd, kreeg het langzaam betekenis, bestond het echt. Maar dat weekend in 1955 is eigenlijk weer geen zondag in 1955, maar een ochtend in de winter van 1951 – men zegt dat ik toen ben geboren, en als ik me die dag voorstel, wordt die zondag in 1955 verdrongen door die ochtend in 1951. Op die ochtend, zei grootmoeder, sneeuwde het verschrikkelijk. Maar voor mij viel die dag de sneeuw van 1956; alleen met de sneeuw van 1956 kan ik de sneeuw van 1951 begrijpen, daardoor heeft de winter van 1951 gestalte gekregen, is hij niet langer een lege vlek.

(Vertaler: Mark Leenhouts)

Wat volgt zijn die herinneringen, of eigenlijk 'indrukken', zoals hij het noemt, omdat hij weet dat ze onvermijdelijk gekleurd zijn. Opvallend genoeg zijn het herinneringen aan anderen: een handjevol mensen dat 'zijn leven heeft gekruist' en aan wie hij zich spiegelt, alsof hij zichzelf zo beter zal kunnen begrijpen. Centraal staat gehandicapte C, die tot Shi's verrassing op zijn veertigste uiteindelijk trouwt met de vrouw die hem twintig jaar eerder verliet. Destijds werd de sociale druk hun beiden te veel: men vermoedde dat zij hem enkel wilde trouwen uit medelijden, en men vond het egoïstisch van C om haar tot een leven met een invalide te dwingen. C voelde dat hij moest kiezen tussen het huwelijk of 'een goed mens zijn', aarzelde, werd bang, waarna de vrouw de knoop voor hem doorhakte, vertrok en hem twintig jaar alleen liet met zijn verlangen. C's lot doet Shi Tiesheng vervolgens denken aan dat van lerares O, die aan het begin van het boek zelfmoord heeft gepleegd: uit teleurstelling in de liefde, vraagt de schrijver zich af, of juist uit een te groot verlangen naar de ideale liefde? Maar de spiegelingen gaan verder: dokter F, die gehandicapte C behandelt en ook de doodsoorzaak van lerares O moet vaststellen, kampt met een vergelijkbaar probleem: hij gaf – uit angst? – zijn grote jeugdliefde actrice N op voor een veilig huwelijk, dat hem al twintig jaar vervult van spijt – en ongeuit verlangen.

Het zijn deze associaties die de roman voortstuwen, veeleer dan een groot verhaal dat alle personages zou moeten verbinden of de lezer bij de les zou moeten houden. Zo worden bij weer andere personages verlangens doorkruist door de politiek, in het bijzonder de Culturele Revolutie. Schilder Z en ene WR, gewezen geliefden van O, haalden op school de beste resultaten, maar vanwege hun 'verkeerde klassenachtergrond' – ze stamden niet af van een proletarisch maar een bourgeois geslacht – werd hun een goede universiteit en carrière onthouden. Politiek en liefde komen vrij direct samen in dichter L: bestraft om een verklikt liefdesbriefje op school, tijdens de puriteinse communistische periode, raakte hij voorgoed gedesillusioneerd in de liefde, hetgeen zich bij hem juist weer uit in een losbandig seksleven. Bij al deze mensen zijn bepaalde omstandigheden hun noodlottig geworden, waarbij het voor Shi niet lijkt uit te maken of dat noodlot nu 'een klein zwellinkje in je ruggengraat' is of een politieke oorzaak heeft. 'Iedereen zou C kunnen zijn', zegt hij in de roman, en in een open brief over de roman, geschreven aan een bevriend schrijfster, licht hij dat nog eens toe. Het gebrek van de gehandicapte is uiteindelijk ieders gebrek, schrijft hij daar, spelend met het letterlijke Chinese woord 'gebrekkige', dat ook het oude Nederlands woord voor gehandicapte is. De mens staat vanaf zijn geboorte eenzaam in de wereld, een vaak oneerlijke wereld, en de daaruit voortkomende begeerte (naar liefde) en angst (voor de ander) zijn ieders deel.

Dat Shi Tiesheng die centrale gedachte in zijn roman aanschouwelijk maakt door verschillende mensenlevens naast elkaar te leggen en de lezer uit te nodigen tot het leggen van verbanden, is in feite een klassiek Chinees procedé. Van een traditionele roman als *De droom van de rode kamer* tot de moderne romans van Pai Hsien-yung, Mo Yan of Su Tong, overal speelt dat spel van overlapping en vergelijking een zwaardere rol dan plot of psychologie. Maar Shi is er wel wat extremer in. Vederlicht springt hij heen en weer tussen de personages, soms zo snel dat ze door elkaar beginnen te vloeien. Schilder Z en WR hebben bijvoorbeeld allebei een beslissend moment meegemaakt in hun jeugd: toen ze negen of tien jaar waren, maakten ze voor het eerst kennis met schoonheid en verlangen, via de ontmoeting met 'dat angstaanjagende meisje' in 'dat mooie huis'. 'Z en WR in hun jonge jaren, ik haal ze altijd door elkaar', schrijft Shi, maar het gaat hem dan ook eigenlijk alleen om hun ervaringen, die uiteindelijk uitwisselbaar worden; misschien is dat ook wel de reden waarom hij al zijn personages slechts met een letter, een initiaal, aanduidt. Shi schuift de jeugdherinneringen van Z en WR letterlijk over elkaar en probeert zo het algemeen menselijke, het menselijk gebrek, eruit te destilleren.

Het lijkt misschien een ambitieus experiment, en het doet weleens geforceerd aan, maar binnen dat enigszins abstracte kader komen de plotseling ontroerende passages, die Shi wel degelijk toelaat, des te harder aan. Shi kan namelijk met weinig middelen iets oproepen. Soms door een stille wenk: de afscheidsscène tussen gehandicapte C en zijn geliefde X, waarbij C smekend zijn 'gebrek' verwoordt, speelt zich niet voor niets af voor het altaar van het (inmiddels seculiere) Maantempelpark in Peking – het verlangen als gebed. Elders door een treffende typering: de emotioneel verlamde dokter F, hersenchirurg, vraagt zich telkens als hij in hoofden van mensen kijkt onwillekeurig af hoe er in die witte kwabben en vertakkende zenuwen gevoelens van verdriet en geluk worden opgewekt. En anders wel door zijn beeldend vermogen: dokter F en actrice N komen nooit werkelijk tot elkaar, maar 'communiceren' voortdurend op een indirecte manier: via een spiegel aan de muur, via een boek dat hen verbindt, of ze vangen een glimp van elkaar op achter een treinraampje – al kan dat laatste ook een herinnering van dichter L zijn geweest; maar dat maakt Shi immers niet zoveel uit … Zelfs wanneer je in de war raakt van al die gedaanteverwisselingen, kun je je dus nog altijd met genot door Shi's onvermoeibare paardensprongen laten meevoeren van het ene naar het andere stukje poëzie. En dat is misschien eigenlijk wel waar Shi Tiesheng je hebben wil.

Want die gedaanteverwisselingen zijn voor hem niet zomaar een spelletje. Zoals hij in het begin al aangaf: hij wilde uit zijn personages enkel halen wat hem 'ik' maakt. 'Ik maak hen niet, zij maken mij', zegt hij in het boek. En in zijn open brief: 'Je mag mijn roman gerust een autobiografie noemen, maar dan wel een autobiografie van mijn ziel, van mijn innerlijke, niet mijn uiterlijke leven.' Daar is dat schimmentheater dus voor nodig: ergens tussen al die anderen zit wel degelijk Shi Tiesheng verscholen. Maar waar? Dat vraagt hij zich in zijn laatste notitie zelf ook af, nog steeds: 'En, waar sta ik nu?' Misschien zou je bij wijze van antwoord kunnen variëren op zijn eigen paradox: zijn personages zijn maar een deel hem, en toch is hij de som van al zijn personages. Een oud adagium, ik geef het toe, maar Shi heeft er wel een nieuwe betekenis aan gegeven. Net als in veel westerse literatuur moet hij toegeven dat je je eigen ik eigenlijk niet kunt kennen. Daar is hij alleen niet achter gekomen door in zijn eigen zielenroerselen te graven, op de manier van de westerse roman, maar door te zoeken naar gemene delers met zijn menselijke lotgenoten, zoals het in de traditionele Chinese roman met zijn vele personages al ging. Shi's zoektocht mag dan vergeefs zijn, toch eindigt hij in een zekere berusting. Een berusting die je ook ziet bij Gao Xingjians naar onthechting strevende individu, wanneer zijn alter ego tamelijk tevreden van buitenland naar buitenland zwerft, of bij Su Tongs wantrouwige, bedreigde eenling: zijn verbannen keizer wordt uiteindelijk een bedaarde, eenzame monnik. Maar in plaats van een vlucht uit de wereld, zoekt Shi Tiesheng juist de mensen op; want, zei hij zelf al, 'ben ik iets zonder de anderen, zonder de aarde, de lucht, zon, maan en sterren om me heen?'

BUITENGAATS

China overzee

Waar blijft de Chinese Solzjenitsyn? Die vraag dook sinds eind jaren zeventig geregeld in het Westen op. Gewend aan het feit dat moderne Russische literatuur vaak van buiten de communistische landsgrenzen kwam, ging de aandacht wat betreft de Chinese literatuur in eerste instantie ook uit naar een uitgeweken dissident. Dat het een politiek getinte auteur moest zijn stond eigenlijk wel vast, want grote negentiende-eeuwers als Dostojevski en Tolstoj had China tenslotte nooit gekend. Als ik het zoemwoord 'Chinese Solzjenitsyn' tegenwoordig nog weleens hoor, moet ik altijd denken aan het interview dat Ian Buruma in zijn boek *Bad elements* had met schrijver-journalist Liu Binyan, een van de Chinezen die meermalen die titel kreeg opgeplakt; in zijn geval naar aanleiding van zijn kritische reportages als *Een kwestie van karakter*, dat in 1990 in het Nederlands verscheen. Buruma sprak Liu Binyan (1925-2005) eind jaren negentig in zijn woonplaats Plainsboro, New Jersey. Het was november, en al regende het niet, de invallende schemering was afdoende decor voor de troosteloosheid van de eenzame balling in Amerikaans suburbia. Buruma portretteerde hem als iemand die, half Chinees, half Engels sprekend, voorovergebogen over krantenknipsels, in woord en gedachte nog altijd in China was. Maar al had hij nu de vrijheid om te spreken, zijn invloed was hij kwijt – de ervaring van de meeste 'slechte elementen' die Buruma voor zijn boek afreisde. De jongere 'rebellen', de voormalige studentenleiders van de protesten rond het Tiananmenplein in 1989, konden beter aarden in het vrije Westen. Alleen waren de meesten van hen vooral bezig met geld verdienen; het moederland redden kwam voorlopig op de tweede plaats, een enkeling wilde daar zelfs helemaal niet meer van horen.

De Chinese diaspora heeft wel enkele gedreven mensenrechtenactivisten voortgebracht, maar eigenlijk geen grote literaire namen – althans geen nieuwe. Veel dichters raakten na het Tiananmen-incident over de wereld verstrooid, al dan niet gedwongen, zoals Bei Dao (de Verenigde Staten) en Duoduo (Nederland), of uit vrije wil, zoals Yang Lian (Engeland). Bei Dao en Duoduo dankten hun internationale bekendheid voor een groot deel aan hun politieke problemen; hoewel hun werk hoog aangeschreven stond, werd het vaak ten onrechte in politieke termen geduid. Maar in het in 1990 herrezen tijdschrift *Vandaag*, de befaamde Chinese samizdatuitgave die eind jaren zeventig kort na oprichting was verboden, stond hun werk doorgaans zij aan zij met dat van dichters die thuis waren gebleven of die aan buitenlandse universiteiten lesgaven; hetzelfde gold voor de deelnamelijsten van internationale poëziefestivals. Kopstukken van de hedendaagse poëzie uit de Volksrepubliek wonen tegenwoordig dan ook overal, ook gewoon in China: van spreektaaldichter Yu Jian in de zuidelijke provincie Yunnan tot de meer cerebrale Xi Chuan in het noordelijke Peking.

Voor het proza ligt het anders, opvallend genoeg. Van de weinige romanschrijvers die naar het buitenland emigreerden werd vaak weinig meer gehoord. Gu Hua, van *Het dorp Hibiscus*, leverde na zijn vertrek naar Canada eind jaren tachtig nog één roman af, en de ooit veelbelovende A Cheng (1949), die begin jaren tachtig opzien baarde met zijn koningstrilogie (de verfilming van één deel, *King of the Children* door Chen Kaige, werd vrij bekend), schreef vanuit Californië eigenlijk alleen nog maar columns. Latere Nobelprijswinnaar Gao Xingjian publiceerde in Parijs pas na tien jaar schilderen en toneelschrijven zijn tweede roman, terwijl hij zijn eerste, *Berg van de ziel* uit 1990, lange tijd niet vertaald kreeg. Zelfs in zijn gastland weigerden alle grote uitgevers, totdat het kleine Provençaalse Aube het er uiteindelijk op waagde. Kennelijk wilden de meeste schrijvers, om met Liu Binyan en de andere ballingen te spreken, hun invloed liever behouden.

Uitgeweken Chinezen die wél schreven en uitgevers vonden, kwamen uit heel andere hoek. Zij publiceerden voornamelijk persoonlijke getuigenissen van China's woelige recente geschiedenis, meestal de Culturele Revolutie. Velen van hen hadden geen enkele schrijversachtergrond en kregen hulp van een westerse editor of echtgenoot, maar aan hun verhaal was vanwege het lang gesloten China nu eenmaal grote behoefte. Door het gebrek aan een literaire vertaaltraditie, gecombineerd met de fixatie op het politieke aspect, kregen deze rechtstreeks in het Engels of Frans geschreven egodocumenten veel aandacht en gingen ze, bij verstek, zelfs geregeld door voor Chinese literatuur. Nadat Jung Chang met *Wilde zwanen* – de geschiedenis van haarzelf, haar moeder en haar grootmoeder – in 1991 de wereld had veroverd, overspoelde een niet-aflatende stroom *political memoirs* de markt. Uitzonderingen daargelaten, veranderde het oorspronkelijk waardevolle non-fictiegenre zodoende algauw in een uitgemolken formule. De titels zeiden soms al genoeg: *Daughter of the Yellow River, Daughter of Han, Lost Daughter of China, Fifth Chinese Daughter, Unwanted Chinese Daughter, Paper Daughter* ... Negen van de tien

auteurs waren vrouw, en de nadruk lag in evenzoveel gevallen op vet Amerikaans sentiment: het individu dat ellende en tegenspoed te boven komt en
zich een weg baant naar de vrijheid. Onder literair agenten gold 'Chinees
leed' een goede vijftien jaar als lucratief handelsproduct.

Literair werk verscheen er ook, maar minder. Er bestond ook geen echte
traditie. Lin Yutang (1895-1976) was, in de jaren dertig, een van de eerste
Chinese schrijvers die ook in zijn tweede taal begon te schrijven. Tijdens zijn
jarenlange verblijf in de Verenigde Staten werd hij beroemd met Engelstalige
boeken als *My Country and My People* (1935) en *The Importance of Living*
(1937), waarin hij op een prettige, licht ironische manier essays schreef over
'Chinese levenswijsheid', van het genieten van thee, conversatie en roken tot
de kunst van het in bed liggen. Al kon je het beschouwen als een informatieve
introductie in de Chinese cultuur, zijn invalshoeken waren oorspronkelijk, en
zijn beheersing van het Engels bewonderenswaardig. Ook Frankrijk kende al
vrij vroeg zo'n tweetalig essayist, François Cheng (1929), die zich, wat minder
frivool, concentreerde op schilderkunst en poëzie. Eigen poëzie schreef hij
ook, in het Frans, en in 2002 werd hij lid van de Académie française. Beiden
hebben ook altijd Chinese literatuur vertaald, maar waren toch meer dan
zomaar culturele ambassadeurs.

De rol van Cheng en Lin leek een beetje uitgespeeld toen in de jaren
zeventig en tachtig de Chinees-Amerikaanse immigrantenliteratuur op gang
kwam – vaak geschreven door de tweede, niet in China geboren generatie, die
zo haar eigen kijk op de Chinese cultuur had. Maxine Hong Kingston (1940)
was de eerste, sterke representant, met haar *Woman Warrior* (*Chinese krijgsheldin*) uit 1976. Amy Tan (1952) werd in 1989 haar 'opvolgster', met het
succesvol verfilmde *The Joy Luck Club* (*De vreugde-en-gelukclub*), over drie
verwesterde Chinese vrouwen en hun respectievelijke moeders. In *Woman
Warrior* weet je al na een paar bladzijden dat je met een echte schrijfster te
maken hebt. Kingston vertelt bijvoorbeeld niet droogjes dat haar kinderidool
de legendarische, als jongen verklede strijdster Mulan was (later gepopulari-
seerd door de gelijknamige Disneyfilm), maar laat de lezer zelf ervaren hoe
een kind kan opgaan in zijn verbeelding, totdat de grenzen met de werkelijkheid vervagen. Tan moest het vooral van haar humor hebben, en sprak met
haar thema van de generatiekloof, die meteen ook een cultuurkloof is, on-
middellijk een groot publiek aan, al hekelden collega-schrijvers haar om haar
stereotypen. Terwijl Kingston na haar tweede boek *China Men* (*Mannen uit
China*), over de Chinese migrantengeschiedenis in de Verenigde Staten, wat
ontoegankelijker ging schrijven, probeerde Tan met bespiegelingen over de
Chinese noodlotsgedachte in contrast tot het Amerikaans individualisme los

te breken uit haar enigszins beperkende handelsmerk van de autobiografische fictie, wat haar maar ten dele lukte.

Rond de eeuwwisseling dook er een aantal interessante literaire 'grensgevallen' op, schrijvers tussen twee culturen die meer in hun mars leken te hebben dan persoonlijke getuigenis of toegankelijke geschiedschrijving. Ha Jin (1956) won in 1999 uit het niets de Amerikaanse National Book Award, net zoals Maxine Hong Kingston ruim twintig jaar voor hem. Hij schreef zijn debuutroman *Wachten* direct in het Engels, nadat hij in 1985 naar de Verenigde Staten was gekomen – niet na het Tiananmen-incident van 1989, zoals bij Chinese schrijvers soms gemakshalve wordt aangenomen. In spaarzaam Engels, dat hij zichzelf via de radio had aangeleerd terwijl hij telegrafist was in het Chinese leger, doet hij het beklemmende relaas van legerarts Lin Kong, die volgens de wet achttien jaar lang moet wachten om het gedwongen huwelijk met zijn boerenechtgenote te kunnen beëindigen, zodat hij kan hertrouwen met de verpleegster Manna Wu op wie hij verliefd is geworden. Het boek draait om Lin Kongs indringend verbeelde onvermogen iets aan zijn lot te veranderen: door zijn sociale conformisme heeft hij de regels van het totalitaire systeem verinnerlijkt en zal hij wat de liefde betreft, in Ha Jins woorden, altijd een 'kreupele' blijven.

Al werd *Wachten*, gebaseerd op een waargebeurd verhaal, in het Westen vaak opgevat als een aanklacht tegen het Chinese regime, voor Ha Jin vormde de politiek alleen maar de achtergrond. Waar het hem om ging bij het schrijven, was de psychologische kant van het verhaal. 'Ik moest proberen te begrijpen waarom een man als Lin Kong zo lang zou kunnen wachten', zei hij in 2001 in *de Volkskrant*. 'Al zijn de omstandigheden, zoals altijd, bepalend, uiteindelijk gaat het erom te begrijpen hoe het werkt bij een individu, en die problematiek is universeel. Ik kreeg een brief van een Amerikaanse vrouw die *Wachten* had gelezen en zei dat ze net zo leefde als Lin Kong. Een andere dame vertelde me dat de man van haar zus precies zo was. Dat heeft me enorm gesterkt in mijn overtuiging dat ik geen eenzijdig politiek of cultureel boek heb geschreven.' Ha Jin distantieert zich dan ook nadrukkelijk van het genre van de politieke getuigenis. 'Wat die boeken bijna allemaal kenmerkt, is het gebrek aan afstand, niet die van de migrant, want dat zijn die schrijvers bijna allemaal, maar de kritische afstand, de reflectie. De meesten schilderen zichzelf af als slachtoffers, en dat is voor hen een uitgemaakte zaak, de lezer krijgt geen inzicht in hun eigen aandeel aan hun leed, zoals bij Lin Kong. Neem bijvoorbeeld het feit dat Lin Kong en zijn geliefde al die jaren braaf kuis blijven, omdat hun buitenechtelijke "vriendschap" op die voorwaarde door de leiding

Ha Jin
(© Jan van Esch)

wordt geaccepteerd; of de goedheid waarmee Lin haar in de tussentijd een geschiktere partner helpt zoeken, omdat ze anders een "oude vrijster" dreigt te worden. De verteller moet die handelingen of denkwijzen niet veroordelen, hoe vreemd hij ze ook vindt, hij kan beter de verschillende kanten van een zaak laten zien en de rest aan de lezer overlaten. Ik vind dat een literaire tekst die ruimte moet bieden, open moet zijn; de lezer moet zelf kunnen oordelen.'

Ha Jin heeft nooit in het Chinees geschreven en is in het Engels blijven schrijven. Hij zegt ook dat 'hij wel gek zou zijn' als hij beweerde dat hij in een Chinese traditie stond. Affiniteit heeft hij eerder met schrijvers voor wie Engels ook niet de moedertaal was, zoals Nabokov – diens uitspraak dat hij in zijn moedertaal nooit een goed schrijver zou zijn geworden, vindt hij uitstekend op zichzelf toepasbaar. Toch leek hij in zijn volgende roman, *De waanzinnigen*, wel degelijk wat van de Chinese traditie te hebben meegekregen. Het boek draait om een professor die in het voorjaar van 1989 een beroerte krijgt, waarna zijn student en aanstaande schoonzoon Jian Wan plichtsgetrouw de verzorging op zich neemt. De oude man heeft een metamorfose ondergaan: de eens zo respectabele intellectueel flapt er allerlei politiek gewaagde en schunnige taal uit en lalt maoïstische liedjes uit de Culturele Revolutie – tot schaamte van zijn pupil. Belangrijker is dat hij al ijlend de verborgen kanten van zijn leven onthult, die uiteindelijk ook gevolgen hebben voor de student zelf. Het is aan de tamelijk naïeve jongen om, als de verteller van de roman, die 'wartaal' voortdurend te duiden. Maar helaas pakt Ha Jin dat zo schematisch aan dat hij, in tegenstelling tot in *Wachten*, bar weinig aan de lezer overlaat. Kinderen en gekken spreken de waarheid, dat is in China ook bekend, sterker nog: het spel van de dwaas die ook weleens een wijze zou kunnen zijn is van oudsher een geliefd literair thema, denk aan Lu Xuns 'Dagboek van een gek' – maar Ha Jin pepert het de lezer onnodig hard in.

Dat laatste geldt helaas ook voor de politieke dimensie van het verhaal. Nadat het ziekbedorakel de student alle politieke machinaties heeft geopenbaard die zijn carrière en huwelijk zullen frustreren, stort de jongen zich verward in de historische studentendemonstraties van Peking, die zoals bekend eindigen in het geweld van de militaire onderdrukking. Deze impressionistische apotheose komt een beetje uit de lucht vallen, maar de symboliek ervan is duidelijk: de onschuld wordt vermoord door de politiek – een veel eenduidiger conclusie dan de aangrijpend beschreven verinnerlijking van het systeem bij legerarts Lin Kong. Bij die eenduidigheid valt bovendien sterker op dat Ha Jin de monologen van de gekke professor voornamelijk gebruikt om bevlogen theorieën over Chinese kunst en literatuur te spuien – en die ambitieuze inzet is Ha Jin duidelijk te hoog gegrepen; het lijkt eerder het oplepelen van culturele wetenswaardigheden, iets wat hij in *Wachten* subtieler deed.

Dat gevaar, China voor de leek verklaren, ligt bij alle Chinese emigrantenschrijvers op de loer. Neem Dai Sijie (1954), die in 2000 al even plotseling doorbrak met zijn rechtstreeks in het Frans geschreven *Balzac en het Chinese naaistertje*, waarvan wereldwijd een miljoen exemplaren werden verkocht. Het boek vertelt hoe twee op het platteland tewerkgestelde jongens tijdens de Culturele Revolutie via verboden buitenlandse boeken het leven en de liefde ontdekken. Het plaatselijke naaistertje dat ze inwijden in de westerse literatuur, besluit op een dag, geïnspireerd door Balzac, haar vleugels uit te slaan en de wijde wereld in te trekken. Dai licht de lezer op een gemoedelijke toon in over de achtergronden van Mao's heropvoedingsprogramma – het 'leren van de boeren' – en besteedt ook ruime aandacht aan de traditionele gebruiken, rituelen en volksliedjes van het afgelegen gebied waar het verhaal zich afspeelt; net zoals hij in zijn films al deed: Dai is namelijk van origine cineast en voor een studie aan de filmacademie kwam hij in 1984 naar Parijs. Maar van een politieke aanklacht of slachtofferschap is ook in zijn boek geen sprake. Het is juist een nostalgische, af en toe zelfs lichtvoetige terugblik op de positieve kanten van de heropvoeding – een misschien paradoxaal

aandoende weemoed die in de Chineestalige literatuur al geruime tijd de kop
opsteekt. Mao's Culturele Revolutie was tenslotte voor een groot deel een
appèl op jeugdige romantiek; met grote bevlogenheid gaven jonge Rode
Gardisten gehoor aan zijn missiven, al was het maar om de vrijheid die ze
proefden door op de trein te stappen en ver van huis het grote China te ontdekken.

Dais roman loopt over van die romantiek. De illegale boeken waar Dais
verteller en zijn vriend bij toeval op stuiten, openen voor hen namelijk vooral
een wereld van vrije liefde, 'de vrouw' en seks, zoals Dais verteller het zegt.
Daags na lezing van Balzacs *Ursule Mirouet* verklaart de vriend van de verteller meteen zijn liefde aan het naaistertje. De verteller zelf, meer het beschouwende type, ontdekt in Romain Rollands *Jean-Christophe* 'de schoonheid en het belang van het individualisme' – grote, onbeholpen woorden van
een zeventienjarige scholier. Balzac en het Chinese naaistertje lijken een
vreemd paar, maar voor de jongens staan ze voor zelfontplooiing en hartstocht; samen vormen ze een ideaal van 'het ware leven', dat ergens buiten of
onder de verstikkende communistische moraal moet liggen. Het is jammer
dat Dais roman ook een beetje blijft steken in die hoogdravendheid. De
boeken zelf komen niet echt tot leven, hoewel het navertellen ervan een
belangrijke rol speelt. De beide stadsjongens stonden in het gehucht al bekend om het navertellen van films aan de dorpelingen (de 'orale film' – een
aardige vondst van een filmer-schrijver), en dus worden de verboden boeken
natuurlijk ook stiekem doorverteld. In negen opeenvolgende nachten vertellen de jonge hoofdpersonen het verhaal van *De graaf van Monte-Cristo* aan de
vader van het Chinese naaistertje, een vermaard kleermaker. Dat vertellen zelf
beleef je als lezer niet mee, maar des te humoristischer is de kortere, beeldende
passage die erop volgt, waarin de kleermaker, geïnspireerd door de exotische
verhalen, de hele boerenstreek in een nieuwe mode steekt.

Van die visuele kracht en humor moet Dai het hebben. Zijn romantische
thema – het geloven in boeken en in jezelf – is innemend, dat zeker, maar
eigenlijk niet meer dan dat. De aantrekkingskracht in het Westen moet toch
vooral gelegen hebben in het feit dat dit alles zich afspeelt tegen de achtergrond van de verschrikkingen tijdens de Culturele Revolutie. Dat dit een
typisch westerse lezing is, blijkt wel uit de ontvangst het boek in de officiële
Chinese kritiek. De Culturele Revolutie was daar het probleem niet, daarover
wordt wel meer geschreven, de kritiek was eerder nationalistisch getint. Dai
werd verweten dat hij alleen maar de ijdelheid van de Fransen had gestreeld
en China te achterlijk had afgeschilderd. Om het boek toch gepubliceerd te
krijgen had de Chinese vertaler die bezwaren maar alvast in zijn nawoord

Dai Sijie
(© EPA/ANP)

opgenomen, al verschenen er nadien toch recensies die Dai betichtten van 'slaafse aanbidding van het Westen'. Toen Dai zijn boek later in China verfilmde, vertelde hij tijdens een optreden in 2005 in het Amsterdamse Maison Descartes, kwam de censuur zelfs nog met het verzoek Balzac door een klassieke Chinese auteur te vervangen – die schreven toch ook over de liefde?

Volgens Dai reflecteren deze moeilijkheden in feite een grote frustratie van zijn generatie. 'Allemaal proberen we dingen die we in het Westen geleerd hebben mee terug te nemen naar China, om de samenleving daar te veranderen. Maar makkelijk is het niet.' Het lijkt wel alsof hij die ervaringen verwerkte in zijn volgende roman, *Het complex van Di* uit 2003, daarin keert een Chinese aanhanger van Freud in de jaren negentig vanuit Parijs terug naar China om er de allereerste psychoanalyticus te worden, een op de fiets rondtrekkende droomuitlegger. Zijn tocht is in feite één grote poging om zijn geliefde uit de gevangenis te redden: de ridderlijke antiheld dient daartoe de gevreesde en corrupte rechter Di, genoemd naar Van Guliks rechter Tie, in plaats van de gebruikelijke steekpenningen een maagd te bezorgen – en dat terwijl hij zelf nog maagd is. Dai schildert zijn ambulante psychoanalyticus af als een ware don quichot, wiens droomuitleggingen ofwel grote hilariteit opwekken, ofwel worden afgedaan als waarzeggerij. Als Dai hier zichzelf en zijn generatie mee verbeeldt, dan toch wel met een flinke dosis zelfspot. En cynisme – hoewel ook dit boek met zijn bekende lichtvoetigheid en gevoel voor komedie is geschreven, tekent hij de samenleving anno 2000 veel zwarter dan die van de jaren zeventig in *Balzac en het Chinese naaistertje*. In Maison Descartes beaamde hij dat: 'De Culturele Revolutie is natuurlijk in veel opzichten een donkerder periode, maar de mensen waren naïever, ontvankelijker. Buitenlandse literatuur kon nog wat teweegbrengen. In het huidige China is er veel meer onverschilligheid. En China is nu eenmaal echt een land geteisterd door corruptie – rechter Di die om een maagd vraagt, daarmee overdrijf ik het natuurlijk, maar corruptie is iets waar alle Chinezen aan meedoen.'

Het complex van Di won de Franse Prix Fémina, maar werd in *Le Monde*, waar kritieken volgens de Franse gewoonte meestal lovend of neutraal-informatief zijn, verrassend stellig afgedaan als onleesbaar. Het is wederom een sympathiek, maar ook erg wisselvallig boek, waarmee hij inderdaad veel lezers verloor; net als Ha Jin lijkt hij zich aan de veel ambitieuzere opzet van zijn tweede roman te hebben vertild. Hoewel hij in het Frans schrijft, zei hij in Maison Descartes, pakt hij het schrijven wel op zijn Chinees aan. Vrij natuurlijk begon hij, heel traditioneel, in episoden te vertellen. 'De Chinese klassieken zijn zelden één verhaal, maar kennen bijvoorbeeld een eenheid op thematisch niveau. Zo begin ik *Balzac en het Chinese naaistertje* met een scène over Mozart en een viool op het Chinese platteland. Dat is een op zichzelf staand verhaaltje, maar het sluit aan bij het grote thema van het boek: de confrontatie tussen twee culturen. Mijn tweede boek is nog episodischer dan het eerste, het is langer, maar ook vrijer. Ik heb er met meer vertelvormen geëxperimenteerd, zoals krantenstuk, brief en dagboek; misschien is dat westerse invloed.' Dai blijft hoe dan ook zeer bescheiden. Als een echt schrijver, laat staan een Frans schrijver, beschouwt hij zich nog steeds niet; hij schrijft met zijn neus in de Larousse gedoken. 'Gelukkig heb ik altijd het juiste excuus, moet je maar denken', grijnsde hij in Amsterdam. 'In het ene geval kan ik zeggen dat ik eigenlijk cineast ben, in het andere dat ik Chinees ben. Ik val overal een beetje buiten.'

Net als Dai Sijie en Ha Jin debuteerde ook de Nederlandse Lulu Wang (1960) direct in haar tweede taal, maar zij was daar duidelijk wat minder bescheiden over. Met uitspraken als 'ik ga het Nederlands verrijken' en 'ik ga de Nobelprijs winnen' bestormde zij begin 1997 de Lage Landen. Toch was het bestsellersucces van *Het lelietheater*, haar semi-autobiografische roman over een jeugd tijdens de Culturele Revolutie, ook in dit geval voornamelijk een kwestie van 'China uitleggen'. Het boek paste precies in de internationale egodocumentenrage die midden jaren negentig juist zijn hoogtepunt bereikte – Lulu Wang was Neerlands eerste eigen exponent ervan. De ruim vijfhonderdduizend Nederlandse kopers waren dan ook vooral verrukt door het feit dat een echte Chinese hun, in hun eigen taal, kon vertellen over dat onbekende China. Noch Wangs literaire aspiraties, noch de vrolijke, vinnige of verdrietige kritiek die haar 'taalkundige halfbloedje' weldra uitlokte, waren aan veel fans besteed. 'Haar taal? Daar lees ik gewoon doorheen', hoorde je geregeld.

Toch ging het in de literaire pers bijna alleen maar daarover. Aanvankelijk namen interviewers Lulu Wangs opvattingen eerbiedig over. Het Nederlands was een nuchtere, sobere taal, zei ze in 1997 in *Trouw*: 'In het Nederlands zeg je "ik hou van jou", klaar! In het Chinees zeggen we: "zelfs als de bergen afgevlakt zouden worden, en de zeeën uitgedroogd, zou ik toch van je blijven houden."' Misschien had Lulu Wang zelf nog niet gehoord van 'rozen verwelken, schepen vergaan …', maar de interviewer had er toch wel een vraagteken bij kunnen plaatsen. Mogelijk ging hij er zoals veel westerlingen ten onrechte vanuit dat alle Chinese karakters beeldtekens zijn en het Chinees dus van nature een zeer beeldende taal is. In werkelijkheid bevat het Chinese schrift maar erg weinig pure beeldtekens en is taal ook voor de gemiddelde Chinees doodgewoon taal. Maar Lulu Wang voedde de wijdverbreide misvatting door Chinese spreekwoorden en uitdrukkingen te pas en te onpas letterlijk te vertalen. Het resultaat was meestal krom of onbedoeld lachwekkend: 'schreeuwen als een gefileerde zalm', 'lachen als een koorddanser die van zijn stokje is gevallen'; en soms zelfs op het absurde af: 'tante stuiterde op en neer als een mier op een hete trampoline'. Dat laatste is nog te verklaren: in het Chinees kun je soms goede sier maken door in een gezegde toepasselijk een woordje te veranderen, en zo komt het voorafgaande van de Chinese uitdrukking 'een mier in een hete pan', oftewel: op hete kolen zitten. Hetzelfde principe past Wang overigens toe op Nederlandse uitdrukkingen, maar dat leidt hooguit tot meligheid. 'Dansen als de *poes* van honk is' of 'onder *zes* ogen spreken' – ook in China zouden haar varianten beslist niet voor subtiel doorgaan.

Al had NRC *Handelsblad* het in een vroege recensie uit 1997 nog over 'de prachtigste zinnen' en een 'ingehouden maar krachtige stijl', allengs werd Wangs taalgebruik voornamelijk nog bespot, dan wel eufemistisch 'bloemrijk' genoemd. De hilariteit sloeg evenwel om in ergernis en regelrecht afgrijzen, toen Wang in haar tweede boek *Het tedere kind* (1999) met haar typerende beeldspraak het thema incest te lijf ging. Zo beschreef ze vanuit het gezichtspunt van een tweejarige baby hoe het arme kind – dat je dus eerder 'teer' dan 'teder' zou noemen – een 'naar tenenkaas stinkende vleesboom' in haar mondje kreeg gedrukt. Enkele columnisten verbaasden zich dat de literaire kritiek zich zo opwond over het boek, *De Groene Amsterdammer* sprak in 1999 zelfs van 'de haat tegen Lulu Wang'. M. Februari opperde in *de Volkskrant* dat recensenten het boek gewoon links hadden kunnen laten liggen als het echt zo vol taalfouten stond, ze schoten volgens haar alleen maar zo heftig in de verdediging vanwege Wangs enorme verkoopsucces. Bovendien hoefden de besprekers niet bang te zijn dat Wangs massa's lezers *Het tedere kind* als 'echte' literatuur zouden gaan beschouwen, concludeerde ze ironisch, want wat je er ook over kon zeggen, het was 'geen gemakkelijk boek'. De lezers zouden met geen mogelijkheid door joyceaanse zinnen heen komen als: 'Kwebbelkous was staandevoets bekeerd tot het Willem de Zwijger-schap toen ze het rozige gevalletje van haar aartsvijandin zag.' Nu liepen Wangs lezersaantallen in de daaropvolgende jaren inderdaad sterk terug, maar waarschijnlijk eerder omdat de nieuwigheid, het exotische, eraf was. Want het punt is nu juist dat Lulu Wang over het algemeen best goed te volgen is – 'die taal, daar lees ik doorheen'. Hoe eigenzinniger en onbeholpener Wangs taal in haar volgende boeken ook werd – haar uitgever gaf in het *Algemeen Dagblad* toe dat ze door haar beroemdheid steeds moeilijker te redigeren was – haar boodschap kwam bij haar overgebleven liefhebbers, die haar onderhand tot een cultfiguur maakten, wonderwel aan. Neem het boek *Bedwelmd*, waarmee ze in 2004 een nieuwe weg insloeg: ze stapte over van autobiografisch schrijven naar fictie en richtte zich op de cultuurverschillen tussen China en het Westen.

'Daar gaat mijn droom!' denkt de Nederlandse Chris als hij voor het eerst de Chinese Jelai ziet. Is zijn droom aan flarden? Nee, daar loopt de vrouw van zijn dromen, bedoelt Wang. In *Bedwelmd* wordt de nuchtere zakenman, die in China al heel wat 'vrouwtjes van Madurodam-formaat' heeft bewonderd, verliefd op deze mysterieuze dame 'in haar Shanghai-dress, die haar lichaam hermetisch afsloot'. Maar hij krijgt ook te maken met haar moeilijke kanten. Van jaloezie wordt Jelai op een dag 'de hysterie zelve' en bonkt haar hoofd tegen een lantaarnpaal, waardoor ze in coma raakt. 'Ze is niet goed bij haar hoofd', zegt haar familie aan het ziekbed, waarmee ze niet naar haar psyche, maar naar haar hersenletsel verwijzen. Wanneer Jelai uit haar coma is 'teruggefloten' en Chris het wil vieren met een etentje, slaat zij haar hoofd opnieuw van woede tegen de bedspijlen. Ze kan hem wel 'profielloos meppen', want wie neemt nu een vrouw met een half kaalgeschoren hoofd (voor de operatie) mee naar het restaurant?

Lulu Wang
(© Michiel Hendryckx)

Langzaam laat Lulu Wang de Nederlander ontdekken dat het gedrag van de Chinese diepere, culturele gronden heeft. Dat betreft niet alleen Jelais gewelddadige uitbarstingen, maar ook haar spreken in omwegen. Om haar gevoelens te uiten neemt ze geregeld haar toevlucht tot oude parabels, wat voor een hedendaagse Chinese twintiger vrij uitzonderlijk mag heten – het is duidelijk dat de schrijfster haar in de eerste plaats ziet als een vertegenwoordigster van de Chinese cultuur. Overal zoekt Wang culturele verklaringen voor. Jelai is zeer geheimzinnig over haar verleden, de roman bestaat eigenlijk grotendeels uit Chris' pogingen om dat uit te pluizen. Jelai verzwijgt dingen en liegt, onder andere over haar rol in de Pekingse studentendemonstraties van 1989 of over de mannen in haar leven. Maar dat doet ze uit zelfbescherming, bang dat de waarheid Chris zal afschrikken; Chinese vrouwen kampen nu eenmaal met een grote verlatingsangst, moet de lezer weten, veroorzaakt door het eeuwenoude concubinesysteem, waarin ze als wegwerpartikelen werden beschouwd. Ze loog om bestwil en tenminste niet uit winstbejag, werpt ze Chris op een gegeven moment tegen, zoals de makers van misleidende reclame in Nederland! Bedrog keert telkens terug in de roman, vooral in de parallellen met het Chinese zakenleven die Wang trekt. Chris neemt aanvankelijk aanstoot aan de onzuivere praktijken van zijn Chinese handelspartners, maar ontdekt vervolgens dat zijn Hollandse opdrachtgever ook niet eerlijk speelt. En zo is het steeds een kwestie van Nederlanders tegenover Chinezen, een schematische opzet waarin personages pionnen zijn.

Ten slotte verwaarloost Wang ook het detective-element van de roman. In lange monologen of dialogen worden steeds weer andere verhalen over Jelai opgedist, die ten koste gaan van alle geloofwaardigheid. Vlak voor het einde maakt het boek bovendien ineens een sprong in de tijd en wordt materiaal voor nog een halve roman in twintig pagina's afgeraffeld. De lezer zit overigens nooit al te lang in spanning, want alles wordt stap voor stap opgeklaard. Uitleggen, dat is wat Lulu Wang eigenlijk voortdurend doet, vooral waar het China betreft. De meest dramatische scène wordt bruusk onderbroken voor een toelichting bij een gerecht, de geschiedenis of de actualiteit. Die introducerende rol blijft dus haar voornaamste *selling point*. En de bloemrijke taal? In dit boek valt juist op hoe plat haar taal overwegend is, en hoe ongevoelig Wang lijkt – buiten evidente missers – voor de verschillende registers. In de klassieke verhalen die Jelai vertelt is ze overdreven populair: keizers 'slaan op tilt', concubines 'flippen', terwijl ze ook telkens het statige 'voorts' gebruikt. Grove woorden als 'strot' en 'smoel' zijn voor haar kennelijk neutrale synoniemen, en uitdrukkingen als 'naar dromenland vertrekken' en 'evakostuum' zijn bij haar niet tuttig of schertsend maar poëtisch bedoeld. Kortom: al is Lulu Wang met *Bedwelmd* een nieuwe weg in geslagen, veel is er niet veranderd. 'De magie werkt alleen', zou zij zelf zeggen, 'als we er oren naar hebben.'

Ook al behelst het thema de cultuurverschillen tussen Oost en West, het valt op dat de roman wederom in China speelt. Dat is iets wat het werk van veel Chinese emigranten kenmerkt: het is niet vaak in het Westen gesitueerd en weerspiegelt zelden de cultuurproblemen in het land van aankomst. De schaarse pogingen daartoe laten zien hoezeer dit proces nog in een stadium van voorzichtig aftasten verkeert. Ha Jin waagde zich er na ruim twintig jaar verblijf in de Verenigde Staten pas aan, maar *A Free Life*, uit 2007, stelde de meeste Amerikaanse critici teleur. Ha Jin, praktische Chinees die hij is, beperkt zich tot de zeer concrete problemen van het inburgeren, zoals het bemachtigen van vergunningen en werk, het meest basale levensonderhoud dus, opgedist in een typisch Chinese aaneenrijging van kleine episodes. John Updike zag zo weinig dramatische spanning in het lijvige boekwerk dat hij zich ging ergeren aan het opzettelijk gebrekkige Engels dat Ha Jin in zijn dialogen gebruikte om, zoals hij in een interview toelichtte, de kern van de immigrantenervaring weer te geven: de beheersing van de taal. De jongere schrijfster Xiaolu Guo (1973), sinds 2002 woonachtig in Londen, gaat wat dat taalprobleem betreft nog verder dan Ha Jin. Haar *Beknopt woordenboek voor geliefden* (2006) bestaat bijna geheel uit het (langzaam beter wordende) 'broken English' van haar Chinese hoofdpersoon, die lemma voor lemma probeert door te dringen tot Engeland en tot haar Engelse vriend. Achter die kunstgreep, waarvan de aardigheid er voor sommige lezers misschien gauw af zal zijn, gaat echter een tamelijk sentimenteel liefdesverhaal schuil, waarin de cultuurverschillen nogal schematisch en overzichtelijk worden voorgesteld – een euvel dat ook de navolgers van Amy Tan blijft tekenen in de toch veel grotere Chinees-Amerikaanse literatuur.

In Nederland is Chinese migrantenliteratuur nog lang geen begrip. Hier vraagt men zich in de eerste plaats weleens af waarom er zo weinig Nederlandstalige schrijvers van Chinese afkomst zijn; menig uitgever zou graag een Chinese Benali of Bouazza in zijn fonds hebben. Misschien schreven die laatsten zich onder meer rechtstreeks de Nederlandse letterkunde in omdat ze, ondanks hun immigrantenimago, toch veel meer met beide benen op de Nederlandse grond staan. De Chinese minderheid is altijd een meer gesloten gemeenschap geweest dan, zeg, de Marokkaanse – al is ze zo ongeveer de oudste. Het feit dat Chinezen in Nederland, ook de jongeren, Nederlanders vaak aanduiden als 'buitenlanders' spreekt boekdelen: velen leven in hun hoofd kennelijk nog altijd in China. Is er een verschil met Liu Binyan, in zijn Amerikaanse woonkamer, gebogen over zijn Chinese krantenknipsels? De boeken van Yuhong Gong en Mayli Wen, de weinigen die in Lulu Wangs voetsporen traden, lijken dat beeld in eerste instantie te bevestigen. Ze spelen in China, in het verleden bovendien, en lijken alleen met Nederland verbonden door de taal – wat voor de literatuur welbeschouwd voldoende zou moeten zijn.

Lulu Wang schreef een voorwoord bij *Een vrouw op de drakentroon* (2005), het debuut van Mayli Wen, in 1981 geboren te Heerenveen. Wangs grillige taalspinsels steken schril af bij deze nuchtere, vlot geschreven historische roman over Tzu Hsi (1835-1908), laatste heerseres van het Chinese keizerrijk. Wen wil van deze vaak verguisde Dragon Lady een menselijker portret schilderen, en daarin staat ze als schrijfster niet alleen. De Chinees-Amerikaanse Anchee Min (1957, sinds 1984 in de Verenigde Staten) legde zich na haar autobiografische debuut *Rode Azalea* uit 1994 bijna exclusief toe op het 'in ere herstellen' van omstreden Chinese vrouwenlevens. Na een boek over Jiang Qing, *Mevrouw Mao* (2000), wijdde ze maar liefst twee boeken aan Tzu Hsi: *Keizerin Orchidee* (2004) en *De laatste keizerin* (2007). Tegelijkertijd publiceerde de Chinees-Franse Shan Sa (in 1972 geboren te Peking) de roman *Keizerin* (2004), over een andere archetypische 'slechte vrouw' uit de Chinese geschiedenis: keizerin Wu Zetian van de Tangdynastie. Zowel Anchee Min als Mayli Wen hebben zich uitvoerig verdiept in de Chinese Queen Victoria, maar weten van het feitenmateriaal geen meeslepende romans te maken. Min drijft haar missie tegen de misogynie van mannelijke geschiedschrijvers zo ver door dat het ten koste gaat van de literatuur, en Wen komt met name in de wat al te alledaagse dialogen aan stijl en diepgang tekort. Anders dan Min is Wen niet alleen geïnteresseerd in Tzu Hsi als vrouw, maar besteedt ze tegen het einde van het boek ook ruim aandacht aan haar rol in de ineenstorting van het keizerrijk, de teloorgang van het oude China door toedoen van westerse mogendheden. Die culturele dimensie lijkt, tussen de regels door, een minstens zo belangrijke reden waarom Wen zich met haar hoofdpersoon identificeert.

Opvallend genoeg keert ook Yuhong Gong (1968; sinds 1991 in Nederland) terug naar dat veelzeggende tijdsgewricht. In haar roman *Tijdloos, over een verre rivier* (2005) wordt de tachtigjarige, in Parijs woonachtige immigrantenschrijfster Lize naar aanleiding van een mysterieuze brief teruggevoerd naar haar amoureuze verleden in China in de eerste decennia van de twintigste eeuw, de tijd waarin Shanghai naam maakte als het Parijs van het Oosten. Hoewel Gong China's identiteitscrisis uit die tijd soms iets duidelijker koppelt aan de persoonlijke identiteit van de schrijfster, raken de inzichten die ze eraan ontleent veelal ondergesneeuwd door haar uitbundige stijl. Net als in haar eerste, autobiografisch getinte roman *Vliegers boven Lentestad* (2001) schrijft Gong poëtisch en barok. Bij vlagen resulteert dat in treffende beelden, maar even zo vaak blijft het ronduit obscuur. Met intercultureel schrijven heeft haar alter ego Lize in elk geval weinig op, zoveel is duidelijk: 'Cultuurrelativisme is een mug met een olifantentoeter die ons uit de slaap houdt! Cultuurverschil is datgene waarmee geestelijk gehandicapten verstoppertje met elkaar kunnen spelen!'

En daarmee is identiteit, thema van veel immigrantenliteratuur, toch indirect in deze boeken aanwezig. Nederland is er dan wel niet concreet in te vinden – geen kijkje achter het haast spreekwoordelijk geworden doorgeefluikje van het Chinese restaurant, voor wie dat verwachtte – maar wel op de achtergrond, als contrast met China, als gewoon 'een buitenland'.

2

Staten van verwarring

'Wat vraagt U na geleerde curieusheyt van Indiën? Neen Heer, het is alleen gelt en geen wetenschap die onse luyden soeken aldaer, 't geen is te beklagen!' Aldus Nicolaas Witsen, de zeventiende-eeuwse Amsterdamse burgemeester, kunstverzamelaar en kortstondig bewindhebber van de Vereenigde Oost-Indische Compagnie. Hoewel de betrekkingen tussen Nederland en China ruim vierhonderd jaar teruggaan, heeft de Hollandse koopmansgeest lange tijd overheerst. Er mag dan volgens de overlevering weleens een klassieke Chinese roman zijn aangetroffen tussen de ladingen specerijen van de VOC-schepen, toch duurde het lang voordat er een literaire vertaaltraditie uit het Chinees op gang kwam. En zelfs toen die er kwam, bleek geld het nogal eens te winnen van nieuwsgierigheid.

De oude jezuïeten bestudeerden de Chinese cultuur zeer gretig, al was het maar om ingangen te vinden voor het christelijk geloof. In 1628 al vervaardigde dominee Justus Heurnius het eerste woordenboek Nederlandsch-Latijnsch-Chineesch, dat niettemin snel in onbruik raakte. Het duurde tot in de negentiende eeuw voordat de varende kooplui het nut inzagen van tolken om de in Indonesië zo invloedrijke Chinese tussenhandelaren het hoofd te bieden. Er werd een speciale school opgericht en niet lang daarna, in 1874, bleek de tijd rijp voor een leerstoel Chinees aan de Leidse universiteit. Toch, omdat de vroege sinologen nauwelijks naar het Nederlands vertaalden, dat immers niet als een academische taal gold, was men decennialang aangewezen op vertalingen via het Duits, Engels of Frans. Vooral de *Nachdichtungen* van Hans Bethge en Klabund waren begin twintigste eeuw zeer invloedrijk, al kenden deze Duitsers zelf geen woord Chinees! In Nederland zijn de bewerkingen van Slauerhoff, in zijn befaamde bundel *Yoeng Poe Tsjoeng* uit 1930, lang bepalend geweest voor het beeld van de Chinese literatuur – maar de klassieke Chinese dichters waren lang niet altijd de romantische bohémiens die Slau erin zag, of wilde zien. Van de negende-eeuwse Po Tsju-i (Bai Juyi) maakte hij de ultieme vagebond die hij zelf wou zijn, terwijl we sinds W.L. Idema's vertalingen uit 2001 weten dat de Tangdichter een kokette carrièrepoliticus was die zichzelf hooguit spottend een 'dronken dichter' noemde.

Vertalingen van oude Chinese wijsgeren als Confucius en Lao Tse waren al wat langer populair, maar vanaf de jaren dertig begonnen ook traditionele romans te verschijnen – bijna allemaal gebaseerd op de verkorte 'navertellingen' van Franz Kuhn, de Duitse broodvertaler die eerder bewerkte en inkortte dan trouw vertaalde. Mede daardoor, waarschijnlijk, werden titels als *De roovers van het Liang Schan Moer*, zijn versie van het zestiende-eeuws bandietenepos *Het verhaal van de wateroever*, geen Nederlandse evergreens. De achttiende-eeuwse klassieker *De droom in de roode kamer* werd na de eerste uitgave van 1946 nog wel een aantal maal herdrukt, maar nieuwe vertalingen verschenen alleen van boeken die het niet in de eerste plaats van hun literaire waarde moesten hebben. De internationaal bekende boeddhistische parabel van Koning Aap, bijvoorbeeld, bracht *De reis naar het westen* (zestiende eeuw) een wat langer leven, wat ook gold voor erotische klassiekers als Li Yu's *You Poe Toean*, in de jaren negentig nog opnieuw (uit het Engels) vertaald als *Het lustgebed*.

Ook in de eerste decennia na de Tweede Wereldoorlog speelde literair vertalen zich veelal buiten de academia af, of in de marge ervan – al had professor Duyvendak, na al de nodige filosofen op zijn naam te hebben gezet, met een kort verhaal van Lu Xun in 1940 waarschijnlijk de primeur van de eerste directe vertaling uit het Chinees. Lu Xun, de vader van de moderne Chinese literatuur, werd in de jaren erna drie keer vertaald. Terwijl de Vlaamse missionaris pater Josef Goedertier (scheutist) eind jaren veertig bij zijn directe vertaling nog bescheiden en bedachtzaam aangaf zich ervan bewust te zijn 'dat om Loe Sun afdoende in het Nederlands te vertolken, er meer hulpmiddelen vereist zijn dan degene waarover ik beschik', vond Theun de Vries het tien jaar later in zijn links-geëngageerde enthousiasme niet eens nodig de Engelse tussentaal te vermelden. Betrouwbaarder werk kwam er van de hand van sinologisch buitenbeentje en eveneens socialistisch geïnspireerd schrijver Jef Last, eind jaren zestig, vlak voordat het vertalen van Chinese literatuur pas echt een vlucht nam.

Door de universitaire hervormingen dienden zich meer studenten aan, die na de Culturele Revolutie bovendien meer mogelijkheden kregen om eerstehands ervaring op te doen in de toen opengestelde Chinese Volksrepubliek. De toegenomen kennis en belangstelling leidden onder meer tot twee vrij bekende boekenreeksen: de Oosterse Bibliotheek van Uitgeverij Meulenhoff en de Chinese Bibliotheek van De Arbeiderspers, die beide liepen van midden jaren zeventig tot midden jaren tachtig. De nadruk lag op non-fictie en op de klassieke letterkunde, onder aanvoering van met name de latere Nijhoffprijswinnaar W.L. Idema. Niet alleen omdat er wat de klassieken betrof nog veel in te halen was, ook omdat de moderne literatuur, die onder Mao weinig van waarde had voortgebracht, met de grotere politieke vrijheid sinds zijn dood in 1976 maar geleidelijk aan opbloeide. Hoewel de reeksen niet meer terugkwamen en de Chinese literatuur zich verspreidde over diverse uitgeverijen, bouwde vanaf eind jaren tachtig met name De Geus aan een Chinees fonds, terwijl Meulenhoff onder meer nieuwe vertalingen van Lu Xun uitgaf die voorlopig wel tegen de tand des tijds bestand zullen zijn.

Als je kijkt naar het hedendaagse proza dat midden jaren tachtig werd vertaald, valt op dat er meer geselecteerd werd op politiek-maatschappelijke thema's dan op literaire kwaliteit. De romans werden in de eerste plaats gelezen om iets te weten te komen over hoe het er in die zo lang gesloten communistische samenleving aan toe was gegaan. Nu beperkte het Chinese aanbod zich de eerste tijd ook tot verwerkings- en onthullingsliteratuur, dus aan die wens kon ruimschoots tegemoet worden gekomen. De spectaculaire politieke omwentelingen in de Volksrepubliek China waren er ongetwijfeld deels debet aan dat de literatuur uit het wat geïsoleerde Taiwan een ondergeschoven kindje bleef. Voor de literatuur die niet direct de littekens van de Culturele Revolutie blootlegde, lagen de zaken anders. De voorzichtige experimenten met stream of consciousness van Wang Meng (1934), een van de oudgedienden die begin jaren tachtig een leemte in de kennis van westerse literatuur op konden vullen, werden wat lauw ontvangen als keurige, weinig doorleefde navolgingen van Woolf en Joyce. Meer gewaardeerd werden Gao Xiaoshengs (1928-1999) luchtige satiren en allegorieën op het schrijverschap – 'een veerman die je een rivier overzet' – in de bundel *Een allereenvoudigst verhaal* uit 1984; Gao's geoliede traditionele vertellerstoon kwam dan ook op velen overtuigender over dan Wangs 'nieuwlichterij'. Wang Meng, die in tegenstelling tot Gao Xiaosheng wel bleef schrijven, zou zijn latere reputatie van literaire éminence grise vooral danken aan zijn bijzondere carrière: na vijftien jaar in een heropvoedingskamp in het woeste westen van China te hebben doorgebracht, van 1965 tot 1979, schopte hij het eind jaren tachtig tot minister van cultuur.

In de jaren negentig werd de informatieve functie van de littekenliteratuur grotendeels overgenomen door de enorme stroom egodocumenten die in het kielzog van Jung Changs Engelstalige *Wilde zwanen* uit 1991 de westerse markt overspoelde – en pas na vijftien jaar enigszins leek te verzadigen. De 'echte' Chinese literatuur, om het zomaar even te zeggen, trad zo uit de schaduw. Maar belandde wel in een moeilijke positie, die je onder meer kunt afzien aan de promotionele activiteiten van uitgevers. Romans die niet om hun documentaire waarde werden gekozen, moesten wel iets herkenbaar Chinees hebben – goedschiks dan wel kwaadschiks. Su Tong dankte zijn eerste succes aan de verfilming van zijn novelle *Vrouwen en bijvrouwen* door Zhang Yimou, en de vertaling van zijn boek kreeg daarom de titel van de film mee, *De rode lantaarn*, hoewel er in zijn eigen verhaal geen enkele lantaarn voorkomt. Vandaar dat Su Tong altijd wat ongemakkelijk lacht als hij geprezen wordt om 'zijn' *Rode lantaarn*. Schrijver Li Rui (1950) verging daarentegen het lachen bij een vergelijkbaar geval. Zichtbaar geërgerd schudde hij zijn hoofd toen hij op een congres in Parijs vernam dat het Nederlandse omslag van zijn roman *Zilverstad*, een twintigste-eeuwse familiesaga, gesierd werd door een volstrekt willekeurige afbeelding van het terracottaleger van de Eerste Keizer van China. Mogelijk was dat omdat er op de eerste pagina's sprake is van militairen – maar toch beslist niet die gebeeldhouwde mannen uit tweehonderd voor Christus.

Een ander veelzeggend marketingvoorbeeld is de manier waarop Mo Yan in flapteksten steevast, op autoriteit van Amy Tan, wordt aangeprezen als een kruising tussen Gabriel García Márquez en Milan Kundera. Wie zich afvraagt hoe dat kan – stilistisch kunnen twee schrijvers amper méér verschillen – moet niet zozeer in literaire termen denken. De vergelijking verraadt eerder de wens, van zowel westerse uitgevers als Chinese chauvinisten overigens, dat Chinese schrijvers net zo beroemd mogen worden als de Latijns-Amerikaanse en de Midden-Europese auteur. Met de eerste hebben ze immers de culturele achtergrond van een derdewereldland gemeen, en met de tweede de politieke achtergrond van een voormalig Oostblokland. Vaker echter, uit angst dat een Chinese schrijver het op eigen kracht niet haalt, kiezen uitgevers voor een 'veiliger' vorm van exotisme: romans die, tamelijk rechttoe rechtaan verteld, de gehele recente Chinese geschiedenis trachten te omspannen. Dergelijk werk wordt in China veel geschreven, maar behoort wel tot de realistische mainstream die zelden verrassend of vernieuwend is. Bovendien, vanuit de gedachte, vermoedelijk, dat het in deze romans vooral om de inhoud gaat en ze in vertaling toch wel overeind zullen blijven, worden ze, ondanks het toenemende aantal vertalers Chinees, geregeld uit het Engels of een andere wereldtaal vertaald.

De commerciële voordelen van zo'n 'tussenvertaling' liggen voor de hand; die hebben voornamelijk met snelheid te maken. De grotere, culturele stap van de Chinese taal naar een westerse, bijvoorbeeld het Engels, is al gemaakt; het zoeken naar vertaaloplossingen tussen talen die eeuwenlang niet met elkaar in contact zijn geweest, is nu eenmaal tijdsintensief. Daarnaast zijn er meer vertalers Engels beschikbaar, meer ook die bereid zijn onder hoge tijdsdruk te werken, soms zelfs in teams die de tekst opdelen in plaats van echt samen te werken. Tot slot wijst het bestaan van met name een Amerikaanse editie op verkoopbaarheid, ook al is de gemiddelde oplage van een vertaalde Chinese roman in de Verenigde Staten niet veel hoger dan in Nederland: een paar duizend stuks. De doorsnee-Amerikaan leest immers weinig buiten de deur, de Brit evenmin, en de Angelsaksische boekenmarkt bestaat maar voor een klein deel uit vertalingen – 5% tegenover 50% in Nederland. Het westerse land met veruit het grootste, meest actuele en diverse aanbod aan vertaalde Chinese literatuur is Frankrijk, dat dan ook al sinds Voltaire grote belangstelling voor China toont.

De nadelen van een tussenvertaling lijken uitgevers bij dat alles maar op de koop toe te nemen. Ook die spreken voor zichzelf: de dubbele kans op fouten, de klakkeloze overname van stilistische keuzes en het gebrek aan kennis van specifiek Chinese zaken. Zo vertaalde een 'tussenvertaler' uit het Engels ooit de Chinese historische periode van de Strijdende Staten (475-221 v.Chr.), '*the Warring States*', als 'de Koninkrijken van Warring'. Het is vast eerder de tijd dan de wil die het sommigen ontbreekt om zulke dingen gewoon even op te zoeken en lezers niet in allerlei staten van verwarring te brengen. Maar er zijn ook tussenvertalers die daar heel anders over denken, getuige een kleine polemiek in NRC *Handelsblad* rond de vertaling van *De knoflookliederen* van Mo Yan, begin 1996. De recensent, sinoloog Michel Hockx, wees op een aantal typische fouten als gevolg van het gebruik van een tussentaal, waarop Peter Abelsen, de vertaler uit het Engels, reageerde met de gedenkwaardige woorden: '*Goddank* hoef je geen Chinees te kennen om Mo Yan te vertalen!' Bij een roman ging het volgens hem niet om accuratesse maar om de 'literaire sfeer'. Die ruime vertaalopvatting bracht hij ook in de praktijk, door bijvoorbeeld zinnen te verplaatsen of weg te laten wanneer hem dat uitkwam. Wat hij niet wist, was dat de Amerikaanse vertaler, de productieve Howard Goldblatt, die in Nederland wel vaker wordt 'vertaald', ook al bekendstaat om dergelijke ingrepen, vaak gedaan in samenspraak met een redacteur van de uitgever, en met goedkeuring van de auteur.

Nu gebeurt redigeren in de Angelsaksische wereld over het algemeen al intensiever dan elders, maar in het geval van Chinese romans lijkt het soms nog verder te gaan. Goldblatts onthullingen over dat proces gunnen een aardige blik op de verschillen die er wellicht pas echt toe doen bij het lezen van exotische literatuur. Het gaat dan niet om het feit dat Chinese auteurs in hun eigen land amper of slecht geredigeerd worden; in een markt waar schrijvers elk boek bij een andere uitgever onderbrengen en boeken snel worden geproduceerd, is een tik- of een consequentiefout beslist geen uitzondering. In wat er met Goldblatts vertalingen van Mo Yan wordt gedaan, draait het meer om de compositie van de roman. Met het oog op een soepeler plot worden passages weggelaten of omgegooid, en nieuwe slot- of beginhoofdstukken voorgesteld. Mo Yan vertrouwt zijn vertaler en geeft hem de vrijheid om het boek 'aan de Amerikaanse lezer aan te passen'. Hij weet dat hij lang van stof is, en plot is voor hem, zoals voor veel andere Chinese schrijvers, niet het voornaamste onderdeel van een roman. Hij geeft zijn thema's op andere manieren vorm – al schrijft hij soms zo snel, in een opwelling van sociale verontwaardiging bijvoorbeeld, dat zelfs die structuren hem volgens Goldblatt niet altijd even belangrijk lijken. Goldblatt stelde ooit een andere romanschrijver voor een hoofdstuk naar voren te halen om meer spanning te creëren, alvast een tipje van de sluier op te lichten – een suggestie die de auteur prompt doorvoerde in de latere drukken van het Chinese origineel. Zo niet Mo Yan, die houdt het nadrukkelijk op een eenmalige concessie aan de Amerikaanse markt – in Italië won hij immers zonder zulke ingrepen de Premio Nonino (2005).

Een dergelijke redactie, of samenwerking bijna, is wat de Britse literair agent Toby Eady, de man achter Jung Changs *Wilde zwanen,* zelfs tot standaard zou willen verheffen. Zeven jaar zegt hij met Jung Chang te hebben gewerkt om haar autobiografische materiaal te bewerken tot het boek dat uiteindelijk tien miljoen kopers wereldwijd opleverde. Eady is weliswaar voornamelijk actief op het gebied van non-fictie, maar hij verkent ook de mogelijkheden in fictie. Al zegt hij behartenswaardige dingen over het uitgeven van vertalingen, zoals het investeren in tijd en het kiezen van goede vertalers, toch voert hij zijn redigeeropvattingen vrij rigoureus door. Net als bij Jung Chang pleit hij ervoor dat schrijvers 'hun verhaal' in een voor westerse lezers aantrekkelijke vorm gieten, en daarmee komt hij tegemoet aan een veelgehoord westers 'bezwaar' tegen Chinese literatuur: het gebrek aan psychologische diepgang. 'We krijgen wel uitgebreid te lezen *wat* er gebeurt, maar niet genoeg *waarom*', vatte vertaler Goldblatt de voornaamste kritiek van zijn Amerikaanse lezers samen. Traditioneel gezien legt de Chinese roman inderdaad de nadruk op de interactie van de hoofdpersonen met de buitenwereld, minder op wat er zich in hun hoofd afspeelt. In de moderne literatuur is dat lang niet altijd meer zo eenduidig, maar in de veel vertaalde realistische roman van de twintigste eeuw zie je die traditionele neiging eerder terug. Eady beseft terdege dat hij met zijn werkwijze niet echt Chinese literatuur meer produceert: zijn auteurs hoeven van hem weliswaar niet in het Engels te schrijven, 'want dat kunnen maar weinige echt goed', maar het gaat hem wél om de westerse blik van de uitgeweken Chinees, die als een soort bemiddelaar tussen twee culturen kan fungeren. Het is begrijpelijk, maar je kunt je afvragen of het niet juist interessant of verfrissend zou kunnen zijn om ook eens kennis te maken met een typisch Chinese blik op de wereld.

Bovendien is het de vraag of Eady ook echt resultaat boekt met zijn focus op Chinese inhoud in plaats van vorm. Zijn bekendste literaire project is Ma Jian (1953), de fotograaf-schrijver die in 1987 naar Hongkong trok en in 1997, toen Hongkong weer Chinees werd, naar Engeland. Daar werkte hij op aanraden van Eady zijn reisnotities van een zwerftocht door China in de jaren tachtig uit tot het boek *Het rode stof* (2005) en realiseerde hij met zijn Britse echtgenote een aantal Engelse uitgaven van zijn oude werk. Ma Jian is een van de uitgeweken intellectuelen die enigszins zijn blijven steken in hun rol van balling. Zo doen zijn naïef-tegendraadse opmerkingen over politiek en kunst in *Het rode stof* beslist gedateerd aan, alsof hij zijn aantekeningen vijftien jaar later niet vanuit een kritische terugblik heeft bewerkt. Ook zouden zijn boeken die eind jaren tachtig nog politiek gewaagd waren, zoals het satirische *De noedelmaker*, dat nu niet meer zijn; hij mag ook alweer vrij naar China reizen. Actuele satire kan sowieso snel verouderen, maar dat wordt in het Westen niet altijd doorzien, getuige een recensie in *De Groene Amsterdammer* van januari 2006: 'Een serieuze satire, actueel genoeg om herkend te worden.' In werkelijkheid is China in de tussentijd ingrijpender veranderd dan een buitenstaander wellicht kan beseffen, en zullen veel Chinezen in-middels meewarig lachen om de scherpe tegenstelling tussen de politiek en het geld die hij in *De noedelmaker* aanbrengt. De ironie waarmee hij spreekt over 'de frisse wind sinds de opendeurpolitiek' uit 1978, geeft het boek nu eerder een muf luchtje. Ma Jian bevestigt eigenlijk alleen maar het beeld van China dat in het Westen hardnekkig is blijven hangen, en ook buiten zijn boeken om draagt hij daar bewust aan bij. Zo schetst hij in interviews de censuurpraktijk zoals hij die nog uit de jaren tachtig kent en zegt hij niet naar China terug te willen keren voordat hij er weer vrij kan publiceren, terwijl hij net als veel andere auteurs zijn boeken daar inmiddels wel degelijk in gekuiste vorm laat verschijnen.

Het doet een beetje denken aan Milan Kundera's opmerkingen over de roman *1984* van George Orwell, in zijn essayboek *Verraden testamenten*. Zijn grootste bezwaar tegen *1984* is dat het leven daarin volledig gereduceerd wordt tot politiek, iets wat hij ook observeerde bij veel 'gewone', niet streng ver-

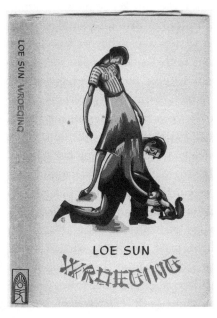

Vertalingen door de jaren heen: *Nieuwe Chinese verhalen* (Arbeiderspers 1983); *Meesters der Chinese vertel-kunst* (Meulenhoff 1964); *Wroeging* van Lu Xun, vertaald door missionaris J. Goedertier (Die Poorte 1949); *De roovers van het Liang Schan Moer* (*Het verhaal van de wateroever*) door Shi Naian (Wereldbibliotheek 1936).

volgde Tsjechen in de jaren na het communisme. Hun hele leven plaatsten ze achteraf in het teken van de politiek, schrijft hij, alle herinneringen aan het dagelijks leven, waarin ze toch ook genoten moesten hebben van kunst en muziek, en waarin ze ook vast grappen hadden verteld, werden door hen *georwelliseerd*. En zo 'orwelliseren' Chinese schrijvers van egodocumenten en dissidenten als Ma Jian tot op zekere hoogte de Chinese literatuur – terwijl daarin toch vaak genoeg wordt aangetoond dat de politiek ook terloops in het leven kan voorkomen. Shi Tiesheng schrijft veel over het noodlot, en politiek is daarvan maar één van de verschijningsvormen, naast bijvoorbeeld ziekte of liefde. Han Shaogong laat in zijn *Woordenboek van Maqiao* zien dat platte-landers tijdens de Culturele Revolutie vaak hun neus ophaalden voor al die revolutionaire nieuwlichterij uit de stad. En wanneer hij de gevoelswaarde van politiek beladen woorden onderzoekt, zoals de revolutionaire opera's van *madame* Mao, nuanceert hij eveneens: '*Modelopera* is een rotwoord, maar iemand voor wie aan die muziek liefdes- of jeugdherinneringen zijn verbon-den, zal bij het horen van dat woord gevoelens van vertedering of hartstocht misschien niet kunnen onderdrukken.'

Uiteraard is het voor uitgevers, redacteuren en agenten moeilijk om direct toegang te krijgen tot de Chinese literatuur, die onbekende traditie geschre-ven in een ongangbare vreemde taal. Er is daarom natuurlijk altijd gesteund op adviezen van academici, maar ook het westers wetenschappelijk onderzoek naar de moderne Chinese literatuur kent sinds jaar en dag een zeer socio-logisch georiënteerde hoofdstroom, die de Chinese literatuur graag gebruikt als middel om samenleving en cultuur te bestuderen. Het is veelzeggend dat er geen enkel serieus artikel verschijnt over een hedendaags auteur als Shi Tiesheng, die zich immers welbewust aan het maatschappelijke onttrekt en zich ook niet makkelijk in een overzichtelijke literaire stroming laat indelen. In Nederland doet *Het trage vuur*, tijdschrift voor Chinese literatuur, sinds 1996 een bescheiden poging dit tij te keren. Het selecteert teksten niet op sociaal-politieke, voorspelbaar exotische of herkenbaar Chinese thematiek, maar op hun literaire merites. De verhalen, gedichten en essays, klassiek en modern, worden wel ingeleid of toegelicht, maar de redactie wil ze nadruk-kelijk voor zichzelf laten spreken – een reden waarom de vertalingen ook direct uit het Chinees zijn, waarmee tegelijkertijd een bijdrage wordt geleverd aan de opbouw van de nog jonge vertaaltraditie. Toch reageren veel lezers nog altijd onwennig op de literatuur waaraan ze op die manier zijn uitgeleverd. Het klinkt ofwel verontwaardigd: 'Wat is hier nou nog Chinees aan? Dit zou zo door een westerling geschreven kunnen zijn.' Ofwel teleurgesteld: 'Wat is hier nu vernieuwend aan? Dit hebben we bij ons al eerder gezien.' Kortom: het is of niet vreemd genoeg, of niet westers genoeg – de typische impasse van een exotische literatuur.

Toch lijkt er sinds ongeveer 2005 internationaal wel iets te veranderen, nu de altijd wat aarzelende Angelsaksische uitgevers zich op de Chinese markt hebben begeven. De economische opmars van de Volksrepubliek China, versneld door de toetreding tot de Wereldhandelsorganisatie in 2001, en met als symbolische mijlpaal de Olympische Spelen in augustus 2008, heeft een golf van belangstelling ontketend die de Chinarage van de jaren tachtig overtreft. Mede daardoor zijn grote Britse en Amerikaanse uitgevers als Penguin en HarperCollins voor het eerst in de geschiedenis naar China getrokken om deals te sluiten voor de (her)uitgave van enkele Chinese moderne klassiekers als Lu Xun, Lao She en Shen Congwen – zo ongeveer als de Verenigde Staten in de decennia na de Tweede Wereldoorlog de Japanse literatuur op de wereldkaart zette. Sommige van de op stapel staande titels zijn al lang en breed in het Frans of zelfs Nederlands vertaald, maar de Angelsaksische markt zal ongetwijfeld zijn invloed doen gelden. De eerste proeven ervan waren ondanks alles nog wat teleurstellend. Penguin, dat zelfs een bureau in Peking vestigde, bracht van Qian Zhongshu's beroemde *Belegerde vesting* (*Fortress Besieged*) enkel een oude (en overigens nog leverbare) vertaling in een nieuw omslag uit. Op hedendaags gebied spendeerde dezelfde uitgeefgigant in 2005 een recordbedrag aan de rechten van China's grootste bestseller van dat moment, Jiang Rongs *Wolventotem*, dat in China meer een maatschappelijk fenomeen en argwanend bekeken hype was dan een *literaire* triomf. De Nederlandse uitgever ging mee in de hype en maakte de situatie er niet beter op. Prometheus leverde begin 2008 een haastige vertaling af van de in 2007 net voltooide Amerikaanse versie van Howard Goldblatt; ze trok er vijf vertalers Engels van verschillend niveau voor aan, hetgeen duidelijk aan het boek te merken is.

De cosmetische operatie van *Belegerde vesting* duidt vooralsnog op een voorzichtige, niet echt serieuze benadering van de Chinese literatuur, en met het exotisme van *Wolventotem* lijkt Penguin vooral op safe te spelen. Toch is het beschikbaar maken van Chinese literatuur op zich waarschijnlijk de beste manier om bij het westers publiek bekendheid te kweken met een traditie die opmerkelijk veerkrachtig lijkt – zelfs wat de allerjongste literatuur betreft. Misschien is het nog wat vroeg om te oordelen over schrijvers geboren in de jaren zeventig en tachtig, maar ook deze in een toch meer verwesterde wereld opgegroeide generatie blijft in veel opzichten typisch Chinees. In Nederland verscheen bijvoorbeeld de roman *Fucker* van de ondergrondse dichteres Yin Lichuan (1973), die net als Mo Yan, Yu Hua en vele anderen eeuwenoud Chinees engagement in een eigentijds jasje steekt: in haar boek gaat een groepje kunstzinnige outcasts in supermarkten stelen als een vorm van *performance art*: niet uit materiële behoefte, maar als kritiek op de consumptiemaatschappij. De levendige internetliteratuur, die geregeld een doorbraak naar de gedrukte cultuur oplevert, grossiert in feuilletonachtige schetsen van het hedendaagse leven zoals Ba Jin ze eigenlijk al schreef, terwijl de meer beschouwelijk aangelegden een plot nog altijd ondergeschikt vinden aan essayistische invallen, een klassiek principe dat na Mao door Han Shaogong of Shi Tiesheng nieuw leven werd ingeblazen. Soms zie je zelfs concrete persoonlijkheden terug: in hippe schelmenromans duiken lefgozertjes als de oude Wang Shuo op, die een intelligente babbel koppelen aan laconiek gerommel met meisjes, en ook vrouwelijke schrijfsters lijken hardnekkige oermodellen te kennen in het intimistische, claustrofobische proza van Zhang Ailing of Can Xue.

Van die jonge literatuur druppelt weleens iets in Franse vertaling naar buiten, maar tot nu toe ging er maar één boek de hele wereld rond. In 2004 haalde de jonge Chun Sue (1985) met haar twee jaar eerder verschenen *Beijing Doll* de cover van *Time*, creëerde een sensatie op de Frankfurter Buchmesse en werd halsoverkop aan veertien landen verkocht. Toch sorteerden de flitsende website en de overvolle 'perskit' die de Nederlandse uitgever Vassallucci aan haar wijdde niet het gewenste effect. De 'rauwe roman' over 'seks, punk en rock-'n-roll' in het 'kosmopolitische Beijing' bleek dan ook niet meer te zijn dan een veredeld dagboek van 'een zeventienjarig meisje over haar moeilijke jeugd', zoals de Chinese ondertitel luidde. Het zou natuurlijk interessant kunnen zijn om te lezen hoe grootsteedse adolescenten in China met de toenemende welvaart steeds meer op hun westerse leeftijdgenoten gaan lijken. Maar voor zover het warrige relaas het toeliet, bood *Beijing Doll* weinig meer dan clichématige tienerromantiek: kalverliefde, gedweep met zelfmoord en weglopen van school (één dag). Wel kon je eruit opmaken dat die verwestersing van de Chinese jeugd nog lang geen feit was. Niet alleen werd Chun Sues gehele referentiekader gevormd door Pekingse undergroundbandjes in plaats van westerse pophelden, ook haar patriottische verzuchting over de communicatieproblemen met haar Finse vriendje sprak boekdelen: 'Als ik eraan dacht dat ik mijn nederigheid had laten zien aan een buitenlander en daardoor mijn landgenoten hun gezicht had laten verliezen, kon ik niet anders dan huilen.'

Dat trotse zinnetje is misschien veelzeggender dan het lijkt, zeker als je het legt naast een opmerking van Chun Sues collega Han Han, het tieneridool dat zijn met schrijven verdiende miljoenen voornamelijk aan autoracen spendeert. Toen hij in dat verband een keer naar een buitenlands circuit werd uitgenodigd, verzuchtte hij in een column dat hij al dat reizen eigenlijk alleen maar 'gedoe' vond, je voelde je zo onthand in den vreemde. Begrijpelijk, maar wel opvallend: twintig jaar eerder, toen China zijn grenzen net had opengesteld, dachten Chinezen van Chun Sues en Han Hans leeftijd bijna alléén maar aan weggaan, aan Engels leren en naar de Verenigde Staten of Europa vertrekken. Tegenwoordig komen zij die in het buitenland *hebben* gestudeerd juist in groten getale terug. Er spreekt een nieuwe zelfverzekerdheid uit, die uiteraard te maken heeft met China's huidige status als wereldmacht in wording. Menig Chinawatcher heeft zich al eens afgevraagd of China, nu het steeds meer deel van de wereld wordt, verregaand zal verwestersen of dat het door zijn *wirtschaftswunder* juist zoveel zelfvertrouwen krijgt dat het zijn Chinese opvattingen aan de wereld zal opleggen. Chinacorrespondente Garrie van Pinxteren laat in haar boek *China, centrum van de wereld* uit 2007 zien dat het laatste op politiek-economisch gebied, waar de Chinese overheid multinationals als Shell of Google aanzienlijke concessies afdwingt, al in toenemende mate het geval is. Net als de traditionele keizers de gretige handelaren van de voc en later het Verenigd Koninkrijk afhielden, voordat de laatsten het eens zo machtige keizerrijk met kanonnen op de knieën dwongen.

China ziet zich nog altijd niet als een afzetgebied voor westerse producten, maar geld en kennis zijn intussen meer dan welkom, om het eigen land te sterken. Misschien tekent zich op het culturele vlak wel iets vergelijkbaars af. De tot co-producent evoluerende literair agent Toby Eady kan met grote vanzelfsprekendheid pleiten voor een verwestersing van de Chinese literatuur, maar dat is deels omdat hij opereert vanuit een comfortabele positie in een westerse, Angelsaksische markt met wereldwijde invloed. Nu de Chinese markt in de eenentwintigste eeuw zienderogen groeit, doet China omgekeerd misschien wel hetzelfde. Westerse literatuur wordt sinds de twintigste eeuw veel gelezen, gewaardeerd en bewonderd – maar daaruit lijkt vooralsnog geen westerse literatuur met Chinese eigenaardigheden te ontstaan, eerder een Chinese literatuur met westerse trekjes. Dat lijkt misschien vanzelfsprekend, maar de hype rond *Beijing Doll* laat nog maar eens zien dat dat in elk geval niet de literatuur is waarnaar de moderne nazaten van Britse en Nederlandse handelaren tot nu toe op zoek zijn geweest. Hoe luidde het protest tegen de viering van vierhonderd jaar voc in 2002 ook weer? 'De Hollandse koopmansgeest is geen reden tot feest.'

Verantwoording

Delen van dit boek verschenen eerder in de vorm van recensies of artikelen in *de Volkskrant* (boekenbijlage Cicero), *Het trage vuur* (tijdschrift voor Chinese literatuur), *Armada* (tijdschrift voor wereldliteratuur), *Filter* (tijdschrift over vertalen) en *De tweede ronde* (tijdschrift voor literatuur); of als een nawoord bij vertalingen.

Het internationaal wetenschappelijk onderzoek naar de moderne Chinese literatuur heeft uiteraard op uiteenlopende manieren zijn sporen in dit boek achtergelaten. Deze relatief jonge studie (feitelijk begonnen in de jaren 1960) is echter versnipperd over een veelheid aan thematische artikelen en kenmerkt zich door een opvallende afwezigheid van auteurstudies en overzichtswerken die een grote, historische gooi wagen. Ik heb de niet-specialistische lezer, voor wie dit boek is bedoeld, daarom niet willen bedelven onder een uitvoerig notenapparaat, maar geef hieronder de voornaamste, niet-Chineestalige bronnen per hoofdstuk.

INLEIDING:

Wilt Idema & Lloyd Haft, *Chinese letterkunde, een inleiding*. Amsterdam University Press, 1996.

Andrew H. Plaks, red., *Chinese Narrative: Critical and Theoretical Essays*. Princeton University Press, 1977.

JEUGD I:

Leo Ou-Fan Lee, *Voices from the Iron House: A Study of Lu Xun*. Indiana University Press, 1987.

Lu Xun, 'Voorwoord' bij de verhalenbundel *Te wapen!* in Lu Xun, *Verzameld werk*. Vertaling K. Ruitenbeek. Meulenhoff, 2000.

Klaas Ruitenbeek, 'Lu Xun and *Little Johannes*' in *Words from the West: Western texts in Chinese literary context*, Lloyd Haft, editor. CNWS Publications, 1993.

JEUGD 2:

J.J.L. Duyvendak, *China tegen de westerkim.* De Erven Bohn 1927, 1948; *De hangende drievoet.* Van Loghum Slaterus, 1936.

Maarten 't Hart, 'Het willekeurig lot van een riksjarenner' in *Vrij Nederland* 7-7-1979.

C.T. Hsia, *A History of Modern Chinese Fiction.* Indiana University Press, 1999 (Third edition; first edition: Yale U.P. 1961).

JEUGD 3:

Yi-tsi Mei Feuerwerker, 'Zhao Shuli: The "Making" of a Model Peasant Writer' in *Ideology, Power, Text. Self-representation and the Peasant 'Other' in Modern Chinese Literature.* Stanford University Press, 1998.

Kai-yu Hsu, *The Chinese Literary Scene: A Writer's Visit to the People's Republic.* Penguin Books, 1975.

JEUGD 4:

Silvia Marijnissen, 'Zes dichters uit Taiwan' in *De tweede ronde – China-nummer.* Mouria, lente 2006.

Hugo Marsan, 'Les misérables de Bai Xianyong' in *Le Monde* 24-3-1995.

TWEEDE JEUGD 1:

D.W. Fokkema, *Het Chinese alternatief in literatuur en ideologie.* De Arbeiderspers, 1972.

Jeffrey Kinkley, red. *After Mao: Chinese Literature and Society, 1978-1981.* Harvard University Press, 1985.

Aad Nuis, 'Chinese lente', in *Vrij Nederland* 7-4-1984; Lloyd Haft, 'Fietsen vreemde woorden leren. Zhang Jie en de revolutionaire romantiek' in NRC 19-4-1991; Jonathan Mirsky, 'The Executioners' Idea of a Joke' in *The New York Times* 27-1-1991; Ingeborg van Geldermalsen, 'Leven in China na de kampen' in *Utrechts Nieuwsblad* 28-8-1992; Michel Hockx, 'Werken voor je geld. Literair schrijven in China' in NRC 15-5-1998.

Rint Sybesma, 'Nawoord' bij X.L. Zhang, *Eethuisje Amerika.* Het Wereldvenster, 1990.

Dank aan Koos Kuiper voor inzage in zijn knipselarchief.

TWEEDE JEUGD 2:

W.L. Idema, 'Inleiding' in Pu Songling, *De beschilderde huid.* Vertaling W.L. Idema, B.J. Mansvelt Beck, N.H. van Straten. Meulenhoff, 1978.

Mark Leenhouts, 'Vissen, woorden, bloemen: een interview met Han Shao-gong' in *Het trage vuur* 7, april 1999.

Mark Leenhouts, *Leaving the World to Enter the World: Han Shaogong and Root-Seeking Literature*, CNWS Publications, 2005.

TWEEDE JEUGD 3:

Martin de Haan, 'Over haast, onwetendheid en andere moderne deugden: drie hervertalingen' in *Het trage vuur* 2, april 1997.

Mo Yan, 'Woord vooraf. Honger en eenzaamheid: mijn muzen' in *Alles voor een glimlach*. (Vertaling uit het Engels Sophie Brinkman). Bert Bakker, 2002.

TWEEDE JEUGD 4:

David Barboza, 'China's hit novel: tremendous or trash?' in *The New York Times* 9-3-2006.

Michael Berry, 'Translator's Afterword' bij Yu Hua, *To Live*. Anchor Books, 2003.

Mark Leenhouts, 'The Contented Smile of the Writer. An Interview with Su Tong' in *China Information* Vol. XI, No. 4, Spring 1997.

Michael Standaert, 'Interview with Yu Hua' (on August 30, 2003, at the University of Iowa International Writing Program). MCLC Resource Center Publication, 2004.

John Updike, 'Bitter Bamboo. Two novels from China' in *The New Yorker* 5-9-2005.

TWEEDE JEUGD 5:

Geremie Barmé, *In the Red: On Contemporary Chinese Culture*. Columbia University Press, 1999.

Shuyu Kong, *Consuming Literature: Best Sellers and the Commercialization of Literary Production in Contemporary China*. Stanford University Press, 2005.

Mark Leenhouts, 'Je kunt niet aan de politiek ontsnappen', interview met Mo Yan in *de Volkskrant* 23-1-2004.

Perry Link, *The Uses of Literature: Life in the Socialist Chinese Literary System*. Princeton University Press, 2000.

Zha, Jianying, 'Yellow Peril' in *China Pop: How Soap Operas, Tabloids, and Bestsellers Are Transforming a Culture*. The New Press, 1995.

Pauline Sinnema, 'Chinees vuurwerk, het interview: Wei Hui' in *Het Parool* 27-10-2001.

TWEEDE JEUGD 6:
Lena Scheen, 'Van opium naar XTC: Shanghai in de moderne literatuur' in *Het trage vuur – Shanghai*. Nummer 35, oktober 2006.

TWEEDE JEUGD 7:
Julia Lovell, *The Politics of Capital: China's Quest for a Nobel Prize in Literature*. University of Hawai'i Press, 2006.

BUITENGAATS 1:
Ian Buruma, *Bad Elements. Chinese Rebels from Los Angeles to Beijing*. Random House, 2001.

Mark Leenhouts, 'Door in het Engels te schrijven word ik mezelf'. Interview met Ha Jin in *de Volkskrant* 19-1-2001.

Mark Leenhouts, 'Schrijven pak ik aan op z'n Chinees'. Interview met Dai Sijie in *de Volkskrant* 4-11-2005; Jo S. 'Livraison: Dai Sijie, Le complexe de Di' in *Le Monde* 24-10-2003.

John Updike, 'Nan, American Man. A new novel by a Chinese émigré' in *The New Yorker* 3-12-2007.

Reinjan Mulder, 'Debuutroman van Lulu Wang over culturele revolutie; Chinees stijfkopje zet door' in NRC 7-2-1997; Hans Marijnissen, 'Nooit gelukkig, nooit verdrietig. Lulu Wang' in Trouw, 8-2-1997; M. Februari, 'Lulu Wang' in *de Volkskrant* 3-12-1999; Antoine Verbij, 'De haat tegen Lulu Wang' in *De Groene Amsterdammer* 15-12-1999; Kunstredactie, 'Lulu Wang blijft Lulu Wang' in *Algemeen dagblad* 30-1-2001;

BUITENGAATS 2:
Peter Abelsen, 'De knoflookliederen' in NRC 23-2-1996.

Virginia Barry, *Red – the new black: China-UK Publishing*. Londen, Arts Council England, 2007.

Toby Eady, 'Publishing Between China and the West.' Speech given at The Harvard Club Beijing, May 2004.

Howard Goldblatt, 'On Silk Purses and Sow's Ears: Features and Prospects of Contemporary Chinese Fiction in the West' in *Translation Review* 59, 2000; Andrea Lingenfelter, 'Howard Goldblatt on How the Navy Saved His Life and Why Literary Translation Matters', in *Full Tilt* 2, Summer 2007.

W.L. Idema, 'Dutch Translations of Chinese Literature, A Historical Survey'. Lezing gehouden op de *First International Conference on the Translation of Chinese Literature* in Taipei, november 1990.

Milan Kundera, *Les testaments trahis.* Gallimard, 1993.

Jacq Vogelaar, 'Chinese groteske' in *De Groene Amsterdammer* 20-1-2006.

VERSCHILLENDE HOOFDSTUKKEN:

Joshua Mostow, editor, *Columbia Companion to Modern East Asian Literature (Part III: China,* Kirk Denton, editor*).* Columbia University Press, 2003.

Helmut Martin, editor, *Modern Chinese Writers' Selfportrayals.* M.E. Sharpe, 1992.

Verklarende woorden- en namenlijst

Antirechtsencampagne. Nadat Mao Zedong tijdens de Honderdbloemen-campagne van 1956 intellectuelen had opgeroepen om kritiek op de overheid te uiten, pakte hij degenen die van die vrijheid gebruik hadden gemaakt in 1957 streng aan tijdens de Antirechtsencampagne, feitelijk een zuivering van rechtse (dus niet revolutionaire) elementen. Verschillende schrijvers, onder wie Wang Meng en Zhang Xianliang, hebben vanaf dat moment (met tussenpozen) vijftien of twintig jaar in heropvoedingskampen doorgebracht.

Bende van Vier. Groep van vier communistische leiders tijdens de Culturele Revolutie, onder wie Jiang Qing, Mao's vrouw (1914-1991); na de dood van Mao (1976) beschuldigd van de misstanden tijdens de Culturele Revolutie en na een showproces in 1981 veroordeeld tot levenslange gevangenisstraffen.

Bokseropstand (1899-1901). Boerenopstand tegen buitenlandse invloeden in China; de Bokserbeweging saboteerde met geweld buitenlandse bouwprojecten als de aanleg van spoorwegen en doodde onder meer westerse geestelijken, waarna de keizerlijke macht gedwongen werd tot het betalen van schadevergoedingen aan westerse mogendheden (waaronder Nederland).

Campagnes tegen Geestelijke Vervuiling (1983-1984) en Burgerlijk Liberalisme (1986-1987). Twee politieke campagnes gericht op het bestrijden van kwalijk geacht westers gedachtegoed dat China binnenstroomde na de economische openstelling van het land door Deng Xiaopings opendeur-politiek in 1978.

Chiang Kai-shek (1887-1975). Generaal, vanaf 1928 leider van de Nationalistische Partij, later de eerste president van Taiwan (Republiek China).

Chinees-Japanse Oorlogen. De eerste vond plaats in 1894-1895, de tweede van 1937-1945 en ging op in de Tweede Wereldoorlog. De Japanse 'slachting (of verkrachting) van Nanking' in 1937 is nog altijd een gevoelig onderwerp in de betrekkingen tussen China en Japan.

Communistische Partij. Opgericht in 1921, aanvankelijk op sovjetleest geschoeid, na 1927 feitelijk geleid door Mao Zedong, die als aanvoerder van het Revolutionaire Leger een nagenoeg continue burgeroorlog voerde met de Nationalistische Partij onder leiding van Chiang Kai-shek. In 1949 riep Mao na een overwinning op de nationalisten de communistische Volksrepubliek China uit.

Culturele Revolutie (1966-1976). Voluit: Grote Proletarische Culturele Revolutie, door Mao gelanceerde campagne naar aanleiding van een machtsstrijd binnen de Communistische Partij; feitelijk beëindigd in 1969, maar uitmondend in een aan burgeroorlog grenzende nationale chaos op politiek, sociaal en economisch gebied, die duurde tot aan Mao's dood. Het invoeren van een 'grote proletarische cultuur' betekende in de praktijk het uitbannen van traditionele Chinese en 'burgerlijke' westerse cultuur. Daarnaast leidde Mao's nadruk op het belang van de boeren tot het vervolgen van intellectuelen en het sluiten van universiteiten; zo werden scholieren in groten getale naar het platteland gestuurd om te leren van de boeren.

Deng Xiaoping (1904-1997). Van 1978 tot 1993 de facto (zonder presidents- of premierstitel) de sterkste man van de Volksrepubliek China; voerde de opendeurpolitiek in.

Grote Mediaprijs voor Chineestalige Literatuur. Ingesteld in 2002 door de Zuid-Chinese krant *Nanfang Daily*, om 'de eerbied voor serieuze literatuur te herstellen', een duidelijke verwijzing naar de politiek getinte Mao Dunprijs (zie daar). Kent verschillende categorieën: schrijver van het jaar, roman van het jaar, dichter, essayist, criticus en meestbelovende nieuwkomer, maar met name de eerste categorie biedt een getrouwere afspiegeling van de hedendaagse Chinese literatuur dan de Mao Dunprijs. Schrijvers van het jaar waren: Shi Tiesheng (2002), Mo Yan (2003), Ge Fei (2004), Jia Pingwa (2005), Han Shaogong, Tie Ning en Su Tong (ex aequo 2006).

Grote Sprong Voorwaarts (1958). Naam van Mao's tweede vijfjarenplan, dat beoogde met inzet van China's massale bevolkingsaantallen een zo snelle industrialisatie te realiseren dat binnen dertig jaar de Amerikaanse economie zou worden ingehaald. Het bekende beeld zijn de privé-ijzersmeltoventjes waarmee gezinnen thuis de staalproductie hielpen opvoeren. De Sprong liep uit op een rampzalige hongersnood die duurde tot 1961.

Lange Mars (1934-1935). Grootscheepse terugtocht van het Rode Leger van de Communistische Partij, dat, belaagd door de Nationalistische Partij, in een jaar ruim 10.000 kilometer aflegde van de zuidelijk provincie Jiangxi naar het noordelijk Shaanxi (zie ook Yan'an). Mao Zedong vestigde hierdoor definitief zijn macht, en de heroïek van de tocht maakt blijvend deel uit van de revolutionaire canon.

Lao Sheprijs. Kleine literatuurprijs van de stad Peking; drie edities sinds 2000. Bekende winnaars zijn onder anderen Zhang Jie en Yan Lianke. De Volksrepubliek China kent vele kleinere literaire prijzen als deze, onder meer voor kinderliteratuur of jonge auteurs.

Lentefeest. Chinees Nieuwjaar; valt volgens de oude Chinese maankalender aan het begin van de lente, niet op een vaste datum, maar meestal ergens tussen eind januari en eind februari.

Lu Xunprijs. Literatuurprijs voor voornamelijk korte verhalen en novellen, ingesteld in 1996; om de vier jaar gaat de prijs naar vier of vijf auteurs per categorie: kort verhaal, novelle, reportageliteratuur, poëzie, essay, literatuurkritiek en vertaling. Door de vele winnaars (minstens dertig per editie) een enigszins onoverzichtelijke graadmeter. Enige bekende winnaars: Shi Tiesheng, Yan Lianke, Bi Feiyu, Wang Anyi.

Mao Dunprijs. China's meest prestigieuze literaire onderscheiding, in 1982 in het leven geroepen na de dood van de romancier en cultuurminister (van 1949 tot 1965) Mao Dun, maar in veel ogen een uitgesproken staatsprijs op politieke grondslag. Door de opkomst van onafhankelijke prijzen als Grote Mediaprijs voor Chineestalige Literatuur (zie daar) schijnt de prijs zich te bezinnen op zijn imago. Wordt om de vier à vijf jaar uitgereikt aan vier of vijf auteurs met één roman uit de voorgaande periode. Bekende (vertaalde) winnaars: Gu Hua (1982), Zhang Jie (1985, 2000), A Lai (2000), Wang Anyi (2000).

Mao Zedong (1893-1976). Vanaf 1927 militair en later politiek leider van de Communistische Partij, stichter van de Volksrepubliek China in 1949, partijvoorzitter tot zijn dood; zijn gedachtegoed, gebaseerd op het marxisme, werd bekend als het maoïsme.

Meiji-restauratie (1868). Grote politieke hervormingen in Japan, volgend op de geforceerde openstelling van het land door de Amerikaanse marinecommandant Perry in de jaren 1850; grondslag voor Japans opkomst als wereldmacht.

Modelopera. Moderne, revolutionaire bewerking van de traditionele Chinese opera. In de periode 1963-1966 creëerde Jiang Qing, Mao's vrouw, zes opera's en twee balletten, de enige stukken die tijdens de Culturele Revolutie mochten worden opgevoerd.

Nationalistische Partij (Kuomintang). In 1912 opgericht door Sun Yatsen (1866-1925), later geleid door generaal Chiang Kai-shek. Na de communistische machtsovername op het vasteland, week de partij en haar aanhang uit naar het eiland Taiwan, en zette daar de Republiek China voort.

Opendeurpolitiek. Letterlijk 'beleid van hervorming en openstelling': Deng Xiaopings economische hervormingen die vanaf 1978 een einde maakten aan het isolationisme van de streng maoïstische periode. 'Socialisme met Chinese karakteristieken' werd sindsdien de leus; vanaf 1993 heet de Volksrepubliek China in de grondwet een 'socialistische markteconomie'.

Opiumoorlogen. De eerste vond plaats van 1839-1842, de tweede van 1856-1860. Oorlogen waarmee het Britse koninkrijk concessies afdwong voor het drijven van handel in China. In de eerste plaats ging het om opium uit India, waaraan Chinezen grootscheeps verslaafd waren, maar het resulteerde in het afstaan van vrije zones in steden als Shanghai (de zogenoemde concessiewijken) en de negenennegentigjarige 'bruikleen' van Hongkong, die afliep in 1997.

Qingdynastie (1644-1911). De laatste dynastie van het Chinese keizerrijk, dat in 1911 ten val kwam en plaatsmaakte voor een republiek. Gesticht door Mantsjoes (volk uit het noordoostelijke Mantsjoerije dat tegenwoordig bij China hoort). Zij voerden onder meer de vlecht in als haardracht. In het Westen is vooral keizerin-weduwe Ci Xi (Tzu Hsi) bekend, die van 1875 tot

1911 regentes was voor haar in naam regerende adoptiefzoon Guangxu en, vanaf 1908, het kindkeizertje Pu Yi.

Republiek China. Gesticht in 1912, na de val van het keizerrijk. Na de communistische machtsovername op het vasteland in 1949, week de Nationalistische Partij en haar aanhang uit naar het eiland Taiwan en zette daar de Republiek China voort. Men leefde er tot 1987 onder de staat van beleg, daarna volgde de overgang naar een democratisch systeem. De eerste vrije presidentsverkiezingen werden gehouden in 1996, waarbij Chen Shui-bian de eerste president werd die niet uit de Nationalistische Partij kwam.

Rode Gardisten. Jeugdbeweging die tijdens de Culturele Revolutie Mao's gedachtegoed verspreidde, onder meer door scholen en andere instellingen in het hele land af te reizen, maar ook vaak met geweld, in zogenoemde kritiseersessies waarbij 'contrarevolutionairen' en 'reactionairen' publiekelijk werden vernederd.

Schrijversbond. Opgericht in 1949, vallend onder de Chinese Federatie van Literatuur- en Kunstkringen. Behartigde aanvankelijk niet zozeer de belangen van schrijvers, maar beoogde veeleer hen vanuit politiek oogpunt onder toezicht te houden. Men kreeg maandelijkse quota aan gedichten, toneelteksten, filmscripts of verhalen opgelegd, maar in ruil daarvoor waren werk (bij een culturele instelling als tijdschrift of uitgeverij), woning en sociale voorzieningen tot aan het pensioen gegarandeerd. Sinds 1986 wordt dat systeem van levenslange zekerheid langzaam afgebouwd en vervangen door een stelsel van meerjarige contracten en in het verschiet mogelijk afzonderlijke werkbeurzen. De bond beheert onder meer literaire prijzen als de Mao Dunprijs. Ledenaantal in 2006: 7700. Voorzitters: Mao Dun tot 1981, Ba Jin tot 2005, sindsdien Tie Ning (geboren in 1957).

Tiananmen-incident (4 juni 1989). Vanaf 15 april 1989 hielden studenten, en later ook intellectuelen en andere activisten, het centrale Tiananmenplein van Peking bezet met demonstraties om meer vrijheid en democratie. In de nacht van 3 op 4 juni besloot de regering de beweging met geweld (tanks en soldaten) te onderdrukken, een internationaal veroordeeld ingrijpen dat in China tot op heden op officieel niveau wordt doodgezwegen.

Viermeibeweging (1919). Beweging voor nieuwe cultuur, genoemd naar nationalistische studentendemonstraties op 4 mei 1919 naar aanleiding van het Verdrag van Versailles na de Eerste Wereldoorlog, waarbij de Oost-Chinese provincie Shandong werd toegekend aan Japan. De nieuwecultuurbeweging stond in feite voor een algehele kritische herbezinning op de traditionele Chinese maatschappij onder invloed van met name westerse ideeën.

Volksrepubliek China. In 1949 gesticht door Mao Zedong, duurt onder leiding van de Communistische Partij tot op heden voort; erkent Taiwan niet als zelfstandige staat, maar ziet het als een 'opstandige provincie'.

Wen Jiabao (1942). Sinds 2003 premier van de Volksrepubliek China, naast president Hu Jintao (1942). Voorgaande president was Jiang Zemin, in functie van 1993-2003, als feitelijke opvolger van de titelloze Deng Xiaoping, die in 1978 China's sterke man werd. Voorgaande premiers: Zhu Rongji 1998-2003, Li Peng 1988-1998, Zhao Ziyang 1987-1988, Hua Guofeng 1980-1987.

Yan'an. Plaats in de centrale provincie Shaanxi waar de Communistische Partij na de Lange Mars in 1936 haar hoofdkwartier opsloeg. Geldt als de broedplaats van Mao's gedachtegoed, in de opmaat naar de communistische machtsovername van 1949.

Tijdbalk Chinese geschiedenis

6de-3de eeuw v.Chr.	Tijd van de filosofen: Confucius, Laozi (Lao Tse), Zhuang Zi Compilaties van teksten die teruggaan tot de 12de eeuw v.Chr.
221 v.Chr.	Eenwording van China onder de Eerste Keizer van Qin, bekend van het terracottaleger in zijn graf. Begin bouw Grote Muur
206 v.-221 n.Chr.	Eerste grote dynastie, de Han, tot op heden de naam van de grootste Chinese etnie, de Han-Chinezen Uitvinding papier (eerste eeuw)
(...)	
618-906	Tangdynastie, eerste grote culturele bloeiperiode Tangpoëzie, introductie van het Indiase boeddhisme
907-1279	Songdynastie, uitwerking van het neoconfucianisme Uitvinding boekdrukkunst (tiende eeuw)
1260-1386	Yuandynastie: Mongoolse overheersing door Djengis en Kublai Khan; vermoedelijke reis Marco Polo (tussen 1271 en 1295)
1368-1644	Mingdynastie, twee grote culturele bloeiperiode Mingporselein, eerste grote romans, eerste handelsreizen VOC
1644-1911	Laatste dynastie, de Qing, gesticht door Mantsjoes Toename buitenlandse invloed, 1839-1842 Eerste Opiumoorlog, 1900 Bokseropstand
1912-1949	Republiek China (in Taiwan tot op heden) Tijd van regionale krijgsheren en continue burgeroorlog tussen Nationalistische Partij en Communistische Partij
1917	Literaire Revolutie, gevolgd in 1919 door de Viermeibeweging, beweging voor nieuwe cultuur
1937-1945	Chinees-Japanse Oorlog

1949-heden	Volksrepubliek China, gesticht door Communistische Partij o.l.v. Mao Zedong Voortzetting Republiek China in Taiwan; staat van beleg tot 1987, eerste vrije presidentsverkiezingen in 1996
1956	Mao's Honderdbloemencampagne, gevolgd door de Antirechtsencampagne in 1957
1958-1960	Grote Sprong Voorwaarts, resulterend in hongersnood (tot 1961)
1966-1976	Culturele Revolutie, eindigend door dood Mao
1978	Hervormingen o.l.v. Deng Xiaoping (opendeurpolitiek)
1989	Protestdemonstraties op het Tiananmenplein te Peking, op 4 juni met geweld onderdrukt
1997	Teruggave Hongkong door Groot-Brittannië
2001	Toetreding tot de Wereldhandelsorganisatie (WTO)
2008	Olympische Spelen Peking

Uitspraak van het Chinees

Voor de transcriptie van het Chinese karakterschrift wordt in dit boek het zogeheten pinyinsysteem gebruikt, dat in de Volksrepubliek China als de standaardspelling dient. De uitspraak behoeft enige toelichting.

b, d, g	als Nederlandse p, t, k
p, t, k	als Engelse p, t, k (geaspireerd)
c	als ts in *tsaar* (geaspireerd)
ch	als Engelse ch in *charcoal* (geaspireerd)
j	als Engelse j in *Jim*
q	als Engelse ch in *cheese* (geaspireerd)
r	als Engelse r, of Franse g in *Liège*
sh	als Engelse sh in *show*
x	als ch in *China*
y	als j in *jaar*
z	als Duitse z in *Zeitung*
zh	als Engelse j in *John*, maar stemloos
a	als Nederlandse a in *ja*, maar in de combinaties yan, -ian, juan, quan, xuan als e in *pen*
e	in de combinaties ye, ie, ue als e in *het*, anders als e in *de*
ei	als ee
i	na s, z, c, ch, zh, sh of r als e in *de*
iu	iu als jo in *jofel*
ou	als lange Nederlandse o in *droom*
u	als Nederlandse oe, maar na j, q, x en y als Nederlandse u
ui	als wee

Voor bepaalde plaats- en eigennamen wordt de ingeburgerde spelling behouden, zoals Peking in plaats van Beijing, of Chiang Kai-shek in plaats van Jiang Jieshi. Dit geldt ook voor Taiwanese namen, die de pinyinspelling niet volgen, zoals Taipei in plaats van Taibei, of Pai Hsien-yung in plaats van Bai Xianyong.

CHINESE NAMEN

Bij Chinese namen staat de familienaam voorop, gevolgd door de roepnaam, dus precies andersom dan in het Nederlands. Van Mao Zedong is Mao dus de 'achternaam' en Zedong de 'voornaam'. Geëmigreerde Chinezen draaien de volgorde soms om naar gebruik van hun gastland: Lulu Wang heet in het Chinees oorspronkelijk Wang Lulu. De familienaam bestaat meestal uit één lettergreep, de roepnaam uit één of (maximaal) twee lettergrepen.

Vertalingen

Selectieve lijst van vertaald Chinees proza verschenen tot maart 2008. Alleen voor belangrijke titels waarvan geen Nederlandse vertaling bestaat, wordt een Engelse of Franse vertaling gegeven. Vertalingen zijn direct uit het Chinees, tenzij anders vermeld. Schrijvers zijn terug te vinden via het register, behalve die gemarkeerd met een *, die hieronder worden aanbevolen. NB: bij Chinese namen komt de familienaam voorop.

Een doorzoekbare database voor Chinese literatuur in Nederlandse vertaling (met de namen en titels ook in Chinese karakters) is te vinden op: http://unileiden.net/verretaal, een samenwerkingsverband tussen de Universiteit Leiden en de Chinese University of Hong Kong.

KLASSIEK

Cao Xueqin en Gao E, 'De droom van de rode kamer' [eerste hoofdstuk] (vert. Daan Bronkhorst) *Het trage vuur* 24, december 2003.
The story of the stone (*The dream of the red chamber*). Vert. David Hawkes en John Minford. Penguin, 1976-1986 (5 dln).
De droom in de roode kamer. Vert. (uit het Duits) Ad. Vorstman (naar een bewerking door Franz Kuhn). J. Philip Kruseman, 1946 (1965).

Diversen, *De man met de kroezende baard. Chinese verhalen uit de Tang-dynastie.* Vert. W.L. Idema. Meulenhoff, 1993.

Diversen. *De mooiste verhalen uit het oude China.* Vert. W.L. Idema. Meulenhoff, 1996.

Feng Menglong* (1574-1645). *De drie woorden. Chinese novellen.* Vert. W.L. Idema. Meulenhoff, 1976.

Li Yu, *Lustgebed.* Vert. (uit het Engels) Jean Schalekamp. L.J. Veen, 1991.
'Bidmatten van vlees' [hoofdstuk 1 en 14] (vert. Sander Hendriks) *Het trage vuur* 22, juli 2003.

Pu Songling, *De beschilderde huid. Chinese spookverhalen.* Vert. W.L. Idema, B.J. Mansvelt Beck, N.H. van Straten. Meulenhoff, 1978.

Verschillende verhalen in *Het trage vuur* 7 (april 1999, vert. Sander Hendriks), 11 (september 2000, vert. W.L. Idema) , 14 (september 2001, vert. W.L. Idema), 24 (december 2003, vert. W.L. Idema) en 30 (juli 2005, vert. Yinzhi Zhang).

Shi Naian, 'Het verhaal van de wateroever' [hoofdstuk 23] (vert. Anne Sytske Keijser) *Het trage vuur* 34, juni 2006.

De roovers van het Liang Schan Moer en *Soeng doolt naar de roovers.* Vert. (uit het Duits) A. Demaeckere (naar een bewerking door Franz Kuhn). Wereldbibliotheek, 1936 en 1937.

Au bord de l'eau. Vert. Jacques Dars. Gallimard (Pléiade), 1978.

Wu Cheng'en, 'De zoektocht van de Apenkoning' [eerste hoofdstuk] (vert. Sander Hendriks) *Het trage vuur* 8, september 1999.

Monkey. Folk novel of China. Vert. Arthur Waley. Grove Press, 1994 [oorspr. 1943]. Vertaald als *Monkie, een Chinese legende* (H. Foeken). Contact, 1950.

Yuan Mei, *Waarover de wijze niet sprak.* Vert. Jan De Meyer. Selecties in *Het trage vuur* 6 (december 1998), 12 (december 2000), 14 (september 2001) en *Raster* 87 (1999).

Zhuang Zi, *De volledige geschriften.* Vertaald en toegelicht door Kristofer Schipper. Augustus, 2007.

REPUBLIEK CHINA (1912-1949)

Ba Jin (Pa Tjin), *Familie.* Vert. (uit het Frans) Willem Croon en Tineke Hoosemans. Manteau, 1986.

'De generaal' (vert. Maghiel van Crevel) *Het trage vuur* 2, april 1997.

'De hond' (vert. Annemie Bonneux) *Het trage vuur* 6, december 1998.

'De toverparel' (vert. Audrey Heijns) *Het trage vuur* 17, maart 2002.

Ding Ling* (1904-1986), *Het dagboek van Shafei.* Vert. Maud Thiery. Free Musketeers (eigen beheer), 2007.

Lao She, *De riksjarenner.* Vert. en nawoord Daan Bronkhorst. Meulenhoff, 1979.

Blades of grass. Stories. Vert. William A. Lyell en Sarah Wei-ming Chen. University of Hawai'i Press, 1999.

'De executie van Ruan Ming' (vert. Daan Bronkhorst) Lloyd Haft, red. *China. Verhalen van een land.* Meulenhoff, 1988.

'Ding' (vert. Audrey Heijns) *Het trage vuur* 27, september 2004.

'De beroemde stoffenzaak' (vert. Remy Cristini) *De tweede ronde,* lente 2006.

Lu Xun, *Verzameld werk.* Vert. en nawoord Klaas Ruitenbeek. Meulenhoff, 2000.

'Mensentaal' (vert. Klaas Ruitenbeek) *Het trage vuur* 15, december 2001.

'Op het gevoel' (vert. Klaas Ruitenbeek) *Het trage vuur* 15, december 2001.

'De evolutie van de man' (vert. Mark Leenhouts) *De tweede ronde,* lente 2006.

Mao Dun (Mao Tun), *Schemering over Sjanghai.* Vert. (uit het Duits) J.L.J.F. Ezerman. Den Haag: J. Philip Kruseman, z.j. (1939).

'Zoon gaat demonstreren' (vert. Michel Hockx) Lloyd Haft, red. *China. Verhalen van een land.* Meulenhoff, 1988.

Mu Shiying, 'Shanghai foxtrot' (vert. Michel Hockx en Hong Yu) *Het trage vuur* 18, juni 2002.

'Zwarte pioen' en 'Het zilveren standbeeld' (vert. Remy Cristini) *Het trage vuur* 35, oktober 2006.

Qian Zhongshu, *Fortress Besieged.* Vert. Jeanne Kelly en Nathan K. Mao, voorwoord Jonathan Spence. New Directions 2004/Penguin, 2005.

Limited views. Essays on ideas and letters. Vert. en introductie Ronald Egan. Harvard University Press, 1998.

'Eten' (vert. Michel Hockx en Hong Yu) *Het trage vuur* 12, december 2000.

Shen Congwen, *Le passeur de Chadong* (Grensplaats). Vert. Isabelle Rabut. Albin Michel, 1990.

Imperfect paradise [verhalen]. Red. Jeffrey Kinkley, diverse vert. University of Hawai'i Press, 1995.

'Het echtpaar' (vert. Michel Hockx) Lloyd Haft, red. *China. Verhalen van een land.* Meulenhoff, 1988.

'Baizi' (vert. Michel Hockx en Hong Yu) *Het trage vuur* 7, april 1999.

Yu Dafu, *Verhalen.* Vert. Rint Sybesma. Chinaboek, 1987.

'Een half dagje uit' (vert. Michel Hockx en Hong Yu) *Het trage vuur* 8, september 1999.

'De geboorte van een tragedie' (vert. Audrey Heijns) *Het trage vuur* 11, september 2000.

Zhang Ailing (Eileen Chang), *Love in a fallen city.* Vert. Karen S. Kingsbury. New York Review Books, 2007.

Traces of love. Ed. Eva Hung, diverse vert. Hongkong: Renditions, 2000.

Zhou Zuoren, 'Lezen op het toilet' (vert. Mark Leenhouts) *Het trage vuur* 2, april 1997.

'Twee keer oud en nieuw' [dagboek] (vert. Klaas Ruitenbeek) *Het trage vuur* 10, april 2000.

'Lof der stomheid' (vert. Mark Leenhouts) *Het trage vuur* 21, maart 2003.
'Het ouder worden van geesten' (vert. Anne Sytske Keijser) *De tweede ronde*, lente 2006.

TAIWAN (NA 1949)

Bo Yang* (1920), *The ugly Chinaman*. Vert. Don Cohn. Allen & Unwin, 1992.
'Drakenoogpap' (vert. Marc van der Meer) *Het trage vuur* 12, december 2000.
Chen Yingzhen* (1937), *Mijn eerste opdracht*. Vert. Rint Sybesma. Stichting Het Trage Vuur, 2006.
Chu T'ien-hsin, *The old capital*. Vert. Howard Goldblatt. Columbia University Press, 2007.
Chu T'ien-wen, *Notes of a desolate man*. Vert. Howard Goldblatt en Sylvia Li-Chun Lin. Columbia University Press, 1999.
Guo Zheng* (1955), 'Gods dobbelstenen' (vert. Jan A.M. De Meyer) *Het trage vuur* 4, maart 1998.
'Geschiedenis van het Chinese banditisme' (vert. Jan De Meyer) *Het trage vuur* 31, oktober 2005.
Li Ang* (1952), *De vrouw van de slachter*. Vert. (uit het Frans) C.M.L. Kisling. De Arbeiderspers, 1995.
'Bloeitijd' (vert. Audrey Heijns) *Het trage vuur* 1, oktober 1996.
Li Ao* (1935), 'Beginselen van de overlevingskunst' en 'Vrijheid van scherts' [essays] (vert. Mark Leenhouts) *Het trage vuur* 4, maart 1998.
Nie Hualing* (1925), *Twee Chinese vrouwen*. Vert. Anne Sytske Keijser. An Dekker, 1987.
Ouyang Zi* (1939), 'Tegen de schemering'; (vert. Audrey Heijns) *Het trage vuur* 2, april 1997.
'De vaas' (vert. Audrey Heijns) *Het trage vuur* 21, maart 2003.
Pai Hsien-yung (Bai Xianyong), *Jongens van glas*. Vert. Mark Leenhouts. De Geus, 2006.
'Bloedrode azalea's' (vert. Anne Sytske Keijser) *Het trage vuur* 4, maart 1998.
'Winteravond' (vert. Anne Sytske Keijser) *Het trage vuur* 9, december 1999.
'De dood in Chicago' (vert. Anne Sytske Keijser) *Het trage vuur* 18, juni 2002.
Tsjen Jo-sji (Chen Ruoxi), *De executie van districtshoofd Yin*. Vert. T.I. Ong-Oey. De Arbeiderspers, 1978.
Wang Wen-Hsing, *Family Catastrophe*. Vert. Susan Wan Dolling. University of Hawai'i Press, 1995.

Yuan Qiongqiong* (1950), 'Kat', 'Vader' en 'Niet gezien' (vert. Audrey Heijns) *Het trage vuur* 21, maart 2003.
'Koorts' (vert. Audrey Heijns) *Het trage vuur* 22, juli 2003.
'Oren schoonmaken' en 'Een plaatsje vrij' (vert. Audrey Heijns) *De tweede ronde*, lente 2006.
Zhang Dachun* (1957), 'Commentator aan de zijlijn' (vert. Audrey Heijns) *Het trage vuur* 20, december 2002.
'Lucky bezorgd over zijn land' (vert. Annemarie Bonneux) *Het trage vuur* 27, september 2004.

HONGKONG

Huang Biyun* (Wong Bik Wan; 1961), *De perzikbloesem regent rood.* Vert. Audrey Heijns. Stichting Het Trage Vuur, 2007.
Jin Yong (Louis Cha; 1924), *The book and the sword.* Vert. John Minford. Oxford University Press, 2004.
    The deer and the cauldron (3 dln). Vert. John Minford. Oxford University Press, 2000-2003.
Liu Yichang* (1918), 'Verkeerd verbonden' en 'Ketting' (vert. Audrey Heijns) *Het trage vuur* 25, maart 2004.
Xi Xi* (1938), 'Begonia' en 'Een vrouw zoals ik' (vert. Anneke Amir) *Het trage vuur* 3 (oktober 1997) en 10 (april 2000).

VOLKSREPUBLIEK CHINA (1949-HEDEN)

A Cheng, *Three Kings.* Vert. Bonnie S. McDougall. William Collins Sons, 1990.
    Le roman et la vie. [essays] Vert. Noël Dutrait. L'aube, 1995.
'Het feestmaal' (vert. Gorik Kayaert) *Het trage vuur* 12, december 2000.
A Lai, *Rode papavers.* Vert. Iege Vanwalle. Meulenhoff, 2002.
Annie Baby, 'Zeven jaar' (vert. Rogier Hekking) *Het trage vuur* 33, maart 2006.
Bei Dao, *Golven.* Vert. Maghiel van Crevel. Meulenhoff, 1989.
'Een maan op het papier' (vert. Maghiel van Crevel) *Het trage vuur* 1, oktober 1996.
'Gelukstraat 13' (vert. Martine Torfs) *Het trage vuur* 23, november 2003.
Gerolf Van De Perre, *Domweg dapper in de Gelukstraat.* [Beeldverhaal op basis van 'Gelukstraat 13'] Stichting Het Trage Vuur, 2003.
Bi Feiyu, *Maanopera.* Vert. Mark Leenhouts. De Geus/Novib, 2006.
'Wie spreekt er in de nacht?' (vert. Remy Cristini) *Het trage vuur* 14, september 2001.

'De *qin*-verkoper van het platteland' (vert. Anne Sytske Keijser) *Het trage vuur* 30, juli 2005.

'Wu Song de Tijgerdoder' (vert. Remy Cristini) *Het trage vuur* 34, juni 2006.

Can Xue, 'Iets over mijn verblijf in die wereld' (vert. Michel Hockx) *Kreatief* 3/4, 1993.

'Het kind dat gifslangen kweekte' (vert. Jeanne Boden) *Het trage vuur* 0, april 1996.

'De os' (vert. Ann Boone) *Het trage vuur* 6, december 1998.

'Het afspraakje' (vert. Audrey Heijns) *Het trage vuur* 29, maart 2005.

'De moordenaar' (vert. uit het Engels: Heleen ten Holt) *Voorzitter Mao zou hier niet blij mee zijn*. Prometheus, 1996.

Old floating cloud. Vert. Ronald Janssen en Jian Zhang. Northwestern University Press, 1991.

Chen Cun, 'Voetstappen op het dak' (vert. Jan De Meyer) *De Brakke Hond* 42, 1994. (Tevens vert. uit het Engels door Heleen ten Holt in *Voorzitter Mao zou hier niet blij mee zijn*. Prometheus, 1996.)

'Bloem en' [fragment] (vert. Anne Sytske Keijser) *Het trage vuur* 35, oktober 2006.

Chun Sue, *Beijing Doll.* Vert. Yuhong Gong. Vassallucci, 2004.

Dai Houying, *Namen in de muur.* Vert. Koos Kuiper. Meulenhoff, 1987.

Duoduo, *Tatoeages.* Vert. Maghiel van Crevel en Michel Hockx. Meulenhoff, 1995.

Gao Xiaosheng, *Een allereenvoudigst verhaal.* Vert. Koos Kuiper. Meulenhoff, 1984.

Gao Xingjian, *Kramp.* Redactie Anne Sytske Keijser en Mark Leenhouts (nawoord). Vert. Michel Hockx & Hong Yu, Anne Sytske Keijser, Mark Leenhouts, Silvia Marijnissen, Jan De Meyer. Meulenhoff, 2001.

Berg van de ziel. Vert. Anne Sytske Keijser. Meulenhoff, 2002.

One man's bible. Vert. Mabel Lee. HarperCollins, 1999.

The other shore. [toneel] Vert. Gilbert C.F. Fong. The Chinese University Press (Hongkong), 1999.

The case for literature. [essays] Vert. Mabel Lee. Yale University Press, 2007.

Return to painting. [schilderijen] Harper Perennial, 2002.

Ge Fei, 'Mosselschelpen' (vert. Alice de Jong) *Het trage vuur* 1, oktober 1996.

'Raadsels' (vert. Paul van Els) *Het trage vuur* 9, december 1999.

'Groen-geel' (vert. Jeanne Boden) *De Brakke Hond* 62, 1999.

'Fluiten' (vert. Annemie Bonneux) *Het trage vuur* 30, juli 2005.

'Herinneringen aan wat niet is geweest' (vert. Maud Thiery) *Het trage vuur* 30, juli 2005.

'Ma Yulan's verjaardagsgeschenk' (vert. Maud Thiery) *Het trage vuur* 31, oktober 2005.

'Herinneringen aan meneer Wu You' (vert. uit het Engels: Heleen ten Holt) *Voorzitter Mao zou hier niet blij mee zijn.* Prometheus, 1996.

Poèmes à l'idiot. Vert. Xiaomin Giafferri-Huang. L'aube, 2007.

Gu Hua, *Het dorp Hibiscus.* Vert. Marc van der Meer. Ambo/Novib, 1988.

De tuin der literaten. Vert. Marc van der Meer. Ambo/Novib, 1992.

De kuise vrouw. Vert. Marc van der Meer. Ambo/Novib, 1995.

Han Han, *Les trois portes.* Vert. Guan Jian en Sylvie Scheiter. JC Lattès, 2004.

Han Shaogong, *Pa pa pa. Vrouw vrouw vrouw.* Vert. Mark Leenhouts. De Geus, 1996.

Woordenboek van Maqiao. Vert. Mark Leenhouts. De Geus/Novib, 2002.

Schoenenobsessie. Vert. Mark Leenhouts. Stichting Het Trage Vuur, 2004.

'Naar huis terug' (vert. Mark Leenhouts). *Het trage vuur* 0, april 1996.

'Verleiding' (vert. Mark Leenhouts) *Het trage vuur* 8, september 1999.

'Geluiden in de bergen' (vert. Mark Leenhouts) *Het trage vuur* 14, september 2001.

'Is dat zo?' (vert. David Belis) *Het trage vuur* 41, maart 2008.

Haoran, *The golden road.* Vert. Carma Hinton en Chris Gilmartin. Beijing Foreign Languages Press, 1981.

Hong Ying, *Zomer van verraad.* Vert. Mark Leenhouts. Meulenhoff, 1997.

Hongerdochter. Vert. Michel Hockx en Hong Yu. Meulenhoff, 1998.

K. Vert. Martine Torfs. Meulenhoff, 2000.

Jia Pingwa, *La capitale déchue* (Vervallen stad). Vert. Geneviève Imbot-Bichet. Stock, 1997.

'Verlaten steen' (vert. Martine Torfs) *Het trage vuur* 2, april 1997.

Gerolf Van de Perre, *Steenstof.* [Beeldverhaal op basis van *Vervallen stad*] Oogachtend, 2003.

Jiang Rong, *Wolventotem.* Vert. (uit het Engels) Daniëlle Alders, Marion Drolsbach, Susan Ridder, Jaap Sietse Zuierveld en Selma Bakker. Prometheus, 2008.

Jin Haishu* (1961), 'Verhuizen' (vert. Lena Scheen) *Het trage vuur* 15, december 2001.

'Ik wil springen' (vert. Benjamin van Rooij en Lena Scheen) *Het trage vuur* 18, juni 2002.

'Duiven! Duiven!' (vert. Lena Scheen) *Het trage vuur* 26, juli 2004.

Li Rui, *Zilverstad.* Vert. (uit het Engels) Peter Out. Prometheus, 1998.

'Nep-huwelijk' (vert. uit het Engels: Marga van den Herik) *Voorzitter Mao zou hier niet blij mee zijn.* Prometheus, 1996.

'Verkiezing van een dief' (vert. Martine Torfs). *De tweede ronde,* lente 2006.

Arbre sans vent. Vert. Annie Curien. Philippe Picquier, 2000.

Lin Yutang, 'Bezoek aan Hangzhou in het voorjaar' (vert. Elly Hagenaar) *Het trage vuur* 8, september 1999.

'Toen ik stopte met roken' (vert. Mark Leenhouts) *De tweede ronde,* lente 2006.

Liu Heng*(1954), *De groene rivier.* Vert. (uit het Engels) Peter Abelsen. Bert Bakker, 2001.

Black snow. Vert. Howard Goldblatt. Atlantic Monthly Press, 1993.

Lu Xinhua, 'Het litteken' (vert. Koos Kuiper) *Nieuwe Chinese verhalen.* De Arbeiderspers, 1983.

Ma Jian, *Het rode stof.* Vert. Sander Hendriks. Mets & Schilt, 2001.

De noedelmaker. Vert. Sander Hendriks. De Arbeiderspers, 2005.

Ma Yuan, *Verzinsel.* Vert. Jeanne Boden. Amerika, 1999.

Een muur met grillige patronen. Vert. Jeanne Boden. Stichting Kunstuitleen Zeeland, 1999.

'Een oud lied van de Himalaya' (vert. Elly Hagenaar) *Het trage vuur* 3, oktober 1997.

'Dwaalgeest' (vert. Audrey Heijns) *Het trage vuur* 34, juni 2006.

Mian Mian, *Candy.* Vert. Martine Torfs. Arena, 2001.

'Show me the way to the next whiskey bar' (vert. Martine Torfs) *Het trage vuur* 22, juli 2003.

'Panda sex' [fragment] (vert. Annelous Stiggelbout) *Het trage vuur* 35, oktober 2006.

Mo Yan, *Het rode korenveld.* Vert. (uit het Engels) Peter Nijmeijer en Hans van de Waarsenburg. Bert Bakker, 1994.

De knoflookliederen. Vert. (uit het Engels) Peter Abelsen. Bert Bakker, 1995.

De wijnrepubliek. Vert. (uit het Engels) Marijke Koch. Bert Bakker, 2000.

Alles voor een glimlach. Vert. (uit het Engels) Sophie Brinkman. Bert Bakker, 2002.

Grote borsten, brede heupen. Vert. (uit het Engels) Hans van Cuijlenborg, Karin van Gerwen en Edzard Krol. Bert Bakker, 2003.

Le supplice du santal. Vert. Chantal Chen-Andro. Seuil, 2006.

'De kattenfokker' (vert. Marc van der Meer) *Het trage vuur* 6, december 1998.

'Droge rivier' (vert. Marc van der Meer) *Het trage vuur* 7, april 1999.

'Schommel en witte hond' (vert. Remy Cristini) *Het trage vuur* 25, maart 2004.

'Het geneesmiddel' (vert. uit het Engels: Marga van den Herik) *Voorzitter Mao zou hier niet blij mee zijn*. Prometheus, 1996.

Shi Tiesheng, 'De geest van de stoel' (vert. Marc van der Meer) *Het trage vuur* 3, oktober 1997.

'Noodlot' (vert. Mark Leenhouts en Veerle Steensels) *Het trage vuur* 13, juni 2001.

'Voorbij' (vert. Remy Cristini) *Het trage vuur* 20, december 2002.

'5' [Uit: *Notities van een theoreticus*] (vert. Mark Leenhouts) *Zandlopers*. Novib/Schuyt&Co, 1999.

'Moeder' [Uit: *Notities van een theoreticus*] (vert. Mark Leenhouts) *Het trage vuur* 31, oktober 2005.

'Eerste persoon' (vert. uit het Engels: C.M. Botje-Zoetmulder) *Voorzitter Mao zou hier niet blij mee zijn*. Prometheus, 1996.

Strings of life. Diverse vert. Chinese Literature Press, 1991.

Su Tong. *De rode lantaarn*. Vert. (uit het Engels) Liesbeth Teixeira de Mattos. Contact, 1994; Pandora 1999.

Rijst. Vert. Mark Leenhouts. De Geus, 1997.

Drie lantaarns. Vert. Jeanne Boden. Amerika, 1999.

Mijn leven als keizer. Vert. Mark Leenhouts. De Geus, 2006.

Binu and the Great Wall: The Myth of Meng. Vert. Howard Goldblatt. Canongate, 2008.

'Vliegend over mijn ouderlijk dorp Fengyangshu' (vert. Anne Sytske Keijser) *Raster* 66, 1994.

'Vogelverschrikker' (vert. Jeanne Boden) *Het trage vuur* 1, oktober 1996.

'Mijn katoen, mijn thuis' (vert. Jeanne Boden) *De Brakke Hond* 57, 1997.

'Ritueel voltooid' (vert. Jeanne Boden) *Het trage vuur* 7, april 1999.

'Fluitspeler: west' (vert. Jeanne Boden) *Het trage vuur* 11, september 2000.

'Mijn ontmoetingen met meneer Sima' (vert. Remy Cristini) *Het trage vuur* 21, maart 2003.

'De gebroeders Shu' (vert. uit het Engels: C.M. Botje-Zoetmulder) *Voorzitter Mao zou hier niet blij mee zijn*. Prometheus, 1996.

'Running wild' (vert. Kirk Anderson and Zheng Da) David Der-wei Wang, red., *Running Wild: New Chinese Writers*. Columbia University Press, 1994.

Wang Anyi, *Een dorpsvertelling uit klein-Bao* en *De tijd gaat verder*. Vert. Rint Sybesma. De Geus, 1993. (Eerder: Het Wereldvenster, 1990.)

De staart van de vlieger. (Gedeelde bundel met Wang Meng) Vert. Rint Sybesma. Het Wereldvenster, 1987.

Le chant des regrets éternels (Lied van het eeuwig verdriet). Vert. Yvonne

André en Stéphane Lévêque. Philippe Picquier, 2006.

The Song of Everlasting Sorrow: A Novel of Shanghai. Vert. Michael Berry en Susan Chan Egan. Columbia University Press, 2008.

'De plaats waar de trein vier minuten stopt' (vert. Marisa Bantjes en Alice de Jong) *Tussen de groene schaduw en de rode muur.* Het Wereldvenster, 1988.

'Terug naar Shanghai' (vert. Suzy Bong) *Een bres in de muur.* Ambo, 1989.

'De kleur van Shanghai en de kleur van Peking' (vert. Audrey Heijns) *Het trage vuur* 35, oktober 2006.

Wang Meng, *De staart van de vlieger.* (Gedeelde bundel met Wang Anyi) Vert. Rint Sybesma. Wereldvenster, 1987.

'De zorgen van een kapper' en 'Een stroom bezoekers' (vert. Ad Blankestijn) *Nieuwe Chinese verhalen.* De Arbeiderspers, 1983.

'Een ruime keus' (vert. uit het Engels: C.M. Botje-Zoetmulder) *Voorzitter Mao zou hier niet blij mee zijn.* Prometheus, 1996.

'Polemitis' (vert. Rint Sybesma) *De tweede ronde,* lente 2006.

Wang Shuo, *Spannend spel.* Vert. Jan Willem van Bragt en Yuhong Gong. De Geus, 1997.

'Ik ben een wolf' [fragment] (vert. Mark Leenhouts) *Armada 22, mei 2001.*

Wei Hui, *Shanghai baby.* Vert. (uit het Frans) Eveline Renes en Dorli Huvers. Contact, 2001.

Trouwen met boeddha. Vert. Jan De Meyer en Iege Vanwalle. Contact, 2005.

Wu Chenjun* (1966), 'Droomwereld' (vert. Silvia Marijnissen) *Het trage vuur* 20, december 2002.

'Middernachtsgek' (vert. Silvia Marijnissen) *Het trage vuur* 24, december 2003.

Yan Lianke, *Dien het volk.* Vert. Mark Leenhouts. Podium, 2007.

Le rêve du village des Ding. Vert. Claude Payen. Philippe Picquier, 2007.

Ye Zhaoyan* (1957). *Nanjing 1937. Een liefdesgeschiedenis.* Vert. Anne Sytske Keijser. Ambo, 2003.

'Het oude liedje' (vert. Anne Sytske Keijser) *Het trage vuur* 2, april 1997.

Yin Lichuan, *Fucker.* Vert. Yuhong Gong. Vassallucci, 2004.

Yu Hua, *Leven!* Vert. Elly Hagenaar. De Geus, 1995.

De bloedverkoper. Vert. Martine Torfs. De Geus, 2004.

Cries in the drizzle. Vert. Allan H. Barr. Anchor, 2007.

'Met achttien jaar de wereld in' (vert. Elly Hagenaar) *Het trage vuur* 0, april 1996.

'Ik heb geen eigen naam' (vert. Katrien Coupez) *Het trage vuur* 5, september 1998.

'Mijn ervaring als schrijver met muziek' (vert. Martine Torfs) *Het trage vuur* 30, juli 2005.

'Appendix' (vert. Liesbeth Hiele) *Het trage vuur* 31, oktober 2005.

'Het verleden en de straffen' (vert. uit het Engels: Marga van den Herik) *Voorzitter Mao zou hier niet blij mee zijn.* Prometheus, 1996.

'One kind of reality' (vert. Jeanne Tai) David Der-wei Wang, red., *Running Wild: New Chinese Writers.* Columbia University Press, 1994.

Zhang Jie, *Zware vleugels.* Vert. (uit het Duits) José Bruurmijn. De Geus, 1986.

De ark. Vert. Eduard Broeks. De Geus, 1987.

De liefde moet niet vergeten worden. Vert. Elly Hagenaar. De Geus, 1988.

Als er niets gebeurt, blijft alles hetzelfde. Vert. Koos Kuiper. De Geus, 1990.

Smaragd. Vert. Elly Hagenaar. De Geus, 1991.

Er is maar één zon. Vert. Koos Kuiper. De Geus, 1992.

Mijn moeder (autobiografisch verhaal). Vert. Koos Kuiper. De Geus, 1998.

Zhang Xianliang (X.L. Zhang), *Eethuisje Amerika.* Vert. Rint Sybesma. Het Wereldvenster, 1990; De Geus, 1995.

De vrouw in het riet. Vert. Rint Sybesma. Het Wereldvenster, 1988; De Geus, 1993.

Doodgaan went. Vert. Rint Sybesma. Het Wereldvenster, 1992; De Geus, 1994.

De boom van wijsheid. Een onverzonnen roman. Vert. Rint Sybesma. De Geus, 1996.

'Shorbulak – het verhaal van een vrachtwagenchauffeur' (vert. Anne Sytske Keijser) *Het trage vuur* 8, september 1999.

Zhao Shuli (Tsjao Sjoe-Li), *De dorpszanger Li Joe Ts'ai.* Vert. (uit het Engels) Joseph Kalmer en Theun de Vries. Pegasus, 1951.

'Xiao Erhei gaat trouwen' (vert. Yves Menheere) *Het trage vuur* 37, maart 2007.

Zhu Wen, 'Uit eenzaamheid' (vert. Mark Leenhouts) *Het trage vuur* 3, oktober 1997.

'Wijsvinger' (vert. Elly Hagenaar) *Het trage vuur* 15, december 2001.

I love dollars. Vert. Julia Lovell. Columbia University Press, 2007.

MIGRANTEN (NIET-CHINEESTALIG)

Cheng, François, *De balling.* Vert. Théo Buckinx. Prometheus, 1999.

Voor de eeuwigheid. Vert. Evelien Chayes. Atlas, 2006.

Vide et plein. [essays] Seuil, 1991.

Dai Sijie, *Balzac en het Chinese naaistertje.* Vert. Jan De Meyer. De Arbeiderspers, 2001.

Het complex van Di. Vert. Edu Borger. De Arbeiderspers, 2005.

Gong, Yuhong, *Vliegers boven Lentestad.* Vassallucci, 2000.

Tijdloos, over een verre rivier. 521 Uitgevers, 2006.

Guo, Xiaolu, *Dorp van steen.* Vert. Lidy Pol. Mouria, 2004.

Beknopt woordenboek voor geliefden. Vert. Kees Mollema. Sirene, 2007.

Ha Jin, *Wachten.* Vert. Manon Smits. De Geus/Novib, 2000.

Uit het gareel. Vert. Manon Smits. De Geus, 2002.

De waanzinnigen. Vert. Manon Smits. Ambo, 2003.

A free life. Pantheon, 2007.

Kingston, Maxine Hong, *De krijgsheldin.* Vert. Else Hoog. Elsevier Manteau, 1980; Amber 1989.

Mannen uit China. Vert. Djuke Houweling. Elsevier Manteau, 1981; De Geus 1994.

Tripmaster Monkey. His Fakebook. Vintage, 1987.

Li, Yiyun* (1972), *A thousand years of good prayers.* Random House, 2005.

Lin Yutang, *Mijn land en mijn volk.* Vert. W.H.C. Boellaard. M.C. Stok Zuid-Hollandsche Uitgevers Maatschappij, 1939. [*My country and my people.* Reynal & Hitchcock, 1935; Hesperides, 2006.]

Levenswijsheid met een glimlach. Vert. W.H.C. Boellaard. M.C. Stok Zuid-Hollandsche Uitgevers Maatschappij, z.j. (1949). [*The importance of living.* John Day, 1937; Harper, 1998.]

Min, Anchee, *Rode Azalea.* Vert. Paul Syrier. Contact, 1994.

Katherine. Vert. Aafke van der Made, Contact, 1995.

Mevrouw Mao. Vert. M.M. Lindenburg. Contact, 2000.

Wilde gember. Vert. Thera Idema. Contact, 2001.

De laatste keizerin. Vert. Thera Idema. Contact, 2007.

Shan Sa, *De go-speelster.* Vert. Rosalien van Witsen. Meulenhoff, 2002.

Keizerin. Vert. Iris de Roo-Kwant. Archipel, 2004.

Tan, Amy, *De vreugde-en-gelukclub.* Vert. Heleen ten Holt. Bert Bakker, 1989.

De vrouw van de keukengod. Vert. Eugène Dabekaussen. Bert Bakker, 1991.

De honderd geheime zintuigen. Vert. Peter Abelsen. Bert Bakker, 1996.

De dochter van de heelmeester. Vert. Peter Abelsen. Bert Bakker, 2001.

De keerzijde van het lot. Vert. Frans Reusink. Bert Bakker, 2003.

Vissen op het droge helpen. Vert. Susan Ridder. Prometheus, 2005.

Wang, Lulu, *Het lelietheater.* Vassallucci, 1997.

Het tedere kind, Vassallucci, 1999.

Seringendroom, Vassallucci, 2001.

Bedwelmd. De Boekerij, 2004.

Heldere maan. De Boekerij, 2007.

Wen, Mayli, *Een vrouw op de drakentroon.* Conserve, 2005.

Register

NB: Bij Chinese namen komt de familienaam voorop.